Heinrich, Ka.

Erzaehlungen ueber evangelische Kirchenlieder

und ueber einzelne Verse für Jung und Alt, 1. Teil

Heinrich, Karl

Erzaehlungen ueber evangelische Kirchenlieder

und ueber einzelne Verse für Jung und Alt, 1. Teil

Inktank publishing, 2018

www.inktank-publishing.com

ISBN/EAN: 9783747799840

Erzählungen

über evangelische Kirchenlieder

und

über einzelne Verse

für

Jung und Alt.

Herausgegeben von

Karl Heinrich,

Kantor und Schullehrer in Zwochau, und Inhaber des allgemeinen Ehrenzeichens.

Mit einem Vorworte von Dr. F. Ahlfeld.

. Erster Theil.

Zweite, verbesserte und vermehrte Auflage.

———————

Halle,

Verlag von Ch. Graeger.

1854.

Seinen

lieben, ehemaligen Schülerinnen

Frau Pastorin **Christiane Wendel**, geb. Uhle, in Fulda;

Frau Justizräthin **Wilhelmine Wilke**, geb. Uhle, in Berlin;

Frau Consistorialräthin **Emma Hildebrandt**, gb. Uhle, in Magdeburg;

und seinem lieben, ehemaligen Schüler

Herrn Pastor **Franz Uhle** in Seeburg

in herzlicher Liebe gewidmet

vom

Herausgeber.

Vorwort.

Gar lieblich ist es, hinter der täglichen Amts = und Arbeitsstube noch ein Hinterstübchen zu haben, aus der für das Amt Kraft und Segen mitgebracht wird. Allen Christen soll das selige Stillleben in dem Herrn solch Allerheiligstes, solch Kämmerlein sein. Ihr Leben soll mit Christo verborgen sein in Gott. Aus dieser heiligen Verborgenheit soll immer auf's Neue Klarheit, Frische und Treue in die offene Alltäglichkeit heraufquillen. O, wir bedürfen dieses reichen und tiefen Brunnens Alle! Jedes Amt hat sein Verzehrendes und Ausdörrendes. Wer täglich giebt, und nicht nimmt, wird endlich hölzern und verknöchert sich in gewohnten Gedanken; ja es werden aus diesen Gedanken endlich todte Formeln und Phrasen, in denen weder Kraft zur lebendigen Mittheilung, noch auch nur Kraft zum Widerstande gegen die Anfechtung ruht. Also schaffe ein Jeder, daß ihm das Fleisch, die Welt und ihrer beider Fürst jenes heilige Kämmerlein nicht vermauern. — Dazu ruhet in jeder Seele noch der Wunsch, neben der amtlichen Thätigkeit eine Thätigkeit zur Erholung zu haben. Sie wird auf den verschiedensten Feldern gesucht. Es giebt eine förmliche Scala dieser Aushülfe. Ich habe Geistliche und Lehrer kennen gelernt, welche ihre

freien Stunden auf Blumenzucht verwandten. Ein katho=
lischer Geistlicher in Schlesien liegt so eifrig der Bienen=
zucht ob, daß er in diesem Gebiete wirklich ein berühmter
Mann geworden ist. Ich habe einen Geistlichen gefunden,
der als Maler Anerkennenswerthes leistete. Wie viele
Lehrer und Prediger aber ihre Mußestunden einer dem
Amte näher oder ferner liegenden Lectüre, näher oder fer=
ner liegenden Studien widmen, brauche ich nicht zu sagen.
Ich will über Keinen urtheilen. Aber den Satz darf ich aus=
sprechen, daß die Mußearbeiten die erlaubtesten und geseg=
netsten sind, welche für den Beruf einen bestimmten Ge=
winn absetzen. Solches kann ich rühmen von den Arbei=
ten meines lieben Freunde, des Herrn Cantor Heinrich.
Er ist auch eine Art von Bienenzüchter, wenigstens sam=
melt er auf dem großen Felde des evangelischen Glau=
benslebens die Honigtropfen, welche unter der Sonne des
gläubigen evangelischen Kirchenliedes aus dem Herzen ge=
quollen sind. Er ist auch ein Blumist, denn er sammelt
die lebendigen Blüthen, welche am Stamme des evange=
lischen Liedes gewachsen sind, und diese Narden geben
einen köstlichen Geruch. Er ist auch ein Maler, denn
er hat uns in seinen Liederhistorien bereits manches
schöne Bild copirt, das der Herr unter der Kraft des
Wortes im Liede zuerst als Meister gemalt hatte. Er hat
einen guten Theil seines Lebens darauf verwandt, dem
evangelischen Kirchenliede nachzugehen, und die Thaten
Gottes zu sammeln, die er durch dasselbe an dem gläubi=
gen oder auch an dem bis dahin in Sünden todten Men=
schenherzen gethan hat. — Solche Arbeit liegt dem Leh=
rerberufe, liegt der Schule recht nahe. Ich bin deß gewiß,
daß aus diesem Hinterstübchen mancher Segen in das Amt
geflossen ist. — Es gehört zu meiner schlichten Ansicht
vom Gebrauche des Kirchenliedes in der Schule, daß der

Lieder nicht zu viele gelernt werden dürfen. Wenn ein
Kind, welches 8 Jahre lang die Schule besucht hat, vier-
zig Lieder aus derselben mitnimmt, so sind dies genug.
Aber es müssen gute alte Kernlieder sein, welche ihre feste
Stellung im Leben und im Kirchenjahre einnehmen. Ferner müssen sie so gelernt sein, daß sie unvertilgbar im
Gedächtnisse des Kindes stehen. Dasselbe muß sie auch
ohne Gedanken hersagen können. Nun ist es gar köstlich,
wenn an jedem dieser in das Kinderherz gepflanzten
Bäume aus Eden auch wenigstens eine Frucht hängt;
wenn dem Kinde zu jedem Liede eine recht schlagende
Geschichte, die dasselbe an irgend einer Seele gewirkt hat,
erzählt wird. Sie kann neben dem Liede als deutscher
Aufsatz in der Schule dictirt werden. Solche eine Frucht
ist eine Einladung des Herrn an das Kind, daß sich in
seinem Leben eine zweite an den Stamm ansetzen möge.
Ich bin fest überzeugt, daß Herr Cantor Heinrich solche
Arbeit an seinen Schülern nicht versäumt hat. Ich möchte
ihm dabei gleich noch eine kleine Arbeit aufbürden. Die
stillen Winterabende geben vielleicht Zeit dazu. Wenn er
doch 40—50 unserer trefflichsten Lieder nach dem Bedarf
des Lebenslaufes in ein Gesangbuch zusammenordnete, und
jedem mit recht scharfer Auswahl wo möglich die schla-
gendste Geschichte beifügte. Er würde vielen Lehrern und
Predigern damit einen großen Dienst thun. Gerade dadurch würde die Frucht seiner stillen Muße noch einem
viel weitern Kreise zu statten kommen. — Von dem
Segen, welchen seine Bücher bereits geschafft haben, können aber auch die Geistlichen für ihre Predigt rühmen.
Es ist ein gar lieblicher Eingang, wenn man von dem
Hauptliede mit einer schlagenden aus demselben gebornen
Geschichte auf den Text oder auf das Thema übergehen
kann. Ich verhehle es nicht, daß mir die Bücher des lie-

VIII

ben Verfassers dazu manchen Stoff geboten haben, und daß ich sie auch sonst in der Predigt vielfach habe ausbeuten können. — Ist nun die erste Ausgabe dieses Werkes eine solche Gehülfin für Schule und Kirche geworden, so wird die zweite, in welcher der Verfasser unbedeutendere Erzählungen weggelassen und dafür frischere und treffendere eingeschaltet hat, diesen Dienst noch viel mehr thun. — Der Herr wolle dem Büchlein seinen Segen mitgeben, dasselbe recht vielen Predigern, Lehrern und Hausvätern in die Hand legen, durch dasselbe die Liebe zu unsern theuern Glaubensliedern mehren, und helfen, daß sich recht viele Herzen auf den Schwingen des Liedes aus der Welt, dem Kleinglauben, der Sünde, dem Weh und dem Tode herausheben in den Glauben, der die Welt überwunden hat.

Leipzig, den 19ten October 1854.

D. Fr. Ahlfeld.

Vorrede
zur zweiten Auflage.

Durch Gottes Gnade ist diesem Buche eine so günstige Aufnahme zu Theil geworden, daß, weit früher, als ich erwarten konnte und durfte, eine zweite Auflage nöthig geworden ist. Je erfreulicher dieses für mich sein muß, um desto sorgfältiger werde ich fortwährend auf eine angemessene Vervollkommnung des Buches Bedacht nehmen. Man hat sehr oft die erhebende und begeisternde Kraft des geistlichen Liedes gepriesen, und es kann in der That nicht zu viel darüber gesagt werden. Frühe in der Jugend, vielleicht als die erste Gabe frommer Eltern und Lehrer, nehmen wir das geistliche Lied in unser Gedächtniß auf, und es klingt nun durch unser ganzes Leben bei Freud und Leid in uns wieder, und die Töne des Liedes sind oft der letzte Hall, in dem die Seele sich in eine bessere Welt hinüberschwingt. Das von der Gnade und allen den Seg=nungen seines Gottes erfüllte Gemüth stimmt ihm einen Lobgesang an. Der stille Betrachter, der sich ergriffen fühlt von den Wundern der Schöpfung und alle den Wundern seiner eignen Führung, findet in dem Liede den Ausdruck dessen, was ihn in seinem Innern bewegt. In den Buß=liedern flehet der Sünder die ewige Erbarmung an. Der einsame Fromme singt in seiner verschlossenen Kammer; der Hausvater vereint seine Stimme mit denen der Mutter

**

X

und der Kinder, und es sind das die seligsten Stunden des
Hauses, die durch andachtsvollen Gesang geheiligt werden;
das hohe Gewölbe des Gotteshauses hallt wieder von dem
Gesange der versammelten Gemeinde, der, von den Tönen
der Orgel empor getragen, zu der noch höhern Wölbung
des Himmels hinaufsteiget. Dem Wanderer ist sein from=
mes Lied ein freundlicher Begleiter, wenn er in dem Mor=
genstrahl durch das hellbeleuchtete Land schreitet und sein
ganzes Herz und Gemüth sich aufthut, oder wenn er in das
Abendroth schaut und die Sehnsucht nach der lieben Heimath
in ihm heraufquillt: da singt er sein Lied und empfiehlt
dem Lenker seiner Bahn die fernen Geliebten. Wir lesen
von schwer Versuchten, in denen mit einem Male der Klang
des Liedes laut wurde, und wie ein Bote aus der Höhe,
die Lockung von ihnen scheuchte; — von gefahrvoll Um=
dräueten, wie sie in der Noth ihrer Herzen ein frommes
Lied laut zu singen begannen, und in dem entscheidenden
Augenblicke den wankenden Muth und die volle Ruhe zu
handeln wieder gewannen. Unter dem begeisternden Rufe
des Gesanges sind schon christliche Streiter in die Schlacht
und in den Tod gegangen; und selbst in unterirdischer
Höhle läßt manchmal die Stimme des Gefangenen sich
vernehmen und er fühlt Erleichterung in seinen Fesseln.
Dieß ist des Liedes Kraft und Segen, welches ein Dichter
in folgendem Verse so schön zusammengefaßt hat:

Die Sünde kann es dir entdecken,
Es kann dich ziehen zum Gebet:
Zum Glauben kann es dich erwecken,
In Gott dich stärken früh und spät;
Mit Eifer kann es dich beseelen
Zum Glaubenswerk, zur Liebesthat,
Wo Sorgen dich und Leiden quälen,
Dir geben Trost und guten Rath.

Es ist daher der Kirchengesang, wo diese Lieder von einer ganzen Gemeinde gesungen werden, eins der wirksamsten Mittel der Erbauung, da sich in ihm Dichtkunst und Musik vereinigen, das menschliche Herz auf fromme Weise zu rühren. Daher war es schon den ersten christlichen Gemeinden ein wesentliches Bedürfniß, ihre Stimme gemeinschaftlich im Gesange heiliger Lieder zu erheben.

Die abendländische Kirche verräth aber auch im Gesangwesen schon frühe die hierarchische Richtung, die sie von Jahrhundert zu Jahrhundert immer entschiedener verfolgt hat. Während in der Heimath des Christenthums, im Morgenlande, die ganze Gemeinde am Gesange Antheil nehmen durfte, wandte man im Abendlande bald den Spruch: taceat mulier in ecclesia auch auf den Gesang an; nachdem aber einmal den Weibern das Mitsingen verboten war, kam die Reihe auch an die Männer; man stellte sie unter das gleiche Interdict aus dem Grunde, weil sie (einer Aeußerung des heiligen Hieronymus zu Folge) weder Tact halten noch den körperlichen Anstand beobachten. Dagegen nun reagirte Ambrosius, Bischof zu Mailand (starb im Jahre 397). Er wollte nach morgenländischer Weise die ganze Gemeinde singen lassen. Damit hat er einem Princip gehuldigt, das dem der Reformatoren ähnlich war; der Kirchengesang sollte Volksgesang werden. Und Ambrosius erreichte seinen Zweck. Im Jahre 386 wurde der Gemeindegesang auch im Abendlande üblich. Man bediente sich anfangs der Psalmen, bald auch anderer religiöser Gesänge. Allein schon im 7ten Jahrhunderte hörte er wieder auf, ein Gesang der ganzen christlichen Gemeinde zu sein, als das Rauhe und Unrichtige des allgemeinen Volksgesanges, im Gegensatz zu der reinern und lieblichern

Stimme der in den Cantoraten gebildeten Sänger aber=
mals die Meinung erweckte, es sei der gottesdienstlichen
Würde und der gemeinsamen Erbauung entgegen, so viele
ungeübte Stimmen durch einander schreien und den Gesang
von ihnen verderben zu lassen. Nun wurde nach und nach
das Volk von allem Antheil an dem Kirchengesange aus=
geschlossen und dieser den angestellten Cantoren überlassen.*)
Die alten Melodien gingen nun nach und nach bis auf
schwache Spuren verloren, aber in den Gemeinden blieb
das Bedürfniß und das Verlangen darnach, und diese
Sehnsucht zog sich durch Jahrhunderte, gleich der Morgen=
röthe hinter den Bergen. Da sprach Gott wiederum: „Es
werde Licht!" und Martin Luther trat auf. Derselbe er=
kannte bei dem Werke der Reformation in dem kirchlichen
Gemeindegesange ein Hauptmittel, dem reinen Lichte des
Evangeliums kräftigen Eingang zu verschaffen. Ergriffen
von der Wahrheit dieser Ansicht, sang er dem Herrn un=
sterbliche Lieder. Seine Absicht wurde erreicht; in der
Aufnahme des Kirchengesanges und in der thätigen Theil=
nahme, die man den Gemeinden an demselben verstattete,
lag eine Hauptursache der schnellen Fortschritte der Refor=
mation; wie denn auch die Gegner derselben laut gestanden,
daß Luther durch seine Lieder sich mehr Anhänger erworben
habe, als durch seine Schriften und Predigten.

Luther hat schon im Jahre 1523 den Anfang zu un=
sern deutsch= evangelischen Liedersammlungen gemacht, in=

---

*) Papst Gregor der Große († 604) verdrängte den Volks=
gesang in der Kirche. Ganz wollte das christliche Volk indeß vor
dem Herrn nicht schweigen; es bildete sich selber für Wallfahrten,
für die hohen Feste kleine festsehende Volkslieder aus; tief und
kurz, mehr einzelne Seufzer, einzelne Jubelrufe, als eigentliche Ge=
sänge.

dem er folgende zwei Lieder auf ein Paar Blätter in Quart drucken ließ:

Nun freut euch, lieben Christeng'mein (von ihm selbst)
und
Es ist das Heil uns kommen her (von Paul Speratus).

Beiden waren die Noten der Melodien hinzugefügt. Zu Anfange des Jahres 1524 schrieb Luther an den sächsischen Hofprediger Spalatin: „Er sei Willens, nach dem Exempel der Propheten und alten Väter der Kirche, deutsche Psalmen fürs Volk zu machen, nämlich geistliche Lieder, damit das Wort Gottes auch durch den Gesang unter den Leuten bleibe. Er suche deshalb allenthalben Poeten (Dichter) für dieses Werk und bitte auch seinen Freund, daß er, der deutschen Sprache so mächtig und darin so beredt, mit ihm Hand anlege."*)

Aber das Meiste darin mußte Luther anfänglich selbst thun und so bewährte er sich auch hier — immer weiter getrieben — als der ächte Reformator, und wurde der Vater des deutschen evangelischen Kirchenliedes, wie Kirchengesanges. Im Jahre 1524 erschien das erste evangelische deutsche Gesangbuch. Es enthielt folgende acht Lieder:

1. Nun freut euch, lieben Christeng'mein . von Luther.
2. Es ist das Heil uns kommen her . . von Speratus.
3. In Gott gelaub ich das er hat . . . von Speratus.
4. Hilf Gott, was ist der Menschen noth von Speratus.
5. Ach Gott vom Himmel . . . . von Luther.
6. Es spricht der Unweisen Mund . . . von Luther.
8. Aus tiefer Noth . . . . von Luther.
9. In Jesus Namen heben wir . . Verfasser unbekannt.

*) Man weiß nicht aus welcher Ursache, der Wunsch Luthers blieb von seinem Freunde unerfüllt, da kein Gesang von Spalatin angetroffen wird.

Wo Luther etwas fand unter den Reliquien der alten Kirche, worin „Geist" war — das benutzte er. Er übersetzte 7 Psalmen und 12 altkatholische Lieder;*) er bearbeitete zum kirchlichen Gebrauch 4 altdeutsche Volkslieder, und andere Lieder sang er selber aus freiem vollen Herzen.

So entstanden seine siebenunddreißig Luther=Lieder,**) die seit dem mit manchen unübertrefflichen Melodien in unserer evangelischen Kirche gesungen werden, und an denen sich schon so manches Christenherz gestärkt hat, und immer wieder erquickt.

Aber welches sind denn die alten Luther=Lieder? Es ist doch wohl der Mühe werth, sie einmal der Reihe nach zu nennen, und dann später aus dem Perlenkranze einzelne noch ganz besonders heraus zu wählen, und Erzählungen darüber zu liefern. Vielleicht wird dadurch mancher Freund erweckt, welchem ein einzelnes Luther=Lied besonders werth und eindrücklich geworden, auch deinem Herzen, lieber Leser, dasselbe recht eindrücklich zu machen und dir die Schönheiten gerade dieses einzelnen Liedes zu zeigen.

Ihrer Entstehungsweise nach lassen sich Luthers deutsche Kirchenlieder unter folgenden Gesichtspuncten zusammenstellen:

---

*) Schon in der päpstlichen Kirche war ein reicher Schatz kirchlich christlicher Lieder seit dem 4. Jahrhundert entstanden. Doch, in der lateinischen Kirchensprache gedichtet, waren sie dem Volke, waren sie der eigentlichen Gemeinde fremd und unverständlich.

**) In Jahren 1524 und 1525, da Luther seine meisten Lieder dichtete, waren allein in der Stadt Erfurt vier verschiedene Drucker mit Herausgabe von Luthers Liedern beschäftigt. Den Liedern konnte man nicht so wie den andern Schriften Luthers den Weg versperren, da sie in Briefen und im Gedächtniß weiter gingen.

A. Ueberſetzungen und Ueberarbeitungen lateiniſcher Geſänge, und zwar

a) zuvor noch nicht verdeutſchter:

B. Verbeſſerungen oder Ueberarbeitungen urdeutſcher geiſtlicher Volkslieder.

C. Bearbeitungen lateiniſcher Pſalmen.

Man schreibt Luthern noch mehr Lieder zu; sicher verbürgt ist es jedoch bloß von den angeführten 37 Liedern, die sich in der einzigen vollständigen Sammlung befinden, welche Luther selbst besorgte.

Mit jedem Jahre vermehrte sich die Anzahl der Lieder. Zwei Jahre nach dem Erscheinen des ersten Gesangbuches mit seinen 8 Liedern, kam in Erfurt (1526) ein Gesangbuch mit 39 und 1546 in Magdeburg eine Sammlung von 120 Liedern mit beigefügten Noten heraus. Im Jahre 1566 erschien ein Gesangbuch mit 400 Liedern und im Jahre 1597 war die Zahl schon auf 600 angewachsen. Die Me=

---

*) Wackernagel führt in seinem deutschen Kirchenliede eine doppelte Bearbeitung dieses Liedes auf, die erste mit vier und die andere mit fünf Versen.

lodien wurden auf verschiedenen Wegen verbreitet, theils auf Druckbogen mit den Texten zugleich durch Hausirer, theils durch Abblasen von den Thürmen, und endlich durch Singechöre.*)

So hat sich also der Kirchengesang aus kleinem Anfange zu einem Reichthume herangebildet, der Erstaunen erregt. Ein Freund der Hymnologie,**) der dänische Etatsrath Moser, besaß schon im Jahre 1751 eine Sammlung von 250 Gesangbüchern und ein Register über 50000 Lieder. Jetzt sollen wir einen Schatz von 100000 Kirchenliedern besitzen.

Schade ist es, daß in neuern Zeiten viele der alten köstlichen Lieder durch die falsche Weisheit einer sogenannten Aufklärung all ihrer edlen Kraft und ihres Safts meist beraubt sind.†)

Wichtig ist es, zu wissen, unter welchen Umständen manches Lied entstanden ist. Sehr viele von unsern Kirchenliedern sind nämlich in so besondern Lagen und Verhältnissen dem Herzen entquollen, daß es eben so wichtig

---

*) Die Lieder Luthers, in fliegenden Blättern von Herumträgern feilgeboten und vorgesungen, oder in ganzen Sammlungen von dem Wetteifer der speculirenden Drucker und Nachdrucker, die zugleich Buchhändler waren, in unzähligen Exemplaren verbreitet, gingen von Hand zu Hand und von Mund zu Munde, wurden von dem Volke bald auswendig gelernt und in den Kirchen und Häusern, wie auf den Straßen und Marktplätzen gesungen.

**) Hymnologie. Die Hersagung oder Absingung von Lobliedern, auch die Kenntniß der christlichen Kirchenlieder und Kirchenlieder-Dichter.

†) Ganz besonders entstand die Sucht die alten Kernlieder zu verändern und ihnen ein modisches Gewand anzulegen, durch eine Sammlung von Gesängen, welche der Ober-Consistorialrath Dietrich zu Berlin im Jahre 1765 herausgab.

und erbaulich ist, dieselben zu kennen. Es tritt uns dann um so lebendiger und anschaulicher der Gehalt des Liedes, ja sogar das innere geistliche Lebensbild des Verfassers selbst vor die Seele. Die Dichtkunst hat ihren besondern Reiz, das Herz zu rühren, und ein Lied ist gewöhnlich unter lauter Empfindung und Rührung aufgesetzt. Diese fließt sehr leicht in denjenigen über, der es lieset, zumal wenn er in denselben Umständen des heiligen Dichters sich befindet. Auch trägt sehr oft die Geschichte der Entstehung eines Liedes zu dessen besserem und richtigerem Verständnisse bei.

Wenn uns Alles aufgezeichnet wäre, was dieser und jener Liedervers von Anfang her, in den Herzen gewirkt hat, wie er hier ein hartes Herz gebrochen, dort eine Menschenseele aufgerüttelt hat aus dem Sündenschlafe, dort wieder Trost und Frieden in einem verzagten und zerschlagenen Gemüthe gewirkt hat, wie würden wir staunen! Manches davon ist uns aufgezeichnet worden und es ist, als gewänne man dadurch das betreffende Lied um so lieber. Ich habe es demnach gewagt, eine Sammlung von dergleichen Erzählungen zu veranstalten, in der Meinung, daß es in jetziger Zeit, wo man das Heilige oft so gering achtet, höchst nöthig sei, mit der Bibel auch den Werth der evangelischen Kirchenlieder immer schärfer ins Auge zu fassen. Meine Absicht bei der Herausgabe dieser gesammelten Erzählungen ist daher keine andere, als das Zurückrufen unsrer alten, kräftigen Kirchenlieder. Ich meine durch die Erzählungen den Inhalt des Liedes dem Herzen etwas näher zu bringen. Vielleicht nimmt der Hausvater das Gesangbuch hervor, und liefet das bezeichnete Lied ganz durch, oder stimmt es wohl gar mit den Seinigen an.

Auch bin ich der Ansicht, daß dieses Buch eine gar

nützliche Anwendung in der Schule finden kann. Wenn christliche Kernlieder den Kindern durch einfache Erzählnungchen recht theuer gemacht, ihre Anwendung auf Herz und Leben ihnen dadurch anschaulich vorgestellt werden, so wird ihnen ein gar köstlicher Schatz mitgegeben, an dem sie sich in Leid und Freud, im Leben und Sterben erquicken können.

Es ist daher nöthig, daß man schon den Kindern frühzeitig das Gedächtniß nicht nur mit erbaulichen Sprüchen, sondern auch mit Liederversen anfülle. Die ersten Eindrücke im Gedächtniß des Kindes sind unauslöschbar. In der Jugend helfen ihm solche Sprüche und Verse wenig, aber wenn sie im hohen Alter die Wüste des Lebens durchpilgern müssen, wo sie einsam, von aller Empfindung des gesellschaftlichen Lebens und ihres eigenen Bewußtseins entblößt, nur noch einen kleinen Schimmer der Vernunft zum Führer haben, da wo sie ihren ganzen Lebensgang vergessen haben, da sind solche Verse und Sprüche Himmelsbrod, das zum Uebergang über den schauerlichen Strom des Todes stärkt.

Und so finde denn dieses Buch freundliche Beachtung und Theilnahme, willige Hände und offene Herzen, daß es seinen Zweck erfülle, ein Leben an Liebe, Hoffnung, Freude und Friede reich aus Glauben in Glauben zu fördern. Gott geleite das Buch mit seinem Segen und lasse es in der Kirche unsres Heilandes Jesu Christi eine Frucht bringen in Kraft des heiligen Geistes, der in den Liedern und Geschichten lebt und redet. Das walte Gott!

Zwochau bei Delitzsch, den 8. August 1854.

C. Heinrich.

Register.

A. Erzählungen über Gesang im Allgemeinen.

B. Erzählungen über angegebene Lieder.

Druckfehler.

S. 8. Z. 1. v. ob. l. ihn statt ihm. — S. 9. Z. 4. v. unt. l. jener
Zeit. — S. 18. Z. 3. v. ob. l. einschlafen. — S. 22. Z. 2. v. ob.
l. Einwohner. — S. 30. Z. 9. v. ob. muß „sich" einmal gestrichen
werden. — S. 31. Z. 1. v. ob. l. 1705. — S. 40. S. 12. v. unt.
l. In dich. — S. 44. Z. 16. v. ob. l. manchen Seufzer. — S. 52.
Z. 5. v. unt. l. Fulneck. — S. 56. Z. 7. v. ob. l. Matthesius. —
S. 60. Z. 14. v. ob. l. und am. — S. 73. Z. 11 v. unt. l. des
Mannes. — S. 74. Z. 10. v. unt. l. Weise. — S. 82. Z. 11. v.
unt. l. diesen Felsen. — S. 91. Z. 16. v. unt. l. Großes zu schauen.
— S. 147. Z. 9. v. unt. u. S. 148. Z. 1. v. ob. l. Heermann. —
S. 179. Z. 18. v. ob. l. von der. — S. 202. Z. 20. v. ob. l sie
statt Sie. — S. 202. Z. 1. v. unt. l. Gläubigen. — S. 289. Z.
10. v. unt. l. geschwinde. — S. 309. Z. 16. v. unt. l. Heermann.

A. Erzählungen über Gesang im Allgemeinen.

1. Etwas aus der Geschichte der Einführung der verwässerten Gesangbücher.

In einem der Filiale meines Oheims (so erzählt der blinde Zachariä in seiner Lebensbeschreibung, Dresden 1827) war der Widerstand der Ortsbewohner gegen die Einführung des neuen Gesangbuchs, das die sächsische Oberkirchenbehörde für ein unaufschiebliches Bedürfniß erachtet hatte, so groß, daß an dem Tage, da dasselbe zum ersten Male gebraucht werden sollte, außer dem Prediger, dem Schulmeister, dem Kirchenvater und mir auch nicht eine Seele in der Kirche war, und ich blinder Mann, wenn man die von Amtswegen Anwesenden abzog, der einzige Repräsentant dieser ganz in geistiger Blindheit liegenden Gemeinde war; denn diese Leute trieben es so weit, daß sie nicht nur über ein halbes Jahr gar nicht mehr in die Kirche gingen, sondern auch sogar ihrem Geistlichen den Eintritt in dieselben wehren wollten. Auch machten sie schon Anstalt, ihre Leichen selbst zu begraben, um nur nicht neue Lieder singen und dabei, wie sie vermeinten, ihren Glauben ändern zu müssen. Mit der Zeit erhitzte sie die Parteiwuth so sehr, daß sie mehrfachen thätlichen Unfug begannen, der endlich durch militärische Einquartierung beseitigt werden mußte; worauf denn endlich die Freunde des neuen Gesangbuchs hervorzutreten wagten, und die allmählige Einführung desselben bewirkten. Kürzer wußte ein benachbarter Forstbedienter die Sache abzumachen. Auch in seinem Dorfe waren sämmtliche Einwohner gegen die Neuerung.

Heinrich, Erz. I.   1

Eines Tages wurde die Bürgerschaft zusammengerufen, um sich über die Sache zu berathen. Auch der Förster war zur Verhandlung eingeladen; allein der schlaue Mann kam erst, als sie sich genugsam über die Sache abgestritten hatten. Er trat, das Schießgewehr auf dem Rücken, mit verdrießlichen Mienen ins Zimmer und sagte: „Was giebts denn schon wieder? Macht's kurz; ich habe nicht viel Zeit." Darauf sagte der Richter: „Wir sollen uns heute über das neue Gesangbuch besprechen." — „Nun, Ihr werdet es doch annehmen?" fragte er kurz. „Das dachten wir eben nicht," erwiederte der Richter. Der Förster aber nahm schnell sein Gewehr auf den Rücken und wandte sich der Thüre zu mit den Worten: „Kommt mir nur wieder einmal in's Holz!" Verblüfft sahen sich die Bauern einander an, der Richter aber stand auf, ging dem Förster nach und sagte: „Lassen Sie nur hübsch mit sich reden; es ist nicht so bös gemeint." Der Förster kehrte wieder um, und einstimmig wurde die Einführung des Gesangbuchs beschlossen.

Das vom Rationalismus verdrängte lebendige Christenthum ist, Gott sei Dank! seit damals wieder erstanden in den meisten deutschen Ländern, und hat schon hie und da statt der aufgedrungenen dürren Rührungs = und Aufklärungslieder dem Volke seine alten herrlichen Kirchenlieder wieder gegeben. Möge es bald überall geschehen!

An obiger Geschichte (von einem Rationalisten erzählt) sehen wir aber, daß die Bauern mit fleischlichen Waffen um ein geistliches Gut gekämpft haben, sonst hätte sich nicht ihre Ueberzeugung vor der Drohung des Försters verkriechen können.

---

2. Etwas über Sonst und Jetzt des Kirchengesanges.

Christian Gerber, Pfarrer zu Lockwitz, erzählt in seiner im Jahre 1732 herausgegebenen Geschichte der Kirchen = Ceremonien in Sachsen, daß man erst 40, 50 Jahre vorher angefangen habe, in den Kirchen aus Büchern zu singen. Zuvor habe man wenige Lieder, welche das Volk dem Gedächtniß eingeprägt hatte, immer und immer wieder gesungen. Wie auffallend das Singen aus Büchern gewesen sei, davon erzählt er eine wunderliche Anekdote. Ein Bauer, der öfters nach Halle auf den

Getreidemarkt gefahren sei, habe in den Kirchen dieser Stadt bemerkt, daß die Leute aus Büchern sängen, und habe sich deshalb auch ein solches Buch gekauft und in seiner Dorfkirche daraus gesungen. Das habe ihm sein Pfarrer als Hochmuth streng verwiesen, weil es ein Vorrecht des Schulmeisters sei, aus dem Buche zu singen. — Bei uns im Gegentheil hat man sich über das Auswendigsingen so wenig mehr zu beklagen, daß, wenn man in den Kirchen die Bücher wegnähme, wohl nur der, welcher das Buch behalten darf, nämlich der Schullehrer, singen könnte. Die ganze übrige Versammlung würde gewiß stille sein, wenn nicht etwa gerade „Nun danket alle Gott" :c. oder so etwas gesungen würde. Zu welcher Zeit konnte man sich nun rühmen, zu der, wo man kein Buch hatte, oder zu der, wo man nichts im Gedächtniß hat? Ich denke immer, wenige Lieder im Gedächtniß sind besser, werden auch besser gesungen werden, als viele Lieder im Buche, unter welchen eine zu große Wahl, ein zu schneller Wechsel stattfindet. Wenn dir das einleuchtet, lieber Leser, so liegts bei dir, wenigstens für dich stehende und oft wiederkehrende Lieder zu haben, die du wie alte Freunde erproben und liebgewinnen kannst.

3. Der singende Greis.

Auf einem einsamen Spaziergange im Jahre 1832, so erzählt ein Geistlicher, begegnete ich einem hundertjährigen, bettelarmen, aber heitern, fröhlichen Greise. Seine gerichtlichen Attestate bewiesen sein hohes Alter sowohl als seine traurigen Schicksale. Mit seinem Schiffe gescheitert, hatte er einige Tage und Nächte, von allem entblößt, auf einem Felsen gelegen, bis er durch ein anderes Schiff erlöst und aufs Land gebracht wurde, worauf er seinen Rückweg (ich glaube von Triest nach Hamburg) zu Fuß machte. Ich traf ihn an seinem Stabe wandernd, laut singend und Gott lobend. In meinem Gespräche mit ihm sagte er: „Ich habe meinen liebsten Jesum bei mir; den lobe ich von Sonntag früh bis Sonnabend Abend." Er segnete mich; ich segnete ihn wieder im Namen des Herrn. Sein Abschiedswunsch war: „Und wenn es hier zu schwer werden wird, dann nehme der Herr unser Gott Sie zu sich." —

1*

Seliger, schon himmlischer Greis! sprach ich zurückkehrend,
der du noch unvollendet das Geschäfte des Vollendeten übst! —
Lieben und Loben, was können Selige Seligeres thun?
Des Morgens seine Gnade, und des Nachts seine Wahrheit ver-
kündigen — wer nichts als das könnte, der kann, was in allen
Himmeln durch alle Ewigkeiten hindurch gethan wird.

---

4. Rettung durch ein geistliches Lied.

Im Jahre 1824 wurde zu Prag ein Mörder gefänglich
eingezogen, welcher neunzig Mordthaten begangen hatte, und
über die einundneunzigste, die er hatte begehen wollen, folgendes
Bekenntniß ablegte: „Einst lauerte ich in einem Busche auf
vorüberziehende Wandersleute, und da kam ein Weib vorbei,
die ein Lied sang. Ich ging ihr sogleich nach, um sie zu mor-
den; doch wollte ich sie erst aussingen lassen. Der Gesang that
mir so wohl, daß ich die Frau bat, sie möchte mir doch ein
schönes Bußlied vorsingen. Gerne that sie das, und jetzt machte
ihr Lied mir das Herz so weich, daß nicht nur alle Mordlust
aus meiner Seele verschwand, sondern daß ich auch bitterlich zu
weinen anfing und sagte: „O Frau, ihr müßt einen recht
treuen Beistand von einem Engel haben! Möchte ich doch auch
bei Gott in solchen Gnaden stehen, wie ihr!"

„Das Weib tröstete und ermahnte mich, ich sollte an
Gottes Gnade und Barmherzigkeit doch ja nicht verzagen, Gott
sei ja der gnädige Vater für alle Sünder. Ich antwortete:
aber bei mir ist Alles umsonst! Ich bin verloren und meine
Zeit ist bald aus! — Somit ging ich davon und ward kurz
darnach ergriffen."

Aber haben jene Lieder bloß die Frau gerettet, sind sie
nicht auch des Mörders wegen gesungen worden? Dort werden wir auf solche Fragen Antwort erhalten, und gewiß Antworten, die uns niederziehen werden in den Staub, anzubeten
die Wunder der Barmherzigkeit. Denn der treue Hirte geht jedem verlorenen Schafe nach, und sucht es aus dem Verderben
zu erretten. Ja, die göttliche Liebe beweiset sich in der Errettung der größten Sünder gerade in ihrer herrlichsten Macht

und Fülle. Was für einen reichen Stoff wird es jenseits ein=
mal geben, dem Herrn ein Lob= und Danklied nach dem an=
dern zu singen!

---

5. Der Gesang als Veranlassung zur Bekehrung eines Menschen.

Als ein bekannter, englischer Geistlicher sein Amt ange=
treten hatte, fand sich eine große Menge aus den benachbarten
Städten und Dörfern als Zuhörer bei ihm ein. Nun lebte in
einem Dorfe ein alter Gastwirth, der sich dem Hange zum Wein=
trinken stark ergeben hatte. Er wußte, welchen starken Zulauf
die Predigten jenes Geistlichen fanden, da Viele aus seinem
eigenen Orte dahin zur Kirche gingen; aber mehr als einmal
vermaß er sich hoch und theuer, daß er nie unter den Narren
sich finden lassen wolle, welche dahin liefen. Doch als man
ihm den herrlichen Gesang nicht genug rühmen konnte, welcher
in der Kirche geführt werde, so wurde seine Neugierde ein we=
nig rege und er äußerte: es könnte sich wohl treffen, daß er,
wenn das nächste Fest, welches nicht mehr weit war, einfiele,
auch hin gehen möchte, um den Gesang mit anzuhören, be=
theuerte aber dabei heftig, er werde nicht ein Wort von der
Predigt mit anhören!

Er wohnte mehrere Stunden von der Kirche entfernt, und
als nun das Fest eintrat und er in Gesellschaft gegessen hatte,
verweilte er nicht länger im Gasthofe, um wie gewöhnlich zu
trinken, sondern machte sich auf und ging in den Nachmittags=
Gottesdienst, einzig und allein um deswillen, den Gesang in
der Kirche mit anzuhören, und mit dem festen Entschlusse, sein
Gelübde zu halten, und auf Alles, was zur Predigt gehörte,
durchaus nicht zu achten.

Er war sehr dickleibig und die Hitze an dem schwülen
Sommertage drückte ihn so sehr, daß er ganz erschöpft ankam;
nur mit Mühe gelang es ihm, in einen kleinen offenen Kirch=
stuhl mit einer Lehne zu kommen, und sobald das Lied vor
der Predigt gesungen war, das er aber mit gespannter Auf=
merksamkeit anhörte, legte er sich vor, stützte die Ellenbogen
auf die Lehne und verstopfte seine Ohren gegen die Predigt mit
den Fingern. Nicht lange war er in dieser Stellung, so fing

die Predigt mit einem ernstlichen Anrufe an die Gewissen der Zuhörer an. Es wurde gezeigt, wie höchst nöthig es sei, daß man seine Aufmerksamkeit auf solche Gegenstände richte, welche zu unserem ewigen Frieden dienen, und feierlich redete der Geistliche seine Zuhörer mit den Worten an: „Wer Ohren hat zu hören, der höre!" Gerade den Augenblick vorher, ehe diese Worte ausgesprochen wurden, hatte sich eine Fliege auf die Nase des Gastwirthes gesetzt, und da sie ihn empfindlich stach, so sah er sich genöthigt, einen seiner Finger aus dem Ohre zu ziehen, um den lästigen Gast zu verscheuchen; und in eben dem Augenblicke trafen die mit feierlichem Ernste ausgesprochenen Worte: „Wer Ohren hat zu hören, der höre!" sein geöffnetes Ohr gleich einem Donnerschlage. Mit unwiderstehlicher Gewalt fühlte er sich ergriffen, er hielt die Hand zurück vom Ohre: mit einem Gefühle, welches sich noch nie seiner bemächtigt hatte, zog er zugleich auch den andern Finger weg und hörte den übrigen Vortrag mit gespannter Aufmerksamkeit an.

Dieser Tag ward für ihn der Anfang eines neuen, bessern Lebens; es ging mit ihm, durch Gottes Gnade, eine Veränderung vor, welche seinen bisherigen Kameraden nicht unbemerkt bleiben konnte. Nie fiel er von dem Tage an in seine ehemaligen Gewohnheiten zurück; nie sah man ihn in der Folge berauscht oder hörte ihn leichtsinnig schwören. Er wurde äußerst ernsthaft und gesetzt, und ging mehrere Jahre lang, das Wetter mochte sein, wie es wollte, den weiten Weg in die Kirche, wo er zum erstenmal auf das hingewiesen worden war, was zum wahren Christenthum erfordert wird; und nachdem er achtzehn Jahre hindurch treu und gläubig mit Gott gewandelt hatte, entschlief er in froher Hoffnung der seligen Ewigkeit.

---

6. Rührung durch den Gesang.

Im Januar 1775, schreibt der Missionar Schmidt von Friedensberg auf St. Croix,*) war ich in der Stadt bei einem

---

*) St. Croir (lies Säng Kroa) ist eine von den westindischen Inseln. Sie heißt auch Sta. Cruz und ist 5 Quadratmeilen groß. Sie zählt 32,000 Einwohner. Die Brüdergemeinde hat hier

bekannten Herrn, welcher mir mit Augen voll Thränen Folgen=
des erzählte:

Als er am vergangenen Weihnachtsfeste nach seiner Ge=
wohnheit ganz frühe spazieren gegangen sei, habe er Jemand
sehr lieblich Weihnachtsverse singen hören, und als er näher
gekommen sei, habe er gefunden, daß es eine erst kürzlich von
uns getaufte Negerin war. Er habe ihr dann unbemerkt eine
Weile mit großer Herzensbewegung zugehört, bis sie endlich auf
die Knie gefallen sei und ein solches Gebet gethan, daß er weg=
gehen und seinen Thränen freien Lauf lassen mußte. Er setzte
hinzu: diese Negerin übertrifft gewiß uns weiße Christen weit
in unserm Christenthum! — Von dieser Zeit an, erzählt der
Missionar weiter, war bei diesem Herrn ein größerer Ernst im
Christenthume zu spüren.

---

7. Der fröhliche Sänger während der Marter.

Gillius von der Banner, ein angesehener und
gottesfürchtiger Kaufmann in den Niederlanden, war ein eifri=
ger und standhafter Bekenner des evangelischen Glaubens. Man
drohte ihm mit dem Tode, wenn er seiner Religion nicht ent=
sagte. Er antwortete muthig: ich halte sie für die ewige gött=
liche Wahrheit und werde nimmermehr davon abfallen. Man
ließ ihm Bedenkzeit; da er aber standhaft blieb, so ließ man ihm
durch den Henker mit einer hölzernen Keule beide Schenkel ent=
zwei schlagen, und glaubte durch solche erstaunliche Marter würde

---

einige Missionsörter, bei deren Gründung (1734) wegen des durch
die dichten Wildnisse so ungesund gewordenen Clima's in kurzer
Zeit 10 Brüder hinstarben. Die Gemeinde ließ sich aber nicht
abschrecken und stimmte singend in die Worte Zinzendorfs ein:

> Es wurden zehn dahin gesät,
> Als wären sie verloren;
> Auf ihren Beeten aber steht:
> Das ist die Saat der Mohren!

Der Segen ist nicht ausgeblieben. Es sind jetzt dort vollstän=
dig christliche Gemeinden mit allen Segnungen des Evangeliums.
In Summa haben die Brüder auf den westindischen Inseln 37 Mis=
sionsplätze mit 42,000 Negern unter ihrer Pflege.

man ihm vom Evangelium abbringen. Aber er blieb immer
standhaft und stimmte mit Freudigkeit ein Loblied nach dem an=
dern an. Des andern Tages wurde er nochmals befragt: ob er
sich noch nicht eines andern bedacht hätte: Nein! war die
Antwort, — ich danke Gott von Herzen, daß er mich zu sei=
ner heilsamen Erkenntniß hat gelangen lassen. Ihr solltet sie
nur auch haben, um nicht ewig verloren zu gehen! Darauf
mußte ihm der Henker mit der Keule beide Arme zerschlagen.
Aber auch dadurch ließ er sich in dem Bekenntnisse der Wahr=
heit nicht wankend machen, er lobte vielmehr Gott noch immer
mit fast fröhlichem Herzen. Darauf ließ man ihn einige Tage
hungern und dursten. Auch dieses Zwangsmittel blieb ohne
Erfolg. Nun ließen sie ihm mit der Keule die Rippen im Leibe
zerschlagen; — Alles vergeblich. Endlich am vierten Tage, weil
er in seinem Bekenntniß so unbeweglich wie ein Fels war, mußte
ihm der Henker Haut und Haar mit einem Scheermesser vom
Kopfe abschneiden, und darauf heißes Blei in den Mund gie=
ßen — worauf denn dieser treue Märtyrer des evangelischen
Glaubens den Schmerzen unterlag und die Krone des ewigen
Lebens erlangte.

Seht, lieben Leser! welch eine Kraft die wahre Frömmig=
keit, selbst in der schrecklichsten Stunde gewährt! Und da wir
nun alle nicht wissen können, was uns noch bevorsteht, denn
die Zukunft ist in unsern Zeiten dunkel und sehr bedenklich, so
laßt uns doch mit großem Ernste uns bekehren, Buße thun und
die Gnade Gottes in Christo suchen, laßt uns wahre Christen
werden, so haben wir nichts zu fürchten, und wenn wir dann
auch sterben müßten, geschähe es auch auf die schrecklichste Weise,
so ist das immer nur ein kurzer Uebergang, und was darauf
folgt, ist eine unendliche Seligkeit, deren Wonne mit keinem ir=
dischen Vergnügen verglichen werden kann.

> Wenn auch ein Zeuge unterliegt,
> Die ew'ge Wahrheit dennoch siegt,
> Die Kirche Jesu feste steht;
> Das Wort des Herrn nie untergeht.

8. Segenswirkung geistlicher Lieder.

Der berühmte Jenaische Rechtsgelehrte, Matthäus Wesenbeck, wurde auf eine merkwürdige Weise zur Annahme der evangelischen Religion bewogen. Er war der Sohn eines berühmten Consulenten, studirte zu Löwen,*) und ward schon in seinem 19. Jahre Doktor, welches man damals noch nicht erlebt hatte. Er war bis dahin ein guter Katholik gewesen; eben hier zu Löwen aber ereignete sich eine Begebenheit, die ihn bewog, die evangelische Lehre anzunehmen. Ein armer blinder Mann, den man für lutherisch hielt, ging zu Löwen umher in die Häuser, wo kranke Leute lagen, und tröstete sie mit einigen lutherischen Gesängen, die er ihnen vorsang. Man warf ihn in einen Thurm als einen Ketzer, er aber sang in seinem Gefängnisse immer die lutherischen Lieder. Wesenbeck ward durch die Frömmigkeit und Standhaftigkeit dieses Mannes bewegt, und ließ sich von ihm die lutherischen Lieder zum Lesen mittheilen. Diese gaben ihm einen solchen Eindruck, daß er von der Zeit an der Religion ernstlicher nachdachte, die Bibel, Luther's Schriften und andere protestantische Bücher fleißig las, und endlich dem Papstthum entsagte. Eben dies nöthigte ihn, die katholischen Länder zu verlassen. Er ging nach Deutschland, und ward zu Jena der erste Professor der Rechte.

---

9. Lebenserhaltung durch einen Vers.

Fromme Eltern und Lehrer gewöhnen ihre Kinder schon frühe zur Erlernung zweckmäßig gewählter Bibelsprüche und Liederverse. Diese schöne Sitte ward im 30jährigen Kriege durch Gottes Leitung das Mittel zur Lebenserhaltung einer ganzen Familie. Die Eroberung Magdeburgs im 30jährigen Kriege ist durch das dabei auf eine unmenschliche Weise vergossene Blut in die Jahrbücher der Geschichte dauernd eingetragen. Zu jener lebte daselbst der Ober-Stadtschreiber Friese, ein gewissenhafter und frommer Mann, der einem jeden seiner Kinder alle Sonntage für einen Spruch oder Liedervers, den es in der ver-

---

*) In Belgien.

35

floſſenen Woche gelernt hatte, einen Dreier gab. Und eben dieſe Gewohnheit war es, die ihm und allen den Seinigen bei Eroberung der Stadt Leben und Freiheit erhielt. Als nämlich Magdeburg von den Kaiſerlichen mit Sturm genommen wurde, ſo hüllte er ſich und ſeine Familie in die ſchlechteſte Kleidung, ſteckte einige Sachen von Werth zu ſich, ließ ſein Haus und alle Thüren in demſelben offen, und verbarg ſich auf einem Boden. Hier ſuchte und fand ihn ein kaiſerlicher Soldat, der mit einem Spithammer auf ihn zu eilte, um ihn zu tödten. Frau und Kinder liefen herbei und flehten um Gnade. Der vierte Sohn, ein Kind von 5 Jahren, brach in der Angſt ſeines Herzens in die Worte aus: „Ach, laß doch nur den Vater leben, ich will dir gern meinen Dreier geben, den ich anf den Sonntag kriege!" — Dieſe einfältige Rede des Knaben rührte den Sol= daten, einen gebornen Nürnberger, der nun eben ſo freundlich wurde, als er ſich vordem grauſam bewieſen hatte. Er ſah die Kinder an, und ſagte: „Es ſind ſeine Büblein!" und ſich an den Vater wendend, fuhr er fort: „Willſt du mit deinen Kin= dern entfliehen, ſo eile: denn ehe eine Stunde vergeht, ſo nahen die Croaten, und mit ihnen euer Tod!" Er führte darauf die ganze Familie zur Stadt hinaus, und ließ ſie von Niemandem unter dem Vorwande antaſten: „Es ſind meine Gefangenen!" Er nahm ſie mit ſich in ſeine Hütte, verpflegte ſie mehrere Tage, und verſchaffte ihnen Gelegenheit, nach Wolmirſtädt zu flüchten. Von hier gingen ſie mit einem Marketender=Wagen nach Halberſtadt und von da nach Leipzig.

---

10. Geſegnete Wirkung des Geſanges.

Ein reicher jüdiſcher Handelsmann in Breslau nahm für ſein neugeborenes Kind eine fromme chriſtliche Amme. Dieſe pflegte bei Stillung und Wartung ihres Säuglings ſchöne geiſt= liche Lieder zu ſingen. Das Kind, ein Mädchen, bezeigte je= desmal durch lächelnde Blicke ſeine Freude darüber. Die Frau blieb als Wärterin bei dem Kinde bis in deſſen achtes Jahr, und fuhr in ihrer Gewohnheit, Verſe zu ſingen, fort. Das Kind fuhr gleichfalls fort, ſein Wohlgefallen daran zu bezeigen. Es lernte nach und nach die Verſe ſelbſt mitſingen, und konnte oft mit Singen nicht aufhören. Sein zartes Herz wurde von der Liebe zu Jesu, dem Freunde der Kinder und Erlöser der Menschen, so sehr entzündet, daß es selbst in Gegenwart seiner jüdischen Eltern, seinen allerliebsten Jesus nannte, und aus freiem Triebe Weihnachts- oder Passionsverse sang, wobei oftmals stille Thränen seinen Augen entflossen. Die Wärterin ward zwar aus dem Dienste entlassen; allein die Gnade hatte in dem Herzen des Kindes tiefe Wurzel gefaßt.

Es war einmal von der Hand des guten Hirten ergriffen, aus welcher Niemand es reißen konnte. Es benützte bis ins 16. Jahr jede einsame Stunde, um die gelernten Lieblingslieder: O Jesu Christ! mein schönstes Licht — Meinen Jesum laß ich nicht — Herzlich lieb hab' ich dich, o Herr! — nebst den vorzüglichsten Passionsliedern zu singen, und sein Gebet auf den Knieen zu verrichten. Eben so benützte das Mädchen täglich eine Abendstunde im Bette zum Lesen des neuen Testaments, welches die Wärterin ihm zum Andenken an sie und zum gesegneten Gebrauch zurückgelassen hatte. Als das Mädchen 17 Jahr alt war, meldete es sich bei einem evangelischen Prediger zum Unterricht und zur heiligen Taufe. Ihre freimüthigen Aeußerungen rührten den Prediger mehrmals zu heißen Thränen. Nach einem halbjährigen Kampfe gegen alle Schwierigkeiten und Hindernisse gelangte sie zu dem Ziele ihrer Sehnsucht. Ihr nachmaliger Wandel zeugte von einer wahrhaft bekehrten und begnadigten Seele.

11. Das Singen auf dem Wege.

Auf der Insel Femern in der Ostsee unterrichtete im vorigen Jahrhunderte in einem Dorfe eine alte 70jährige Frau etwa 20 Kinder. Diese Frau stand in einem rechten Ernste des Glaubens, war durch Kreuz und Leiden bewährt, und hatte vom vielen Lesen und Weinen ganz rothe Augen, welches ihr Ansehen desto ehrwürdiger machte. Die Kinder lernten bei ihr sehr gut lesen und zwar mit Verstand. Alles richtete sie bei ihnen mit kurzen und ernsthaften Ermahnungen aus, obschon sie eine Ruthe neben sich liegen hatte, wovor sich die Kinder nicht sehr fürchten durften, weil sie nur mit vieler Mühe vom Stuhl aufkommen konnte. In keiner Schule, schreibt der Consistorialrath Stresow auf Femern, habe ich mehr Andacht und

14

daraus auf eine hohe Bestimmung. Seine Erziehung war standesmäßig; die geschicktesten Lehrer zu Rom, wohin nach des Vaters Tode die Familie gegangen war, bildeten seinen Geist und sein Herz. Nach Beendigung ihrer Studien gingen Ambrosius und sein Bruder nach Mailand, wo beide in die juristische Laufbahn traten. Ambrosius wurde im Jahre 374 als kaiserlicher Statthalter von Mailand, in welchem Amte er sich durch seine Weisheit, Kraft und Milde allgemeine Achtung und Liebe erworben hatte, obwohl er erst Katechumen war und zuvor sich taufen lassen mußte, vom Volke, das er in der Kirche bei einem Aufruhr wegen der Wahl eines neuen Bischofs zur Ruhe ermahnte, zum Bischof gewählt. Eine Stimme rief auf einmal, man sagt es sei ein Kind gewesen: „Ambrosius soll Bischof sein," und alsbald hallte dieser Ruf in der ganzen Kirche wieder. Er weigerte sich lange, da er noch nicht einmal getauft und des h. Amtes unkundig sei, ja er floh aus der Stadt, als das Volk immer nicht davon abstand, ihn als seinen Bischof haben zu wollen. Endlich befahl ihm der Kaiser Valentinian das Bischofsamt anzunehmen. Dieses Amt verwaltete er denn auch bis zu seinem Tode im Jahre 397 als ein rechter Hirte, der sich des bedrängten Glaubens, der Armen und Angefochtenen treulich annahm. Er hatte auch bald Gelegenheit, seine Standhaftigkeit an den Tag zu legen. Die Mutter des Kaisers, Justina, war der arianischen Lehre zugethan, und wußte von ihrem Sohne ein Gesetz auszuwirken, wonach den Arianern *) nicht blos Duldung gewährt, sondern ihnen auch die Kirchen übergeben werden sollten. Es war im Jahre 386 als dem Ambrosius anbefohlen wurde, er solle freiwillig die Kirche einem gewissen Aurentius abtreten. Aber er weigerte sich dessen standhaft; wenn der Kaiser ihm Haus und Hof und alle seine Güter abfordere, so wolle er ihm dies Alles ohne Widerstand überlassen; was aber von Gott seiner Fürsorge anvertraut sei, das könne er nicht so ausliefern. Vom Kaiser wurden indeß wirk-

---

*) Arianer werden die Anhänger des Arius, eines Geistlichen zu Alexandrien in Egypten genannt, der ungefähr im Jahre 318 behauptete, Christus sei erst von Gott geschaffen worden, derselbe sei also ein Geschöpf und nicht Gott. Diese Lehre hat namenloses Elend über die christliche Kirche gebracht. Das Nicäische Glaubensbekenntniß (325) ist wegen dieser Irrlehre abgefaßt.

lich Anstalten getroffen, die Kirchen mit Gewalt einzunehmen. Ein außerhalb der Stadt liegendes Gotteshaus wurde von kaiserlichen Beamten besetzt. Es entstand ein Auflauf unter dem Volke, und ein arianischer Presbyter wurde von ihm ergriffen. Ambrosius weinte, betete: wenn ja Blut fließen solle, so möge es das seine sein. Mit Mühe gelang es ihm, den Aufruhr zu stillen. Aber der erzürnte Kaiser ließ Viele gefänglich einziehen, und legte der Stadt auf, bedeutende Strafgelder zu bezahlen. Man erklärte sich willig dazu, wenn man nur die Freiheit des Glaubens erlangen könne. Auf Ambrosius wurde stärker eingedrungen und seine Kirche mit Soldaten umringt. Aber er fuhr fort zu bitten und zu flehen; Lieder und Psalmengesang ertönten die ganze Nacht hindurch in der Kirche, in welcher das Volk versammelt blieb. Da hörte der Herr das vereinte Rufen seiner Gläubigen. Die Soldaten zogen ab und der Kaiser gab seinen Plan auf.

Von jenem Tage an wurde der Gemeindesang im Abendlande üblich. Daher ist es wohl Jedermann angenehm, zu wissen, daß der Choralgesang, der bei uns in so vielen hundert Aesten und Zweigen sich ausgebreitet und so herrliche Blüthen getrieben hat, zuerst in der Mailänder Gemeinde Wurzel faßte. Die in der abendländischen Form gedichteten Lieder traten neben den Psalmen und den ihnen verwandten morgenländischen Hymnen*) in den kirchlichen Gesang ein. So gab es denn auch von dieser Zeit an manche Liederdichter, und obwohl die lateinische Sprache wenige Jahrhunderte nachher unterging und die lateinischen Lieder also nicht mehr im Volke leben konnten, welches auch immer mehr vom Kirchengesange ausgeschlossen wurde, so finden wir doch in den eilf Jahrhunderten, die zwischen dem ersten lateinischen Kirchenliede und dem ersten deutschen Chorale Luther's liegen, einzelne schöne Gesänge, die eine Zierde des kirchlichen Liederschatzes sind und bleiben werden. Etwa 150 — so viel als Psalmen — waren in den abendländischen Kirchen in Gebrauch gekommen, und aus ihnen entnahmen Luther und seine ersten Nachfolger im heiligen Gesange, die schönsten, welche sie in treuer Uebertragung mit ihren alten Gesangweisen in die evangelischen Gemeinden einführten.

---

*) Lob-, Preis- oder Feier-Gesänge.

Groß muß die Macht des ambrosianischen Gesanges über die Gemüther gewesen sein, denn der strenge Augustin, ein Vertheidiger des ambrosianischen Gesanges, erzählt in seinen Bekenntnissen von dem mailändischen Kirchengesang, als er ihn zum ersten Male gehört hatte, da er als Neubekehrter die Kirche zu Mailand besuchte: „Wie weinte ich über deine Lobgesänge und Lieder, o Gott, als ich durch die Stimme deiner lieblich singenden Gemeinde kräftig gerührt wurde. Diese Stimmen flossen in meine Ohren und deine Wahrheit wurde mir ins Herz gegossen. Da entbrannte inwendig das Gefühl der Andacht und die Thränen liefen herab, und mir war so wohl dabei."

Gesang, das bleibt doch fest und wahr,
Dringt zum Gemüthe wunderbar.

---

14. Erfreuliche Wirkung des Gesanges.

Der Bischof Otto, durch den die Pommern mit Hülfe Gottes zum Christenthum gekommen sind, war im Jahre 1124 in Stettin. Seine Feinde machten eine Rotte, und richteten eine nicht kleine Bewegung in der Stadt an, umringten die Kirche, und schrieen: Kommt, laßt uns die Kirche niederbrechen und Otto und Alle, die darinnen sind, ermorden! Etliche schrien Dies, etliche ein Anderes. Der Bischof aber, der folgte seinem Herrn nach, und half ihm gern an seinem Kreuze tragen, darum blieb er muthig und getrost. Er zog sein Priestergewand an, und richtete ein Kreuz auf, und sang mit denen, so bei ihm waren, Psalmen und Lobgesänge, und befahl Aller Seelen dem lieben Gott. Da die Feinde draußen den Gesang hörten, ging es ihnen durchs Herz; sie verwunderten sich deß, und sahen einander an, und wurden stiller und immer stiller. Nachdem etliche unter ihnen die Uebrigen ermahnten, nichts Unbedächtiges zu handeln, gingen sie wieder zu Hause. Otto aber blieb allda sammt den Seinen und lobte Gott.

Etwas Aehnliches geschah im Jahre 1826. Bekanntlich war in diesem Jahre ein Krieg zwischen Rußland und Persien ausgebrochen, der gerade in der Gegend des Kaukasus, wo mehrere deutsche Kolonien und deutsche Missionsposten sind, geführt wurde. Die Missionare hielten sich in der Festung Schuschi auf. Diese Festung belagerte der persische Kronprinz, Abbas Mirza, mit 40,000 Mann, und beschoß sie mit Bomben und Granaten. Die christlichen Einwohner kamen nicht aus den Kirchen, und flehten zu Gott um Errettung. Nachdem diese Belagerung sieben Wochen gedauert hatte, beschlossen die Perser, am folgenden Tage die Stadt mit Sturm zu nehmen und ließen den Tag vorher in die Stadt hineinrufen: wenn Jesus Gott ist, so mag er euch helfen! Voll Angst schrie alles zum Herrn und erwartete den fürchterlichen Tag; aber siehe da — am Morgen befand sich auch nicht Ein Perser mehr vor dem Thore. Der Prinz hatte die Nachricht erhalten, daß die Russen seine beiden Armeekorps geschlagen hätten und eilte ihnen zu Hülfe. Bald wurden sie ganz über die Grenze getrieben.

Ja, der alte Bundesgott lebt noch! Wenn man die Geschichte Sanherib's (2 Kön. 18 u. 19.) und viele andere im a. T. damit vergleicht, so sieht man es deutlich, daß Gott noch heute dieselben Wunder thut, wenn nur derselbe Glaube noch da wäre!

---

15. Die vier singenden Brüder.

Ein Reisender, der in London die Merkwürdigkeiten dieser Stadt aufgesucht und bewundert hatte, wollte auch das berühmte Irrenhaus kennen lernen. Er meldete sich in dieser Absicht bei einem Inspector dieser Anstalt, der ihn gegen Mittag durch alle Gemächer des menschlichen Elends führte. Sie hatten es schon in allen seinen Abstufungen gesehen, von der leisen Schwermuth an bis zum Blödsinn, zur Narrheit, zum Wahnsinn, zur Raserei hinauf; lauter herzzerreißende, tief erschütternde, Grausen und Entsetzen erregende Bilder der höchsten Zerrüttung des menschlichen Geistes. Da kündigte ihm sein Führer an, daß sie jetzt das letzte Zimmer besuchen würden, er solle sich gefaßt halten auf eine wunderbare, höchst seltene Erfahrung.

Beklemmten Herzens trat er hinein, und erblickte vier Männer, die auf Stühlen, in der Figur eines Quadrats, unbeweglich saßen, so, daß sich je zwei und zwei der Gegenübersitzenden mit stieren Blicken unaufhörlich ansahen. Kein Laut, kein einziges Zeichen des Lebens dabei in ihren Gesichtern, eine schaudervolle Aehnlichkeit unter einander!

Heinrich, Erz. I.   2

Das sind vier Brüder, mein Herr! sagte der Führer,
welche Tag und Nacht in dieser Stellung sitzen bleiben, ihre
Speise so empfangen, so einschlafen, so erwachen. Bei diesen
Worten schlug draußen die Gefangenenglocke zwölf. Da erhebt
sich nach dem letzten Glockenschlage ein voller Choralgesang, den
die Brüder, ohne irgend ein Zeichen der Verabredung, starr, wie
sie dasitzen, auf einmal anstimmen.

Wie sie den Vers geendet haben, schweigt alles, sie blei=
ben unbeweglich und starren sich an. Erschüttert und verwun=
dert über die grausenvolle Scene, hört unser Fremder von seinem
Führer den wunderbaren, aber warnenden Aufschluß.

Diese vier Brüder hatten von ihren Eltern eine sehr ein=
fache fromme Erziehung genossen, als der Tod den Vater hin=
wegraffte und die Söhne unter die Aufsicht eines leichtsinnigen
Vormundes geriethen. Sie traten nun früher in die Welt ein;
da lockten von allen Seiten Verführungen, denen Anfangs wohl
das fromme Gemüth widersteht, welches noch von der Liebe zur
Tugend beseelt ist, dann aber doch wohl den Reizungen der
Sinnlichkeit nachgiebt. Doch der Keim des Guten läßt sich nicht
so leicht ersticken. Wie manche qualvolle Stunde folgt den wü=
sten Genüssen, wenn das erwachte Gewissen den Richterspruch
thut! Dieser soll betäubt werden; man sinnt auf die feinsten
Mittel, den lästigen Richter zum Schweigen zu bringen. Oft
schaudern sie vor einer frommen Rede, vor einer guten That,
deren Zeugen sie sind, denn in solchen Augenblicken sehen sie in
ihr ödes Herz zurück.

Da gehen sie an einem Sonntage um die Mittagsstunde,
taumelnd von einer durchschwelgten Nacht, vor einer Kirche vor=
bei, und sogleich steigt in ihrem Herzen der rasende Vorsatz auf,
den Gottesdienst mit Gewalt zu stören, die andächtige Gemeinde
mit Schimpf und Hohn auseinander zu treiben, und so die letzte
Scheu vor dem Heiligen auf einmal zu vernichten. Blind,
wüthend, wie Besessene, stürzen sie hinein, als eben die Orgel
mit vollen Tönen in den Gesang eines alten, tiefrührenden
Liedes einstimmt, welches die vier Brüder in früher Kindheit
ins Gedächtniß gefaßt hatten; das manchmal, mitten in den
wildesten Genüssen, mahnend und strafend vor dem betäubten
Sinn aufgestiegen, jetzt aber mit entsetzlicher Gewalt in ihre
Seele griff. Wie eingewurzelt und vom Donner Gottes getrof=
fen, stehen sie auf der heiligen Stätte, blicken starr und sprach=

los vor sich hin, und versinken in jenen stummen Wahnsinn, der sie seit sieben Jahren nicht wieder verlassen hat. So sitzen sie Tag und Nacht starr und unbeweglich, und nur der letzte Schlag der zwölften Mittagsstunde löset das grause Schweigen in eben den Gesang auf, der sie einst zum Wahnsinn brachte. So weit der reisende Augenzeuge.

Wer kann diese schauderhafte Geschichte lesen, ohne zugleich an Ebr. 10, 26—31 zu denken.

Wohl dir! lieber Leser, wenn dein Gewissen bei diesen Worten ruhig bleibt. Sagt dir aber dein Herz, daß du auch den Herrn verleugnet habest, so gehe in dich, noch ist es Zeit. Kehre, wie der verlorene Sohn, um zu ihm. Er will nicht, daß Jemand verloren werde.

Kann der, der einst den Kreis des Erdbodens mit Gerechtigkeit richten wird, Verstand und Zungen in dieser Welt schon so binden und lösen, daß sie nur eigne Verdammniß zu denken und auszusprechen vermögen: was wird er erst können, und was werden wir sehen, wenn sein schrecklicher Zorn gegen die Verächter seiner Gnade auf ewig entbrennen wird!

Siehst du sogenannte Christen in zügelloser Gottes- und Christus-Verachtung den Taumelkelch der wilden Lust bis auf die Hefen leeren, so stelle dir den stummen Blick vor, mit welchen die vier Brüder einander ins Auge schauen, und denke dir diesen Blick in der endlosen Ewigkeit!

---

16. Der wegen des Singens bestrafte Lehrer.

Johannes Genuwit, von katholischen Eltern geboren, wurde als ein noch zarter Jüngling zum Schulmeister und Küster in dem Dorfe Wenningen in der Grafschaft Mark erwählt. Einst ging er über Feld; auf dem Wege fand er ein kleines Büchlein, und steckte es zu sich. Nach einer Weile kam ihm die Lust an, zu sehen, was in dem Büchlein geschrieben stehe, und er fand, daß es die lutherische Uebersetzung des neuen Testaments sei sammt einem lutherischen Liederanhang. Als ein Freund des Gesanges, zogen ihn insbesondere die Lieder an, und er sang mit großer Freude einige der Lieder auf dem Wege. Da ihm wohl bekannt war, daß sein Priester ihm das Lesen des neuen Testaments nicht gestatten würde, so sagte er ihm nichts

2*

von seinem Funde, sondern erquickte heimlich sein mühseliges Herz an der gedoppelten Segensquelle, die sich ihm so unerwartet aufgeschlossen. Nun geschah es, daß, als er eines Tages der Messe beiwohnte, ihn die Liebe zu Jesu so übermannte, daß er nicht umhin konnte, eines der lutherischen Jesuslieder laut zu singen, das er in seinem Büchlein gefunden. Der Priester untersagte ihm solches, aber Genuwit fing nach einiger Zeit abermals in der Kirche an, ein lutherisches Lied zu singen; da wurde der Priester grimmig böse, verklagte ihn bei der Obrigkeit, und brachte es dahin, daß er als ein Ketzer aus der Kirche ausgeschlossen, und bei Wasser und Brod in ein finsteres Gefängniß geworfen wurde, wo er, ohne daß er seine Kleider hätte wechseln dürfen, neun Monate schmachten mußte. Sein einziger Trost war, daß das Gefängniß einen Riß hatte, durch den bei hellem Wetter die Sonne so herein schien, daß er, freilich mit großer Mühe, sein neues Testament lesen, und sich mit dem Leiden Christi trösten konnte. Nach neun Monaten beschlossen seine Ankläger und Richter, ihn aus dem Lande zu jagen. Da man das Gefängniß öffnete, und ihn losließ, war sein Hemd auf seinem Leibe verfault. Er starb im Jahre 1699.

---

17. Luther singt, als er in die Acht erklärt war.

M. Matthesius, ein lieber Freund und Tischgenosse Dr. Luther's, der über und nach Tische manches Liedlein mit ihm gesungen, erzählt von dem Dr. Luther:

Als er Zeitung bekommen, daß er in die Acht erklärt und von dem Papst in Bann gethan worden, da sei er in den Garten gegangen und habe etliche schöne Psalmen und Lobgesänge mit Freuden gesungen. Der Prior habe ihn gefragt, ob er nicht neue Zeitung bekommen. „Ja," habe er geantwortet, „aber sie gehen mich nichts an, sondern meinen Herrn Christum; will der von der Rechten seines Vaters sich herunterstoßen und seine Kirche überwältigen lassen, da sehe er zu, ich bin viel zu gering, daß ich ihn und seine Kirche wider den Fürsten dieser Welt vertheidigen soll." — So fröhlich und gutes Muthes war Dr. Luther und ließ getrost den sorgen, welcher gesprochen hatte: Auf einen Felsen will ich meine Kirche bauen und die Pforten der Hölle sollen sie nicht überwältigen. Eben so sagte Dr. Luther

zu Coburg während des Augsburger Reichstages unter vielerlei
Anfechtungen und Nöthen: Lasset uns dem Teufel zum Trotz
den 130. Psalm „Aus tiefer Noth schrei ich zu dir" :c. auf
vier Stimmen singen, und Gott damit loben und preisen.

> Der Gesang erhöht den Muth
> Und kann Sorgen dämpfen;
> Setzt das ganze Herz in Gluth,
> Reizt mich, fortzukämpfen.
> Drum will ich,
> Wenn schon mich
> Furcht und Streit umringen,
> Muth ins Herz mir singen.

18. Lebensrettung durch Gesang.

Wohl dem, der in seiner Jugend gelernt hat, seinen
Gott zu preisen mit Psalmen und geistlichen Liedern, und seine
Lebenslust auszusprechen in sinnigen Gesängen, oder auch sein
Leid sich zu lindern mit einem tröstenden und erquickenden Lied:
ein solcher hat einen Schatz bei sich im Leben, der, wenn er
ihn nicht vergräbt, ihm hundertfältige Zinsen bringt. Wer kann
aufzählen, wie vielen Tausenden und Abertausenden die Gabe
auch nur des einfachen, kunstlosen Gesanges das Leben verschö-
nert, das Leben erleichtert, — ja, wer sollte glauben, daß sie
auch schon Manchem das Leben gerettet hat? Merk auf! Denk
dich einmal, mein Lieber, mutterseelenallein unter Wilde hinein,
die oft eben so wenig Umstände mit dem Leben eines Andern ma-
cher, als die Löwen und Tiger, mit denen sie einerlei Wälder
bewohnen: was würdest du machen, wenn du dich einigen von
ihnen allein überlassen müßtest, und sie es mit dir vorhätten,
wie sie's Anno 1619 im November mit dem holländischen Schiffs-
mann Wilhelm Jsbrand Bontequou von Horn vorhatten? Sieh,
dieser Mann hatte sich kurz vorher mit noch einigen Kameraden
auf einem Boote, nachdem sein Schiff durch zufälligen Brand
in die Luft gefahren war, unter langem, hartem Kampf mit
Hunger und Durst und Hitze an die Insel Sumatra*) gerettet,

---

*) Eine der sundischen Inseln in Ostindien, unter der
Mittagslinie. Sie ist 480 Stunden lang und 80 breit. Die Bewohner der Insel, zu 7 Millionen geschätzt, sind Malaien, die man

22

wo sie sich durch einen Tauschhandel mit den damals noch meist barbarischen Einwohner das Leben fristeten. Einmal war er allein am Lande, und wollte, nachdem er sein Geschäft verrichtet hatte, wieder zu seinem Boote zurückkehren. Er mußte sich auf einem Flusse von einigen Insulanern dahin fahren lassen. Als sie ihn eine Weile stumm gefahren hatten, gaben sie einander ganz besondere Zeichen, und gleich darauf kehrte einer sich an den Holländer, und forderte mit deutlicher Geberde, er solle ihnen Geld geben. Dieser, der ganz unbewehrt war, indeß die beiden Wilden Messer an der Seite hatten, dachte: Da ist es wohl das Klügste, du giebst ihm etwas, damit er bei guter Laune bleibt, und keine gefährlichen Gedanken bekommt! — gab ihm ein Thalerstück. Kaum hatte der Wilde es eingezogen, als sein Kamerad, der andere Wilde, auch die Hand ausstreckte, versteht sich, nach einem Thaler. Der bekam denn auch einen. Aber nun ging das Spiel von vorne an; jeder wollte noch mehr Thaler haben. Der Holländer wies sie nun ab und suchte ihre Aufmerksamkeit auf was Anderes hinzulenken, indem er in die Ferne deutete. Die Wilden guckten wohl hin, da sie aber nichts Besonderes sahen, was ihnen etwa mehr Vortheil versprochen hätte, als des Weißen Geldtasche, so wendeten sie sich unverweilt wieder an ihn, und ihre Geberden kriegten nun ein etwas drohenderes Ansehen, fast drohender als das manches Gerichtsboten, wenn er die rückständigen Steuern einfordert. Einmal noch ließ sich der Holländer diese Besteuerung gefallen und gab; aber dann, als sie doch wieder haben wollten, wurde ihm solcher Handel doch zu kostspielig, und er dachte: Willst's einmal versuchen in's Dur überzugehen: vielleicht lassen sie sich bedeuten, und du warst ein Narr, daß du nicht gleich anfangs aus diesem Tone gepfiffen!— und er fing an: Nun ist's genug, ihr Bursche! Fort an's Ruder! Ich will euch weisen, was euch gehört! — Allein die Sumatraner verstanden noch nichts von der holländischen Subordination, griffen wie der Blitz nach ihren Messern,

hier für die heftigsten und wildesten Anhänger des Islams hält. Es sind seit länger als 25 Jahren von mehreren Gesellschaften Versuche gemacht, der Insel das Evangelium zu bringen; aber theils hat die holländische Regierung, theils die Wildheit der Eingebornen alles vereitelt. Nur an einer Stelle, in Padang, hält ein Bote der englischen Baptisten kümmerlich Stand.

rollten die Augen wie glühende Feuerräder im dunkeln Kopf herum und machten alle Anstalt, den armen Holländer nicht nur um sein Geld, sondern gleich gar ums Leben zu bringen, nach dessen Hergabe ihnen das Geld von selbst zufallen würde. Herr Gott! nun hat sich's was mit dem Dur, und der Holländer hätte gern Mollsaiten aufgezogen, wenn er nur ihre, oder sie seine Sprache verstanden hätten, und er glauben hätte können, daß noch eine Kapitulation hülfe. Da — da half ihm Gott die rechte Saite aufziehen und anschlagen, und wie ein Gedanke von oben kam's ihm plötzlich ein, daß er in seiner Noth an= fing ein geistliches Lied zu singen.

Die Indianer, die noch keinen europäischen Gesang ge= hört hatten, stutzten, machten bald ernsthafte, bald lächerliche Geberden, und wußten sich vor Verwunderung und Lachen nicht zu lassen. Wie der Holländer merkte, daß sie darüber ihre Tücke vergaßen, sang er noch ein paar geistliche Lieder, die er sich von seiner Jugend her gemerkt hatte, und je ernsthafter und feierlicher er sang, desto mehr Grimassen schnitten jene, und fuhren in ihrer Afferei so lange fort, bis zum Glück auch bald — das Boot sich zeigte, nach welchem ihn die Insulaner zu bringen hatten. Beim Boote angelangt schieden sie und der Holländer als die besten Freunde, und dieser dankte Gott, daß er ihm den Gesang in die Brust und von Jugend an die Lust dazu in's Herz, und heute, im Augenblick der höchsten Gefahr, den Gedanken daran in den Sinn gegeben habe; denn außer= dem wäre es unfehlbar um sein Leben geschehen gewesen.

B. Erzählungen über angegebene Lieder.

19. Ach bleib mit deiner Gnade.

Ach! bleib mit deiner Gnade
Bei uns, Herr Jesu Christ,
Daß uns hinfort nicht schade
Des bösen Feindes List.

Als im September 1852 der Kirchentag in Bremen ge=
halten wurde, da hatte der Senat, die hohe Obrigkeit der freien
Stadt Bremen, die Freundlichkeit, den zahlreich versammelten
Mitgliedern des Kirchentages zwei große Dampfschiffe zu über=
lassen, um damit eine Fahrt nach dem etwa 12 Meilen entfern=
ten Bremerhafen zu machen. Die Schiffe waren zahlreich be=
sett; in Bremerhafen fand man viele Auswanderer vor, die
eben auf Gelegenheit warteten, ihr liebes Vaterland zu verlas=
sen, und fern in Amerika eine neue Heimath zu suchen. Als
die Schiffe mit den lieben Kirchentagsmännern ankamen, sam=
melten sich viele Auswanderer am Landungsplatze. Die Pasto=
ren gedachten des Wortes, daß sie sollten Christum verkündigen
zur Zeit und zur Unzeit; um den Einen und den Andern bil=
deten sich bald Häuflein, die in herzlicher Liebe aus Gottes Wort
erbaut und ermahnt wurden, zum letzten Male im lieben Vater=
lande, Viele vielleicht zum letzten Male im Leben. Die armen
Auswanderer waren sichtlich erfreut und gerührt über die Liebe,
welche sich ihnen hier offenbarte, und die Worte der Ermahnung,
welche sie vernahmen, schienen tief in ihre Seelen zu dringen.
Der Abschied der Kirchentagsmänner von Bremerhafen war
rührend, wie ihn ein Augenzeuge im Volksblatte uns so ergrei=
send beschreibt: „Einen besonders tiefen Eindruck," so heißt es
dort, „hatte die Ankunft von 400 Pastoren in Bremerhafen
auf die Auswanderer gemacht. Die meisten schienen es zu wis=
sen, daß sie von der großen deutschen Kirchenversammlung in
Bremen kämen, die jetzt auch die Sache der Auswanderer mit
einander vor Gott berathen wollten und die eigens um ihret=
willen heut nach Bremerhafen gekommen wären. Kein Wunder
also, daß zur Zeit unserer Abfahrt der ganze Haufen bis zum

Pfahlhöft — die äußerste Spitze des Hafens — mit Auswan=
derern besetzt war. Jetzt kam überhaupt der ergreifendste Augen=
blick unserer Bremerhafen = Fahrt. Es ist zwei Uhr. Die Ebbe
ist vorüber. Schon beginnt die Fluth, mit der wir stromauf=
wärts nach Bremen zurückfahren müssen. Die Schiffsglocke giebt
das Zeichen zur Abfahrt. Unser Dampfschiff, mit den Flaggen
von fast allen deutschen Ländern bis hoch hinauf geschmückt,
setzt sich in Bewegung. Alle Schiffe im Hafen flaggen. Da
stimmen wir wie aus Einem Munde den Choral: „Ach bleib
mit deiner Gnade" an. Die Auswanderer und wir, von
dem Ernst des Augenblicks ergriffen — in manchem Auge sah
ich eine Thräne glänzen — rufen sich ein letztes Lebewohl zu,
schwenken die Hüte und lassen die Tücher wehen. In demselben Augen=
blicke entfaltet ein stattlicher Nordamerikaner Dreimaster voll Auswan=
derer seine Segel und steuert langsam und majestätisch der offenen
See zu. Wir durchschnitten mit unserm Dampfschiffe schneller die
hohen Wellen und waren deshalb bald zur Seite des Auswan=
derungsschiffes; der Choralgesang tönt feierlich und deutlich zu
den Auswanderern hinüber, wir fahren so nahe daran vorbei,
daß wir die tiefe, ernste Bewegung auf ihren Gesichtern lesen
können. Wir segeln in einem engen Kreise um das Schiff
herum und fahren nun an der anderen Seite desselben schnell
vorüber, landeinwärts gerichtet. Alle Auswanderer hatten wie=
der, Kopf an Kopf gedrängt, sich am hinteren Bord versammelt,
noch lange können wir das Schwenken der Hüte und Tücher
von jenem Schiffe her sehen, bis allmählich unser Auge nicht
mehr hinreichen kann. Da ward es eine Zeit lang still, ganz
still auf unserm Schiffe, denn der Eindruck war zu tief, den
das so eben Erlebte auf Alle gemacht hatte.

Das erwähnte Lied ist gedichtet von Dr. Josua Steg=
mann, Professor der Theologie auf der Universität Rinteln,
und zum ersten Male gedruckt in dessen erneuerten Herzensseuf=
zern. Lüneburg, 1630—34.

Dieses Lied war das Lieblingslied der am 14. April 1846
im Glauben an den Heiland der Sünder verschiedenen Prinzessin
Maria Anna, Gemahlin des Prinzen Wilhelm von Preußen

26

20. Ach Gott! vom Himmel sieh darein.

Ach Gott! vom Himmel sieh darein,
Und laß dich deß erbarmen,
Wie wenig sind der Heil'gen dein,
Verlassen sind wir Armen.
Dein Wort man nicht läßt haben wahr,
Der Glaub' ist auch erloschen gar
Bei allen Menschenkindern.

Dieser Gesang diente in den ersten Zeiten nach der Reformation oft als eine Schutzwehr gegen diejenigen, welche die Gemüther von der reinen Lehre des Evangeliums in die Finsterniß früherer Jahrhunderte zurückführen wollten; besonders gab dazu folgender Vorfall Veranlassung.

Im Jahre 1529 am 5. Decbr. als am 2. Sonntage des Advents, ereignete es sich, daß in der St. Jakobskirche zu Lübeck der Kapellan Hillebrand die Frühpredigt verrichtete. Nach der damaligen Sitte betete derselbe nach dem Schlusse der Predigt für die Verstorbenen; zwei Knaben, welche sich in der Kirche befanden, stimmten während dieses Gebets das Lied an; „Ach Gott! vom Himmel sieh darein" in welchen Gesang alsbald die ganze Gemeinde einfällt, und dieses Lied bis zu Ende fortsetzt. So wurde dies dann nicht nur der erste deutsche Psalm, den man in der Kirche zu Lübeck sang, sondern er diente von dieser Zeit an fast allgemein als ein Mittel, die Mönche oder Prediger, welche sich auf der Kanzel gegen die evangelische Lehre ausließen, zu unterbrechen und sie zu zwingen, ihre Vorträge zu schließen.

---

21. Ach Gott! vom Himmel sieh darein.

So wie jede zu einem heiligen Gebrauche bestimmte Sache gemißbraucht werden kann, so ist dies auch der Fall mit den kräftigen und herrlichen Liedern unserer evangelischen Kirche. Das oben angeführte Lied: „Ach Gott! vom Himmel sieh darein," ist auch einmal von Unverständigen auf eine nicht passende Weise gebraucht worden. Die Geschichte hat sich zugetragen im Jahre 1732 in einer Landgemeinde unweit Sorau in Schlesien.

Ein Graf berief zu einer erledigten Pfarrstelle einen ge-

52

wissen Böhmel. Die Gemeinde wollte aber einen bekannten Haus-
lehrer zum Prediger haben und war im höchsten Grade aufgebracht gegen erstern, obgleich man ihn noch nicht kannte. Als
der Graf eines Tages mit Böhmel gefahren kam und denselben
der Gutsherrschaft vorstellen wollte, kamen eine Menge Leute
zusammen mit Heulen und Wehklagen. Sie schrieen unaufhörlich:
„Hinweg mit diesem, wir mögen ihn nicht sehen, wir mögen
ihn nicht hören, wir geben ihm nichts, wir sind ihm feind,
wird er uns aufgedrungen, so laufen wir davon, oder wir ver-
greifen uns an ihm!" Alle Vorstellungen blieben vergebens.
Der Graf verwies die Unruhigen an das Consistorium. Dieses
hatte den andern Tag seine Sitzung. Eine Menge Weiber traten mit abscheulichem Geheul ein. Sie erhielten einen Ver-
weis über ihr heutiges und gestriges ungebührliches Verhalten,
sodann wurde ihnen bekannt gemacht, daß sie zur Strafe wegen
des Ungehorsams ins Gefängniß wandern sollten. Anfänglich
weigerten sie sich, da das aber nicht geachtet wurde, so stimmten sie das Lied an: „Ach Gott vom Himmel sieh darein,
und laß dich deß erbarmen!" Des Abends ließ man sie
wieder heraus. Sie blieben bei ihrem Sinne und droheten, daß
sie auf den Sonntag schon die Probepredigt würden zu hindern
wissen.

Den folgenden Sonntag war die Probepredigt. Während
des Singens war alles ruhig; als aber Böhmel auf die Kanzel
stieg, erhob sich ein schändliches Geheul, daß man ganz betäubt
wurde. Dieser betete herzlich und wurde in Gnaden erhört.
Wie er zu reden anfing, entstand eine allgemeine Stille, daß
er die ganze Predigt ungestört halten konnte. Allein da nach
derselben der Superintendent die Gemeinde anreden wollte, ließen Alle aus der Kirche. Nach erfolgter Ordination dachte man
an die Einführung. Der Superintendent reiste mit Böhmeln
nach dem bestimmten Orte und die beorderten und bewaffneten
Bürger mußten ihnen Platz machen, daß sie auf den Kirchhof
kommen konnten. Allein nun nahm das Toben des wü-
thenden Haufens immer mehr zu. Mit Mühe konnten sie auf
dem Kirchhofe einige Schritte vorrücken, aber näher an die Kirche heran zu kommen, war nicht möglich, denn das Volk stand
wie die Mauern. Der Superintendent gab Böhmeln einen

Wink, sich gegen ihn zu wenden und nahm die Einführung auf dem Kirchhofe vor.

Noch eine geraume Zeit dauerte die feindselige Stimmung gegen den neuen Prediger, aber nach und nach wurden die Herzen durch das verkündigte Wort Gottes ergriffen, besonders war dies im Jahre 1734 der Fall. Nicht Einzelne, sondern ganze Haufen kamen zu ihm in's Haus und baten unter vielen Thränen: Er möchte ihnen ihre schweren Versündigungen und die ihm erwiesenen schrecklichen Beleidigungen verzeihen. Nun flossen die Herzen zusammen, daß die innigste Eintracht zwischen der Gemeinde und dem Prediger entstand. Neun Jahre hatte Böhmel in großem Segen gewirkt, als ihn der Graf zu einer andern Gemeinde berief. Als er seine Abschiedspredigt in voller Versammlung hielt, entstand eine solche Betrübniß, daß er vor Weinen und Aechzen der Leute kaum zu reden im Stande war. Die Gemeinde feierte an dem Tage ihr Kirchweihfest, welches in der dortigen Gegend gewöhnlich ein großes Freudenfest der Landleute ist. Allein hier konnte sich Niemand freuen, noch an einer Freude Antheil nehmen, es war ihnen in das empfindlichste Trauerfest verwandelt, und bei Allen ohne Ausnahme nur eine Stimme zu vernehmen: „Das haben wir mit unsern Sünden verdient!" — So kann der Herr durch sein Wort die Herzen ändern. Wohl dem, der auch an sich eine solche Veränderung erfahren hat! Das angeführte Lied: „Ach Gott! vom Himmel sieh darein," hatte die Gemeinde nun in einem andern Sinne singen gelernt.

---

22. Ach Gott! im Himmel sieh darein.

Es berief 1527 der Rath zu Braunschweig einen Doktor der Theologie von Magdeburg, den man nachmals nur scherzweise Dr. Sprengel nannte, weil er mit seinem Sprengel und Weihwasser sich immer viel zu thun machte. Dieser vermaß sich, mit einer einzigen Predigt die Lutherische Ketzerei über'n Haufen zu werfen und zu beweisen, daß der Mensch durch die guten Werke und nicht durch den Glauben gerecht würde. Er trat deswegen am 22. Sonntage nach Trinitatis auf die Kanzel. Als er aber zum Beweis seiner Lehre einen Spruch falsch anführte, rief ihm ein fremder Prediger im Auditorio zu: Ihr lüget, Herr Doktor, in meiner Bibel stehet's nicht so. Hierüber wurde Sprengel bestürzt und sagte begütigend: Mein lieber Mann, vielleicht habt ihr eine andere Uebersetzung als ich, in meiner Bibel steht's so wie ich gesagt habe. Um diesem Disput ein baldiges Ende zu machen, fing ein Bürger unter dem Haufen überlaut an zu singen: „Ach Gott vom Himmel sieh darein, und laß dich deß erbarmen." Und als die Gemeinde mit einstimmte, mußte der Pfaffe von der Kanzel herunter und ist nie wieder hinauf gekommen.

Das erwähnte Lied ist eine freie Ueberarbeitung des 12ten Psalms, von Luther gedichtet im Jahre 1524. Es ist eines der acht Lieder, aus denen das erste evangelische Gesangbuch bestand.

‒‒‒‒

23. Ach Gott, wie muß das Glück erfreun.

Ach Gott, wie muß das Glück erfreun,
Der Retter einer Seele sein.

Ein vornehmer Mann, der seines Berufs wegen viel auf Reisen sein mußte, hatte dabei den edlen Vorsatz gefaßt, auf diesen seinen Reisen zugleich für das Reich Gottes zu wirken. Wenn er z. B. in dem Postwagen saß, knüpfte er mit seinen Reisegenossen, die oftmals recht unsittliche Gespräche geführt hatten, fromme Unterredungen an, und suchte ihre Herzen auf das Eine, was nothwendig ist, hinzulenken. Er gestand selbst, daß ihm dies oft recht schwer geworden sei, daß sich seiner vor dem Beginn eines solchen Gesprächs öfters eine große Furcht bemächtigt habe; doch dann habe er sich die Worte vergegenwärtigt:

Ach Gott, wie muß das Glück erfreun,
Der Retter einer Seele sein;

und dieses Wort habe ihm immer neuen Muth verliehen zum Werke der Liebe.

Die angeführten Zeilen stehen in dem 11ten Verse des Liedes: Nach einer Prüfung kurzer Tage ꝛc., welches Gellert gedichtet hat. Sein vollständiger Name ist Christian Fürchtegott Gellert, geb. den 4. Juli 1715 zu Haynichen im Erzgebirge. Er starb als außerordentlicher Professor der Philosophie in Leipzig. Ein hochverdienter Mann, durch seine Schriften noch jetzt in Deutschland allenthalben beliebt. Seine geistlichen Lieder und Oden, 54 an der Zahl, soll er, unter steter Anru-

fung Gottes, verfaßt haben. Er war einer der Ersten, die auf
den Werth der alten Kirchenlieder wieder aufmerksam machten.
Mit freudigem Bekenntniß Jesu Christi starb er den 13. Dec. 1769.

---

24. Ach, mein Jesu, sieh ich trete.

Eine fromme Familie sang sowohl des Morgens als auch
des Abends ein Lied, und der Hausvater las ein Gebet vor
oder betete auch manchmal aus dem Herzen. Obgleich nun dieß
eine sehr löbliche Gewohnheit ist und zu wünschen wäre, daß
sich dieselbe in allen Häusern sich fände, so gab es doch einige Familien im Dorfe, die ihre spöttischen Bemerkungen darüber machten. Ein erwachsener junger Mensch aus einer dieser Familien
hatte wohl öfter die Aeußerungen seiner Eltern über diese Andachten gehört. Derselbe ging eines Abends vor dem Hause
vorüber, als die Familie gerade ein Abendlied sang. Er nahm
sich vor, die Singenden recht zu erschrecken und sie in ihrer Andacht zu stören; ergriff deshalb einen ziemlich großen Stein
und warf ihn gegen den Laden. Natürlich erschrak die ganze
Familie und man merkte sogleich, daß dies absichtlich geschehen
sei. Bald darauf wurde es laut im Dorfe, eine Menge Stimmen ließen sich vernehmen. Der Vater dieser in der Andacht
gestörten Familie ging ebenfalls auf die Straße und sah zu seinem Erstaunen einen jungen Menschen daher getragen bringen,
der einen Fuß und einen Arm gebrochen hatte. Es war derselbe, der die Frechheit begangen und die Familie gestört hatte.
Er hatte geschwind davon laufen wollen und war über einen
Stein gefallen. Die Familie hatte gerade angefangen den Vers
zu singen:

> Ach, mein Jesu, sieh ich trete,
> Da der Tag nunmehr sich neigt,
> Und die Finsterniß sich zeigt,
> Hin zu deinem Thron und bete,
> Neige du zu deinem Sinn
> Auch mein Herz und Sinnen hin.

Er trug zeitlebens, da der Fuß nicht ordentlich wieder geheilt worden war, das Maalzeichen seiner Sünde an sich und
war darüber immer so bekümmert, daß seine Seele fast nicht getröstet werden konnte.

Das Lied ist um das Jahr 1795 von Levin Johann
Schlicht gedichtet worden. Derselbe wurde von A. H. Franke
als Lehrer an seinem Pädagogium in Halle angestellt, wo er
von 1700—1708 wirkte. Im zweiten Verse des Liedes heißt es:

> Meine Tage gehn geschwinde,
> Wie ein Pfeil zur Ewigkeit.

Wie ein Pfeil gingen auch des Dichters Tage zur Ewigkeit. Er
starb als Prediger zu Berlin im Jahre 1723, erst 42 Jahre
alt, plötzlich an einem Schlagfluß.

Diesen zweiten Vers mit dem Bibelworte Hiob 7, 6.
wählte zum Leichentert die edle Jungfrau Hedwig Klara Katharina v. Jsendorf in Bremen, ehe sie im Jahre 1718 nach Sibirien abreiste, wohin sie sich als Muster kindlicher Treue gezogen fühlte, um ihren im Jahre 1709 als schwedischer Offizier
in russische Gefangenschaft gerathenen Vater daselbst zu pflegen
und freiwillig das harte Loos mit ihm zu theilen. Sie ver-
leugnete Alles, um nur dem Zuge ihres Herzens zu folgen;
aber sie wurde schon nach drei Jahren, noch vor ihrem Vater,
zu Tobolsk in Sibirien am 17. März 1721 ein Opfer des Todes. Auf ihrem Krankenbette tröstete sie sich mit schönen Trostsprüchen und Liederversen.

———

25. Ach wie sehnlich wart' ich der Zeit.

Unsere alten trefflichen Kirchenlieder sind ein unschätzbares
Gut der evangelischen Kirche. Es liegt in ihnen eine Innigkeit und Glaubenskraft, die von mächtiger Wirkung auf unser
Gemüth sind und uns im rechten Augenblicke oft eine wunderbare Seelenstärkung gewähren können. Tausenden von Sterbenden sind sie auf ihrem Sterbelager eine süße Erquickung und
ein erfrischendes Labsal gewesen.

Die selige Fürstin Henriette Luise, Markgräfin zu
Brandenburg, ermahnte auf ihrem Sterbebette ihren Hofprediger,
M. Caspar Hammerschmid und ihre Hofdamen, sie sollten anstatt
des Weinens singen. Sie bestimmte selbst, ihre herzliche Sterb-
begierde und Himmelsfreude anzuzeigen, was man singen sollte,
nämlich: Ach wie sehnlich wart ich der Zeit u. s. w.
Zion klagt mit Angst und Schmerzen u. s. w. und
Christus, der ist mein Leben :c. Diese drei geistlichen

Lieber hat die gottselige Fürstin unter dem heißen Weinen der betrübten Umstehenden mit freudigem Herzen, lächelndem Munde und lieblicher Stimme von Anfang bis zu Ende gesungen und bald hernach, ohne einiges Ach und Weh ihren Geist sanft und still aufgegeben zu Onolzbach im Jahre 1650, im 27. Jahre ihres Alters und im achten ihres fürstlichen Ehestandes.

---

26. Ach nach deiner Gnade trachtet.

Ach nach deiner Gnade trachtet,
Dürstet, schrei't mein banges Herz
Vater, siehst du, wie es schmachtet?
Seine Thränen, seinen Schmerz?
O du reicher Quell des Lebens!
Ist mein Durst nach dir vergebens?
Wo ist deiner Güte Spur?
Einen Tropfen will ich nur!

Eine vornehme aber fromme Dame in der Schweiz war dem Tode nahe. Sie fühlte schon die Todeskälte in Händen und Armen, und den kalten Todesschweiß über dem ganzen Kör=per. „Nur noch einmal mein Lieblingslied: „„Ach, nach deiner Gnade schmachtet,"" sagte sie zu einer ihrer Töchter. Mit inniger Empfindung ward es ihr unter heißen Thränen vorgelesen, und mit inniger Empfindung und klarem Bewußtsein ward es von der Sterbenden angehört. Gespannt horchte sie hin, als sehne sie sich nach der letzten schönen Strophe. Ein Freund bemerkte das Erblassen des Antlitzes, sagte aber nichts, um die Lesende nicht zu stören. Die Tochter las:

Lauter noch als mein Gewissen
Ruf' in meinen Finsternissen,
Gott! mir deine Gnade zu:
„Selig und versöhnt bist du!"

Und mit den letzten Worten: „Selig und versöhnt bist du!" hauchte die fromme Dulderin ihren Geist aus. Er ging über zur Erfahrung, zum Schauen dessen, was der letzte Gedanke ihres Glaubens, das letzte Gebet ihres Herzens war. Das Lied ist von Lavater gedichtet, der im Jahre 1801 starb.

---

27. Ach weinet nicht hienieden.

In der Welt, im öffentlichen Leben bewirkt das Aus-
scheiden selbst der bedeutendsten Menschen nur eine augenblickliche
Erschütterung, die Lücke, die sie lassen, ist, wohl oder übel, bald
wieder ausgefüllt oder zusammengezogen, und Alles geht fort,
als wäre Nichts begegnet. Im häuslichen Kreise läßt das Ver-
schwinden des kleinen Geliebten eine Leere zurück, die den Ge-
müthern der Ueberlebenden lange fühlbar bleibt und durch unzählige Kleinigkeiten sich selbst immer wieder in Erinnerung
bringt. Hier ein Beispiel.

Ein Mädchen von 14 Jahren starb kurz vor der Confirmation. Sie war das einzige Kind braver und rechtschaffener
Eltern, und es war daher ein harter Schlag für das Ehepaar.
Der Herr hatte dem Kinde, wie dort der Lydia, das Herz aufgethan, denn das Wort Gottes zu hören in der Schule und in
dem Confirmandenunterricht war ihr der liebste Unterricht. Es
zeigte sich auch in ihrem Wandel, daß ihr das Christenthum
Herzenssache war. Sie machte ihren Lehrern keinen Verdruß,
zeigte eine große Anhänglichkeit an dieselben und ermahnte sogar öfters ihre Mitschülerinnen zur Folgsamkeit. Darum gefiel ihre Seele Gott wohl, und er eilte mit ihr
aus dem bösen Leben. Weish. Sal. 4, 14. Sie war von
Natur schwächlich und starb in Folge einer Erkältung. Die
ganze Schule folgte dem Sarge der gewesenen Mitschülerin. Die
Mutter war untröstlich. Alle Zusprache von Seiten der Lehrer
und der Anverwandten war vergeblich. Täglich ging sie nach
dem Gottesacker, setzte sich auf den Grabeshügel und weinte
heiße und bittere Thränen. Sechs Wochen hindurch hatte sie
das fast täglich gethan und man fing an für ihre Gesundheit
besorgt zu werden, weil sie sich durchaus nicht trösten konnte.
Da hatte sie einstens in der Nacht einen merkwürdigen Traum.
Sie sieht nämlich ihre Tochter in einem weißen Kleide vor sich
stehen, und fängt gar lieblich an zu singen den Vers:

Ach weinet nicht hienieden,
Beklaget nicht ihr Loos;
Die von Euch ist geschieden,
Ruht nun in Jesu Schooß!

Heinrich, Erz. I.   3

Einst ruft er all' die Seinen
Von dieser Erde ab,
Und wird euch dort vereinen,
Dort über Zeit und Grab.

Nach dem Gesange richtet sich die Mutter empor, will ihre Tochter umfassen, und siehe — es war ein Traum. Aber der Traum war von gesegneter Wirksamkeit. Die Mutter konnte sich von da an fassen, wurde ruhiger und ihr Herz war nun offen für die Tröstungen des Wortes Gottes. Wunderbar sind die Wege des Herrn!

Dort findet sich beisammen,
Was scheidet hier der Tod,
Die nur in Christi Namen
Entschlafen, sind in Gott:
Der Mann, sein Ehgemahl,
Söhn', Töchter und Bekannte,
Freund', Brüder und Verwandte,
Die Lieben allzumal.

28. Ach lieben Christen seid getrost.

Johann Timäus, Diakonus zu Fraustadt, ein sehr frommer Lehrer, hatte in seinen beiden letzten Predigten seinen nahen Tod angedeutet. Nachdem er nach der letzten Predigt die Kanzel verlassen, klagte er über Mattigkeit, und sagte nach gehaltener Mahlzeit zu seiner Gattin Sophia: Wenn sie etwas mit ihm zu besprechen hätte, sollte sie es bei Zeiten thun, er werde nicht lange mehr mit ihr reden. Hierauf versammelte er seine Kinder um sich, und singet aus obigem Liede folgenden Vers:

Wir wachen, oder schlafen ein,
So sind wir doch des Herren,
Auf Christum wir getaufet sein,
Er kann dem Satan wehren.
Durch Adam auf uns kömmt der Tod;
Christus hilft uns aus aller Noth,
Drum loben wir den Herren.

Bald darauf starb er. — Das Lied ist von Johann Henne (Gigas) gedichtet, welcher im Jahre 1581 als Pastor zu Schweidnitz starb.

29. Allein Gott in der Höh sei Ehr.

Es war am Himmelfahrtsfeste 1842 Morgens 2 Uhr, als die alte Hansestadt Hamburg vom 5. bis 8. Mai von einem furchtbaren Brandunglücke heimgesucht wurde. Wie es auch in andern großen Städten ist, so kümmerte sich anfangs Niemand sehr darum, weil wohl Niemand ein solches Unglück für möglich gehalten hätte, und auch nachdem nach sieben Stunden dem Brande noch kein Einhalt geschehen war, verwischte bei den Meisten das Vertrauen zu der so berühmten Löschanstalt jede aufsteigende Bedenklichkeit. Aber von Stunde zu Stunde zeigte sich diese menschliche Kunst und Kraft dem furchtbaren Elemente gegenüber immer mehr in ihrer Ohnmacht, und in demselben Maaße wuchs die Gefahr und Besorgniß; ja die frühere Sicherheit ging bald in Muthlosigkeit über, als gegen 1 Uhr helle Flammen aus dem Nicolai-Thurme herausschlugen. Das Bild des Jammers steigerte sich von Minute zu Minute, der Thurm brannte um 3 Uhr schon lichterloh, die Verwirrung wurde immer größer, und hätte der liebe Gott die Bewohner dortiger Gegend nicht beschützt, so wären zahllose Familien in ängstlicher Thätigkeit, das Nothwendigste zu retten, um ihr Leben gekommen; denn der Thurm brannte ganz aus, und kam in einzelnen Ruinen theilweis in sich und auf die Kirche, seitwärts des Hopfenmarktes, wo die Flamme zuerst hervorgebrochen, nach halb fünf Uhr herunter. Es war herzzerreißend, dieses schreckliche Schauspiel mit anzusehen, und welch eine Wehmuth verbreitete sich in der Stunde dieser Gefahr über das ganze Kirchspiel! Als Alles flehte, die große Gefahr abzulenken, da ertönten, und zum letzten Male, die Glocken des so herrlichen Glockenspiels, welches täglich Morgens um halb sechs Uhr alle die, welche Gott ehren und lieben, durch erhebende Choralmelodien zur Andacht aufforderte, die große Hitze brachte dieses Glockenspiel zum hellen Klange, als wollte es den Fliehenden den letzten Trost verkünden! Der Herr ist am nächsten, wenn Alles uns zu verlassen scheint! Es war ein Moment der tiefsten Trauer, als der Thurm sich senkte, und heulend wüthete nun die mächtige Flamme, und drang bis tief in die schöne Kirche, und verzehrte Alles, bis auf den Grund. Die Arbeiter hatten sich allmählig zu retten gesucht, bis auf drei wackere Männer, welche die Hoff-

3*

nung nicht aufgaben, die Flammen mittelst des heraufgebrachten Wassers zu ersticken. In der Ausübung ihres gefahrvollen Berufes hatten sie nicht darauf geachtet, wie sie von allen Uebrigen verlassen worden waren, und das Innere des unteren Thurmes bereits in voller Gluth stand. Zu spät war es jetzt für die drei Braven, den Rückweg zu finden; ein gewisser Tod durch Feuer lag vor ihren Augen. Da in der Verzweiflung des Augenblicks empfahlen sie sich dem Höchsten, warfen ihre Hüte in die Höhe, und mit beispiellosem Heldenmuthe stürzten sie sich vom Thurme herab. Sie lagen zerschmettert am Boden.

Am 7. Mai Vormittags ward auch die St. Petrikirche, die älteste von Hamburgs Kirchen, ein Raub der Flammen. Zwei Mal schon hatte der Thurm Feuer gefangen, und es war gelungen, dasselbe zu löschen: jetzt ergriff ihn die Flamme zum dritten Male, und bald erkannte man an ihrer Schnelligkeit, daß ein abermaliger Löschversuch nutzlos sein würde, um so mehr, da man nur kleine Handspritzen auf den Thurm selbst zu bringen vermochte. Diese aber reichten bei der unbeschreiblichen Gluth von allen Seiten nicht aus, und nachdem auch das hier befindliche Glockenspiel durch die Abspielung der Choralmelodie: „Allein Gott in der Höh sei Ehr!" ꝛc. seinen Schwanengesang vollendet, und in die Gemüther aller Hörer eine unsägliche Wehmuth gegossen hatte, beugte der Thurm seine stolze Spitze, und senkte sie nach und nach zur Erde nieder. Sie fiel endlich ganz herab, und das Haupt St. Petri barg sich, durch das Straßenpflaster schlagend, tief in den Erdboden.

---

30. Allein Gott in der Höh sei Ehr.

Als im Jahre 1735 Dr. Joh. Jac. Rambach, Professor der Theologie und Superintendent zu Gießen, auf seinem Sterbebette lag, wurde auf dem Kirchthurme das Lied geblasen: Allein Gott in der Höh sei Ehr ꝛc. Als er dies hörte, fragte er seine Ehegattin, was für eine Melodie es wäre, und als er es vernommen, sagte er zu ihr, sie möchte hinauf rufen, daß man blasen solle: Wie wohl ist mir, o Freund der Seelen ꝛc. Als sie hierauf erwiederte, daß solches nicht anginge, sprach er: Sie sollte es sein lassen, er wolle das Lied: Allein Gott in der Höh sei Ehr ꝛc.

mitfingen, welches er auch that, obgleich er fich in großer Lei=
besschwachheit befand. Bald darauf starb er.

M. Joh. Christ. Olearius schreibt im evangelischen
Liederschatze von diesem Liede: „Der Anfang dieses Liedes ist
schon sehr alt, maßen denselben allbereit bei der Geburt Christi
die heiligen Engel gemacht, der hernach von den Christen in
der alten Kirche fleißig nachgesungen und der große Lobgesang
oder hymnus angelicus, der englische Lobgesang, ist genannt
worden." In unserer Sprache lautet er also:

„Ehre sei Gott in der Höhe und auf Erden Friede, den
Menschen ein Zeichen des Wohlgefallens. — Wir loben dich,
wir segnen dich, wir rühmen dich, wir danken dir um deiner
großen Herrlichkeit willen — Herr Gott, himmlischer König,
Gott allmächtiger Vater, — Herr, eingeborner Sohn, Jesus
Christus, — Herr Gott, Lamm Gottes, Sohn des Vaters, —
der du trägst die Sünden der Welt, erbarme dich unser — der
du trägst die Sünden der Welt, nimm an unser Gebet, — der
du sitzest zur Rechten des Vaters, erbarme dich unser. — Weil
du allein bist heilig, du allein der Herr, du allein der Höchste,
Jesus Christus, mit dem heiligen Geiste in der Herrlichkeit Got=
tes des Vaters. Amen."

In der deutschen Bearbeitung, wie wir dies Lied jetzt in
unsern Gesangbüchern finden, ist es durch Nikolaus De=
cius eingeführt. Derselbe lebte vor und während der Refor=
mation. Er war anfangs Mönch, hernach Probst des Klosters
Steterburg im Fürstenthum Wolfenbüttel. Gleich beim Beginn
der Reformation zu derselben übertretend, verließ er sein Kloster,
wurde Schulcollege zu Braunschweig und erregte daselbst durch
die bis dahin unerhörte Aufführung vielstimmiger Musikstücke
zur Verschönerung des protestantischen Gottesdienstes großes
Aufsehen. Er war überhaupt ein Meister in der Musik, beson=
ders im Harfenspiel, und componirte seine Lieder selbst.

Von Braunschweig wurde Decius im Jahre 1524 nach
Stettin als Prediger an die St. Katharinenkirche berufen, starb
aber nach kurzer Wirksamkeit schon 1529. Man sagt, er sei von
den Katholiken um seines reformatorischen Strebens willen ver=
giftet worden.

Das angeführte Lied ist ums Jahr 1529 in der evange=
lischen Kirche eingeführt. Decius dichtete es zu jener Zeit, in
der durch ein Reichsgesetz des Kaisers Maximilian I., das auf

dem Reichstage zu Worms am 7. Aug. 1495 zu Stande kam, allen Befehdungen und Streitigkeiten eine Ende gemacht und der allgemeine Landfrieden wieder hergestellt wurde. Auf dieses allgemeine freudige Ereigniß beziehen sich die doppelsinnigen Worte im ersten Verse: „All' Fehd' hat nun ein Ende."

---

31. Allein Gott in der Höh' sei Ehr.

Es besteht noch in manchen Städten die alte christliche Sitte, die aber auch der Unglaube unserer Zeit hin und wieder abgethan hat, daß die Glöckner des Abends oder des Morgens eine geistliche Melodie vom Thurme blasen. Eine herrliche Sitte! Herzen, die vielleicht im Geräusche der Welt des Morgen- und Abend-Segens sonst vergäßen, werden durch die ernsten Klänge der Posaunen daran gemahnt, und Christen, welche die Melodie der Posaune mit dem Inhalte des Liedes begleiten, werden dadurch mit Mund und Herz zu gottinniger Andacht erhoben und wunderbar gestärkt.

Eine solche Stärkung wurde auch einer durch anhaltende innere Anfechtung schwer heimgesuchten vornehmen Frau zu Theil, die von sich selbst also erzählt:

„Als ich auf einen Sonnabend des Nachts von 12 Uhr bis Sonntags früh gegen 3 Uhr geschlafen hatte und wieder erwachte und das Tageslicht erblickte, fingen die Stadtmusici vom Kirchthurme herab, wie es Sonntags hier bräuchlich ist, das herrliche Lied: Allein Gott in der Höh' sei Ehr u. s. w. zu blasen an. Das klang mir so süß in meinen Ohren, als wenn es vom Himmel erschallte. Da richtete ich mich auf, stand auf und betete das Lied ganz mit: hierauf bekam ich eine herzliche Andacht, seufzte in freudiger Hoffnung und gedachte: Nun wird Gott der Herr vieler Frommen Gebet erhöret haben, betete darauf des Lutheri Auslegung und las auch andere geistreiche Schriften.

Hieraus habe ich nun die wunderbarliche Errettung des barmherzigen Gottes genugsam gespüret, worüber ich mich von Herzen sehr erfreuet, zumal, weil ich länger als anderthalb Jahre dergleichen nicht thun können; denn ich seit solchem ängstlichen Zustande weder beten, noch in einem geistreichen Buche etwas lesen konnte. Ich fing in der Freude meines Herzens das herr-

liche und schöne Lied zu singen an: „Zeuch ein zu deinen
Thoren u. s. w.," sah alsdann in den Kalender, was für ein
Evangelium an diesem Sonntage wäre, welches von dem großen
Abendmahle handelte, da gedachte ich: „Nun will ich mit den
allerletzten und elendesten Gästen mich wieder zur christlichen
Gemeinde einladen lassen und mich über acht Tage mit dem verlornen Schaafe bußfertig zum Tische des Herrn einfinden! Und
dieses hab' ich auch durch Gottes Hülfe und tröstliche Zusprache
meines Beichtvaters mit guter Andacht verrichtet. Von dieser
Zeit an hat die große Schwermuth und hohe geistliche Anfechtung nach und nach sich gänzlich bei mir verloren, für welche
große Gnade und wunderbare Befreiung ich den grundgütigen
Gott hier zeitlich und dort ewig preisen werde."

---

32. Allein Gott in der Höh sei Ehr.

Daß wir alle Sonntage das liebe Wort Gottes im Hause
des Herrn hören und es auch daheim ruhig, und ohne Verfolgung zu leiden, lesen können, das ist eine Wohlthat, die von
Vielen nicht genug erkannt wird. Ehe der unvergeßliche Kaiser
Joseph im Jahre 1781 das Toleranzedict erließ, war es unsern
evangelischen Glaubensgenossen in Oesterreich nicht so gut geboten, als uns. Wenn man damals eine deutsche Bibel oder ein
anderes Buch der lutherischen Confession bei ihnen fand, wurden
sie als große Verbrecher angesehen, und mit Kerker und Landes-
verweisung bestraft. In jener Zeit seufzten Viele in Oesterreich:
Ach, daß die Hülfe über Israel käme, und der Herr sein gefangen Volk erlösete! Und die von Menschenherzen ersehnte Hülfe
kam. Das Toleranzedict vom 13. Oct. 1761 sicherte den Protestanten in allen jenen Ländern freie Religionsübung zu. Da
herrschte nun überall laute Freude, und diese Freude that sich
auf dem Hallstädter See durch Loblieder kund. An dem Morgen nämlich, da das kleine protestantische Kirchlein eingeweiht
werden sollte, kamen Schifflein von allen Seiten her, eingedrückt
voller Menschen, und erst erhoben sich da und dort singende
Stimmen, auf einmal aber stimmten alle ein in den Lobgesang
Gottes, den ein Pfarrer anfing, und dessen Töne sich von Schifflein zu Schifflein verbreiteten: A l l e i n G o t t i n d e r H ö h
s e i E h r. Das war eine Freude, die eine menschliche Feder

nicht zu beschreiben im Stande ist, die nur empfunden werden kann, aber auch empfunden wird von allen Herzen, die dem Herrn anhangen.

— — — —

33. Allein auf Gott setz dein Vertraun.

Allein auf Gott setz dein Vertraun
Auf Menschenhülf sollt du nicht baun.
Gott ist allein, der Glauben hält,
Der Menschenglaube bald hinfällt.

Dieses Lied nennt man das güldene A. B. C., weil ein jeder Vers mit einem Buchstaben aus dem Alphabet der Reihe nach anfängt. Wegen seiner Länge wird es in den Kirchen nicht gebraucht, desto fleißiger sollte es daheim gelesen oder gesungen werden, in Erwägung, daß es viele nützliche Lebensregeln enthält.

Der Verfasser ist Bartholomäus Ringwaldt. Er war Pfarrer zu Langfeld in der Mark Brandenburg, wo er um das Jahr 1598 gestorben sein soll.

Als Frau Dorothea Gösselin zu Lübeck im Jahre 1700 auf ihrem Sterbebette lag, gab sie ihren damals lebenden fünf Kindern eine Anweisung, wie jedes unter ihnen nach der Vorschrift eines Liedes auf Gott hoffen und demselben beständig anhangen solle. Die vier Söhne wurden erinnert, nachfolgende Lieder fleißig zu singen: Ja dich hab ich gehoffet Herr zc. Keinen hat Gott verlassen zc. Auf meinen lieben Gott zc. und der jüngste: Wer nur den lieben Gott läßt walten zc. Die einzige Tochter aber sollte sich an das sogenannte güldene A. B. C. gewöhnen, nämlich an das Lied: Allein auf Gott setz dein Vertrauen.

— — — —

34. Alle Menschen müssen sterben.

Der Dichter dieses Liedes ist Georg Albinus. Er wurde geboren den 6. März 1624 in Unternessa bei Weißenfels, wo sein Vater Pfarrer war. Nachdem er in Leipzig studirt und auch nach vollendeten Studien noch längere Zeit daselbst verweilt hatte, wurde er im Jahre 1653 Rector an der Domschule

zu Naumburg und im Jahre 1657 sodann Pfarrer zu St. Oth=
mar, der Vorstadtkirche von Naumburg. Das Lied dichtete er
auf die Begräbnißfeier des Kaufmanns Paul von Henßberg in
Leipzig, die am 1. Juni 1652 statthatte und bei der es zum
ersten Male, auf besondern Blättern gedruckt, gesungen wurde.
Der Originalaufsatz ging im Febr. 1713 mit andern in einem
eisernen Kasten bewahrten Seltenheiten bei einem Brande verlo=
ren. — Man erzählt, der selige Dr. Spener habe es zu Frank=
furt in seinem Studirzimmer von Einigen in seinem Garten sin=
gen hören, und sei dadurch so gerührt worden, daß er geglaubt
habe, es wäre eine Engelmusik.

Als Albinus auf dem Sterbebette lag, ermahnte ihn
sein Beichtvater, treu zu bleiben seinem Herrn Jesu, den er ge=
lebrt, bis in den Tod. Der Sterbende beantwortete dies mit
einem herzlichen: „Ja." Selbst da ihm die Zunge schon schwer
zu werden anfing, bekräftigte er dies noch mit einem tiefen
Neigen des Hauptes und starb getrost am 25. Mai 1679.

Ein Mann, dem sein Christenthum nicht sonderlich am
Herzen lag, ging einst am Todtenfeste zur Kirche. Als er ein=
trat, stimmte der Kantor gerade an: Alle Menschen müs=
sen sterben 2c. Dies und der schwarz behangene Altar mit
seinen brennenden Lichtern, machte einen tiefen Eindruck auf
ihn, so daß er von da an täglich seiner Sterblichkeit eingedenk
war, und seine Seligkeit schaffte mit Furcht und Zittern.

----

35. Allein, und doch nicht ganz alleine.

Ein Mann aus der Gegend von Tübingen im Würtem=
bergischen, dessen Frau von Reutlingen gebürtig war, zog in der
Mitte des vorigen Jahrhunderts mit derselben und einem ziem=
lichen Häuflein Kinder nach Nordamerika. Er begab sich nach
Pensylvanien, und baute sich ganz oben in dieser Provinz an.
Weil damals weder Kirchen noch Schulen in dieser Gegend wa=
ren, so hielt er mit den Seinigen fleißig Haus = Gottesdienst,
und unterrichtete selbst seine Kinder im Lesen und in der Reli=
gion. Wenn er etwas aus der Bibel vorlesen wollte, sprach er:
„Seid still und höret fleißig zu, daß ihr etwas lernet, denn
Gott redet in diesem Buche mit uns."

Endlich brach im Jahre 1754 der grausame Krieg zwi=
schen den Franzosen und Engländern in Kanada, einem Theile
von Nordamerika, aus. Die Wilden hielten es mit den ersten
und thaten Streifzüge bis nach Pensylvanien, wo sie auf das
greulichste raubten, alles niederbrannten und mordeten.

Im Jahre 1755 kamen sie auch zu dem Hause des obge=
dachten Würtembergers, als gerade die Mutter mit einem Sohn
in einer, etliche Meilen davon entfernten Mühle war, um Korn
zu mahlen. Der Vater mit dem ältesten Sohn und zwei klei=
nen Töchterchen, Barbara und Regina, waren zu Hause. Die
beiden ersten wurden ein Opfer der Grausamkeit dieser Barbaren;
die zwei Kinder aber wurden als Gefangene fortgeschleppt.
Denn es ist die Gewohnheit der Wilden, daß sie erwachsene
Leute umbringen, junge Kinder aber als gefangen mit sich neh=
men. Nachdem sie etliche Hundert solcher Kinder zusammenge=
bracht hatten, schickten sie dieselben mit einer Wache zu ihren
viele Meilen entlegenen Wohnungen. Barbara war zehn und
Regina neun Jahre alt. Die Wache führte die unglücklichen
Kinder nicht durch die gewöhnlichen Wege, damit sie ihnen nicht
abgejagt würden, sondern durch Abwege, durch Gebüsche und
Dornen, so daß ihre Kleider bald zerrissen und ihnen endlich
vom Leibe fielen. In solchem Zustande wurden sie zu den
Dörfern dieser Wilden gebracht und in die Wohnungen derselben
vertheilt. Die beiden Schwestern wurden getrennt, und von der
Barbara erfuhr man niemals, wo sie hingekommen war. Regina
und ein anderes ihr unbekanntes Kind von zwei Jahren wurden
einer alten Wittwe zu Theil, welche einen einzigen Sohn hatte,
der sie ernähren mußte. Diese Wittwe war eine sehr harte und
böse Tyrannin. Da der Sohn manchmal wochenlang ausblieb,
so mußten die armen Kinder die Alte mit Lebensmitteln, d. h.
mit Wurzeln, die in jenem Lande eßbar sind, mit Erdäpfeln und
wildem Knoblauch, welche Dinge sie auf dem Felde suchen muß=
ten, versehen, und wenn sie nicht genug fanden und heimbrach=
ten, wurden sie von der alten Frau auf den Tod geschlagen.
Das kleine Kind hielt sich immer an die Regina und wenn diese
unter einem Baume niederkniete, und ihre von ihrem Vater er=
lernten Gebete und Lieder Gott zu einem Opfer brachte, betete
das kleine Kind ihr nach, und lernte die Gebete auch sprechen.
In dieser erbärmlichen Sklaverei brachten sie neun Jahre zu,
bis die Regina achtzehn und das kleinere Kind eilf Jahre alt

geworden war. Sie redeten jetzt die Sprache der Wilden; aber in der Seele regte sich immer noch etwas Gutes. Die Regina hielt sich an die Sprüche und Lieder, die sie in ihres Vaters Hause gelernt hatte, und die Kleine hatte solche auch von ihr gelernt. Sie ermunterten sich oft mit dem Liede aus dem Hallischen Gesangbuche: „Allein, und doch nicht ganz; alleine, bin ich in meiner Einsamkeit;" und hegten immer noch die Hoffnung, Gott werde sie wieder zu Christenleuten führen. Diese Hoffnung und dieser Wunsch wurde auch im Jahre 1764 erfüllt. Gott schickte es, daß der englische Oberst Bouquet zu dieser Zeit die Wilden auf das Haupt schlug, und sie zwang, um Frieden zu bitten. Die erste Bedingung war, daß sie alle Gefangenen ausliefern sollten, was auch geschah, und auf diese Art bekamen sofort die beiden Mädchen ihre Freiheit wieder. Ueber 400 Gefangene wurden zusammengebracht und dem Obersten überliefert. Das war ein trauriger Anblick; so viele Menschen im größten Elend vor sich zu sehen. Der menschenfreundliche Sieger sorgte jedoch sogleich dafür, daß den Unglücklichen Nahrung und Kleidung gereicht wurde, worauf sie zuerst in die kleine Festung Pitt und nachher in die Stadt Carlisle gebracht wurden. Nun ließ der Oberst in alle Pensylvanische Zeitungen setzen: Wer Kinder verloren hätte, möchte nach Carlisle kommen, und nach angegebenen Kennzeichen, daß sie die Ihrigen seien, sie mit sich heimnehmen. Auf dieses hin fand sich auch die verlassene und betrübte Mutter der Regina mit ihrem Sohne ein. Allein ihre Tochter war ihr unkennbar geworden; sie war so groß gewachsen, hatte die Gestalt einer Wilden angenommen und redete auch die Sprache der Wilden. Das Wenige, was sie noch deutsch konnte, waren ihre Sprüche und Lieder. Die Mutter ging hin und her, fand aber ihre Tochter nicht, und weinte bitterlich. Der Menschenfreund, Herr Bouquet, fragte sie, ob sie denn gar keine Kennzeichen wüßte, an denen sie ihre Tochter erkennen könnte. Sie antwortete: sie wüßte Nichts, als daß sie das Lied:

Allein, und doch nicht ganz alleine,
Bin ich in meiner Einsamkeit:
Denn wenn ich ganz verlassen scheine,
Vertreibt mir Jesus meine Zeit.
Ich bin bei ihm, und er bei mir,
So kömmt mir's gar nicht einsam für.

fleißig gesungen habe. Nun forderte er sie auf, dasselbe Lied zu singen. Sobald sie nur ein paar Zeilen gesungen hatte, sprang Regina aus dem Haufen hervor, sang mit der Mutter, und — nun weinten beide vor Freude.

Zu dem Kinde, das die Regina, so zu sagen, erzogen hatte, zeigte sich Niemand, da vermuthlich seine Eltern und Verwandten alle durch die Hände der Barbaren hingemordet waren. Das Kind hing sich an die Regina und wollte nicht von ihr lassen, daher nahm es die Mutter, obgleich sie sehr arm war, mit sich. — Nach und nach lernte die aus dem Unglück befreite Tochter wieder deutsch reden, und wurde eine rechtschaffene und fromme Person, so daß die Mutter sich in ihrem Besitze ganz glücklich fühlte, und in den Armen ihres geliebten und in jeder Beziehung geretteten Kindes sanft und ruhig dieses Jammerthal verlassen konnte, um jenseits Diejenigen wieder zu finden, deren frühes und schauerliches Ende ihrem Herzen so manchem Seufzer und ihrem Auge so manche Thräne ausgepreßt hatte.

Der Verfasser des Liedes ist Benjamin Schmolke, welcher im Jahre 1714 Oberpfarrer in Schweidnitz wurde. Das Jahr 1716 gab ihm Veranlassung, ein sehr trauriges Stadtereigniß zu besingen: halb Schweidnitz wurde von einem furchtbaren Brande in Asche gelegt. Schmolke dichtete hierauf sein Lied: „Denke, Schweidnitz, denke dran!" das noch heute bei der jährlichen „Brandpredigt" in den Kirchen der Stadt gesungen wird.

Schmolke war ein außerordentlich begabter Dichter, seine Lieder haben Tausende erhoben und getröstet. Ihre Zahl übersteigt die aller anderen geistlichen Liederdichter, denn es stammen von ihm mehr denn tausend Lieder, die in zehn Sammlungen erschienen sind.

Im Jahre 1730 wurde Schmolke, in seiner Stube sitzend, plötzlich vom Schlage gerührt und in der ganzen rechten Seite gelähmt. Zwar konnte er die Kanzel wieder besteigen und sein Amt verwalten, der Schlag wiederholte sich aber zwei Mal und seine Augen und Zunge wurden davon so angegriffen, daß er zuletzt ganz erblindete und kaum noch sprechen konnte. Er war lange Zeit bettlägerig und starb am 12. Februar 1737, 64 Jahre alt.

36. Allein zu dir, Herr Jesu Christ.

Das Krankenlager und das Sterbestündlein ist zum Leben wie das Amen zum Gebet. Da wird schon offenbar, wie es in der That um den Menschen gestanden hat, wie er sich von seinem Herrn hat ergreifen lassen. Was von unserm Christenthum Gefühlsanflug, Phantasie, Poesie, angelernter Kram und dergleichen gewesen ist, das fällt da ab, wie die üppigen Blätter im Herbste. Es bleibt nur das Herz. Und wo kein Herz in dem Herrn ist, da bleibet da schon nichts. Wenn aber der Herr im Leben Wohnung in dem Herzen gefunden hat, dann zeigt sich auch im Sterben ein Friede und eine Freude, die dem natürlichen Menschen unbegreiflich ist. Da stimmt man nicht selten Lobgesänge an oder läßt sich dergleichen vorsingen und schlummert so in eine bessere Welt hinüber. So war es bei dem Dr. **Philipp Jacob Spener.** Derselbe kam im Jahre 1691 als Consistorialrath, Probst, Inspector und Pastor Primarius an die Nicolaikirche in Berlin. Wie sein ganzes Leben thätiges Christenthum gewesen, so war auch sein Tod das erbauliche Ende eines thätigen Christen. Lange, ehe er das Herannahen seines Endes fühlte, hatte er solche Gesänge geliebt, deren Inhalt die Hoffnung des ewigen Lebens war. Sonntag Morgens sang er insbesondere das Lied: „Mit Fried' und Freud' ich fahr' dahin;" Mittags gewöhnlich: „Alle Menschen müssen sterben;" und Abends das Lied: „Wachet auf! ruft uns die Stimme" oder: „Herzlich lieb hab' ich dich, o Herr," und heiligte also den Sabbath im Angedenken an den großen Ruhetag, der bereitet ist dem Volke Gottes.

Seine Demuth, Geduld und Freundlichkeit, seine Mäßigkeit und Einfachheit, seine stille Heiterkeit zog alle Leute zu ihm, vor Allem die Angefochtenen. Selbst seine Feinde liebte er von Herzensgrunde; je heftiger sie waren, desto sanftmütiger war er gegen sie. So lebte er und ward Vielen durch Schrift, Wort und Wandel ein Lehrer vom Herrn gesandt, ihm die Wege zu bereiten.

Weil er die Zeit seines Abscheidens so nahe fühlte, arbeitete er noch aus allen Kräften und gab seine „Theologische Bedenken" heraus. Im Januar 1705 ward allmählich seine Leibeshülle abgebrochen. Er schrieb aber noch viel und als er eben in einem Brief das Wort „todt" schreiben wollte, überfiel ihn plötzlich mit Steinschmerzen die Todeskrankheit, die er auch sogleich als solche erkannte.

Am Abend vor seinem Tode, nachdem er viel von Si= meons Friedefahrt geredet hatte, ließ er sich noch das 17. Kapitel Johannis, das er besonders lieb hatte und über das er nie pre= digen wollte, da es ihm für das Maaß seines Glaubens zu hoch sei, drei Mal vorlesen, auch das Lied:

> Allein zu dir, Herr Jesu Christ,
> Mein' Hoffnung steht auf Erden ec.

vorsingen, und verschied dann am 5. Febr. 1705 in den Armen der Seinigen gar geschwinde und sanft, seine Seele in die Hände des himmlischen Vaters befohlen.

Der Dichter des Liedes: Allein zu dir ec. ist der Pfarrer Johann Schneesing. Derselbe starb im Jahre 1567 als Pfarrer in Friemar bei Gotha. Gedruckt erschien das Lied zum ersten Male im Jahre 1541 auf einem einzelnen zu Nürnberg gedruckten Liederbogen.

37. Auf! auf! gieb deinem Schmerze.

Im Jahre 1772 entstand durch gänzliche Mißernte eine große Theuerung. Aeußerst spärlich war der Segen der Felder eingekommen. Ach, wie viele arme Familien irrten da brodlos umher, klagten, seufzten, weinten ohne Hoffnung auf Hülfe. In jenem traurigen Jahre, erzählt ein christlicher Freund, hatten auch wir lange, lange nicht so viel geerntet, als für unsere zahlreiche Familie nöthig war. Der Kinder waren viele und zum Kaufen kein Geld vorhanden. Mein Vater war vor Kur= zem um eine bedeutende Summe betrogen worden. In dieser Zeit nun, es war nach Weihnachten und an einem Freitage, versammelten wir uns auch, wie gewöhnlich zu unserer Erbau= ungsstunde. Es wurde die Geschichte von der Speisung der 5000 gelesen und der Vater stellte es uns recht rührend vor, wie der Heiland zur Zeit des Mangels und der Noth den Sei= nen geholfen hätte. Da weinte meine Mutter heiße Thränen, es war ihr so wohl und doch auch so weh ums Herz, und sie brach in die Worte aus: „Ja, wenn dieser mächtige und lieb=

reiche Helfer jetzt noch bei uns wäre, da sollte mir's in diesem
Jahre nicht bange sein. Freilich haben wir wohl ein Paar
Scheffel mehr, als Andere geerntet, aber was ist das unter so
Viele?" Dabei wies sie auf uns Kinder. Hier klopfte der
Vater leise auf ihre Schulter. „Mutter, weine nicht," sprach
er. „Der Herr, der damals half, kann noch jetzt helfen, kann
und wird auch uns helfen. Er ist ja nicht todt, er lebet und
herrschet im Himmel. Denn er hat, wie die Schrift sagt, alle
Gewalt im Himmel und auf Erden. Vergessen wird er uns
auch nicht, er ist bei den Seinen alle Tage bis an der Welt
Ende. Und nun stimmte er aus dem Liede: „Befiehl du deine
Wege," welches uns Allen bekannt war, die rührenden Verse an:

> Auf! auf! gieb deinem Schmerze
> Und Sorgen gute Nacht;
> Laß fahren, was das Herze
> Betrübt und traurig macht.
> Bist du doch nicht Regente,
> Der alles führen soll.
> Gott sitzt im Regimente
> Und führet alles wohl.
>
> Ihn, ihn laß thun und walten,
> Er ist ein weiser Fürst
> Und wird sich so verhalten,
> Daß du dich wundern wirst,
> Wenn er, wie's ihm gebühret,
> Mit wunderbarem Rath
> Das Werk hinausgeführet
> Das dich bekümmert hat,

Ich habe diese schönen Verse oft gesungen, aber in mei=
nem Leben haben sie nicht einen so starken Eindruck auf mich
gemacht. An Allen war die Rührung sichtbar. Gestärkt und
voll Hoffnung auf Gottes Fürsorge legten wir uns nun schla=
fen. Am Morgen in aller Frühe kamen zwei Wagen mit Säcken
beladen vor unsere Wohnung gefahren. Dabei erhielt mein Va=
ter von einem alten Bekannten, der 7 Meilen entfernt wohnte,
einen Brief. Es stand darin Folgendes:
„Du hast mir, werther Freund, im vorigen Jahre, da
mich der Hagel getroffen hatte, mit Saat = und Brodkorn aus=
geholfen. Ich schicke Dir solches jetzt mit Dank und einem klei=
nen Ausmaaß zurück. Du wirst's wohl brauchen; ich habe ge=

hört, daß ihr in eurer Gegend eine schlechte Ernte gethan habt.
Ich thue nicht mehr, als was Du an mir gethan haſt. Danke
nicht mir, ſondern Gott, der mich dies Jahr ſo viel ernten ließ,
daß ich Dir, meinem treuen Freunde, etwas davon abgeben
kann," u. ſ. w. „Siehſt du Mutter!" — ſprach nun der Va=
ter — „daß der Herr noch immer derſelbe iſt, der er vor Alters
war. Auch unſern kleinen Vorrath hat er reichlich geſegnet."—
Da weinte die gute Mutter vor Freude und ſagte: „nun ſeh'
ich in der That und Wahrheit, daß Gott Hülfe ſchafft und Kei=
nen verläßt, der auf ihn ſeine Hoffnung ſetzt."

---

38. Auf meinen lieben Gott.

Ein Bürger in einer kleinen Stadt, der ſonſt Arbeit
vollauf hatte, und in ſchönem Wohlſtande lebte, war durch man=
cherlei unverſchuldete Unglücksfälle gänzlich verarmt. Dahin
war nun ſein Frohſinn, dahin ſeine Zufriedenheit. Unzeitige
Schaam vor der Welt und bange Sorgen wegen der Zukunft
trübten und verbitterten ihm jeden Tag, jede Stunde. Er fürch=
tete ſich gleichſam vor dem Anblick und der Geſellſchaft von
Menſchen, und lebte ganz in ſich gekehrt. Des Nachts warf er
ſich unter Seufzern und Klagen ſchlaflos auf dem Lager umher.
Sein Mißmuth und Trübſinn ward endlich zur Verzweiflung.
„Was ſollſt du noch länger dich martern, dachte er, und am
Ende ein Spott vor der Welt werden!" Er beſchloß ſeinem
Leben ſelber ein Ende zu machen. Noch finſterer und mürriſcher,
als vorher, befeſtigte ſich der Unglückliche und Verirrte je länger,
je mehr in ſeinem ſchrecklichen Vorſatze. Tag und Stunde zur
Ausführung wurde feſtgeſetzt. In den Waſſerfluthen wollte der
Verzweifelte ſein Leben endigen. Schon iſt er auf dem Wege,
ſchon am Fluſſe, ſchon ſchwebt er am Abgrunde des ewigen
Verderbens. Da erbarmte ſich Gott noch ſeiner unſterblichen
Seele, er ſuchte ihn zu ſich zurück zu führen, wie ein treuer
Hirte ſein verlorenes Schaaf ſucht, bis daß er's findet. Noch
ein Mittel brauchte der Allmächtige und Allgütige, den Armen
auf andere Gedanken zu bringen. Denn als der Verzweifelte
am Waſſer auf= und abging, um einen Ort zu ſuchen, wo es
tief genug wäre, mußte es ſich ſo ſchicken, daß gerade ein Land=
mann in der Nähe bei ſeinem Pfluge anfing zu ſingen:

Auf meinen lieben Gott
Trau ich in Angst und Noth;
Er kann mich all'zeit retten
Aus Trübsal, Angst und Nöthen;
Mein Unglück kann er wenden,
Es steht in seinen Händen.

Wie von einer unsichtbaren Hand ergriffen, blieb der Ver=
zweifelte stehen und horchte. Ein Strom von Thränen stürzte
ihm aus den Augen. Mit einem Male ward es wieder hell in
seiner Seele, er erkannte die schwere Sünde, welche er eben be=
gehen wollte. „Wie sollte ich ein so großes Uebel
thun, und wider den Herrn, meinen Gott sündi=
gen!" So sprach der Verirrte, gab sein böses Vorhaben auf,
ging ergeben in Gottes heiligen Willen, nach Hause, kehrte zu
dem Herrn zurück, und schloß sich fest an ihn an. Der gute
Vater im Himmel, welcher ihn so wunderbar vom ewigen Ver=
derben errettete, half ihm bald gnädig auch aus seiner zeitlichen
Noth, und bestätigte fernerhin an ihm die Verheißung: „Ich
will dich nicht verlassen noch versäumen."

Das Lied ist um das Jahr 1609 von Sigismund
Weingärtner gedichtet worden. Er war Prediger in oder
bei Heilbronn.

---

39. Auf meinen lieben Gott.

Der Markgraf des vormaligen Fürstenthums Baireuth,
mit Namen Christian, war ein frommer Fürst. Als er einst
von der Geistlichkeit zu Culmbach an der einen Ecke der von
ihm wieder hergestellten Kirche bewillkommnet wurde, verlangte
er, daß sie mit ihm unter freiem Himmel das schöne Lied singen
sollten: „Auf meinen lieben Gott trau ich in Angst
und Noth" und nachdem dies geschehen war, sprach er mit
vieler Rührung die Worte: „So gewiß ich ein Fürst auf Erden
bin, so gewiß weiß und glaube ich, daß ich einst in Christo Jesu
und um seines Verdienstes willen aus Gnaden von ihm aufge=
nommen und bei ihm bleiben werde. Er starb 1655.

50

40.

Als am 25. Juni 1732 von den ausgewanderten Salz=
burgern 800 Mann nach Potsdam kamen, mußten sie vor dem
preußischen Könige Friedrich Wilhelm I. vorüberziehen.
Er war sehr gnädig und freundlich gegen sie und fragte sie:
weshalb sie emigrirt *) seien? Sie antworteten: um des Evan=
gelii willen, das man ihnen entzogen. Dabei versicherte der
König sie seiner Gnade, versprach ihnen auch in Preußen Aecker
und Bauerhöfe und Freijahre zu gewähren, und verlangte end=
lich, daß sie das Lied: „Auf meinen lieben Gott" an=
stimmen sollten. Der Commissarius stellte vor, daß sie das
Lied nicht anzufangen und auf die hiesige Weise zu singen wüß=
ten. Darauf fing, zur höchsten Verwunderung der Salzburger
und zur innigsten Rührung aller Anwesenden, der König das
Lied selbst an und intonirte Vers für Vers, da dann Alles mit
fortsang und unter solchem Singen vorüberzog. Da alle vor=
über waren, rief der König ihnen nach: „reiset glücklich!" Die
Emigranten zogen nach Berlin.

Mehr über die Salzburger siehe bei dem Liede: Ein' feste
Burg ist unser Gott.

---

41. Aus Gnaden wird der Mensch gerecht.

Die Frau eines frommen Landschullehrers ward plötzlich
von einem heftigen Entzündungsfieber befallen. Sie ahnte bald,
daß die Krankheit zu ihrer Vollendung gemeint sei, und gerieth
in tiefe, zum Verzagen tiefe Bekümmerniß wegen ihrer Seligkeit.
Kein Trostwort, kein Bibelspruch, kein evangelisches Kernlied fand
Eingang in ihre trostlose, von Furcht und Zweifel geängstete
Seele. In einer Nacht ließ sie ihren Mann rufen. Sie schil=
derte ihm ihren Marterzustand, mit dringenden Bitten um ein
Wort des Trostes und des Lebens. Er sagte ihr, was eine
ächte Predigerstimme in der Wüste irgend sagen konnte. Alles
vergeblich. Sie unterbrach ihn einmal und mehrmal: „Das
gehört nicht für mich. — Das wollte ich, aber ich kann es mir

---

*) ausgewandert.

76

nicht zueignen." Sie bat ihn, sich wieder niederzulegen. Der tiefbetrübte Mann ging in seine Schlafkammer, warf sich auf die Knie und rang mit seinem Herrn um Hülfe. Auch das arme Weib schrie in ihrer Angst um Rettung aus ihrem Jammer. Plötzlich drang ein Lichtstrahl in ihre Seele. Ungesucht fiel ihr das Lied lebhaft ins Gemüth:

Aus Gnaden wird der Mensch gerecht
Aus Gnaden nur allein.
Des Menschen Thun ist viel zu schlecht,
Vor Gott gerecht zu sein.

Gerechtigkeit, die droben gilt,
Erwirbt der Sünder nicht;
Wer das Gesetz nicht ganz erfüllt,
Besteht nicht im Gericht.

Gott, der die Welt erschuf und liebt,
Gab gnädig ihr den Sohn;
Und was er hier und dort uns giebt,
Ist blos ein Gnadenlohn.

Vertrau auf deine Werke nicht;
Wer fordert, wird verdammt.
Verdienen ist nicht deine Pflicht,
Dies ist des Heilands Amt.

Des besten Menschen bestes Werk
Ist doch vor Gott nicht gut;
Drum sei mein einz'ges Augenmerk
Der Heiland und sein Blut.

Mit lebendiger Kraft wirkten diese Liederverse. Sie ward ruhig und mit Glaubenszuversicht erfüllt, daß die Gerechtigkeit des gekreuzigten Heilandes auch sie, die Gottlose, gerecht mache. Friede und Freude traten in die Stelle der Angst und Verzagtheit. Sie ließ ihren Mann abermals rufen, und erzählte ihm frohlockend, was der Herr an ihrer Seele gethan hatte. In dieser seligen, fröhlichen Stimmung blieb sie bis an ihr Ende.

Der Dichter des Liedes ist Ehrenfried Liebich, welcher im Jahre 1780 als Pfarrer in Lomnitz starb.

4*

42. Aus tiefer Noth laßt uns zu Gott.

Aus tiefer Noth laßt uns zu Gott
Von ganzem Herzen schreien,
Bitten, daß er durch seine Gnad'
Uns woll' vom Uebel freien,
Uns alle Sünd' und Missethat,
Die unser Fleisch begangen hat,
Als ein Vater verzeihen.

Als der im Jahre 1714 verstorbene Pfarrer in Perleberg
Gottfried Arnold dies Lied einst in der Kirche hatte singen
lassen und nun Catechismuslehre mit den erwachsenen Jünglin=
gen des Orts halten wollte, drangen preußische Werber mit
Trommelschlag in die Kirche und nahmen mehrere Jünglinge
mit sich fort. Dieser Unfug an heiliger Stätte gab dem ohne=
hin geschwächten Seelsorger den Todesstoß. Im Innersten alte=
rirt, ging er von seiner verscheuchten Heerde nach Hause, und
als er, trotz seiner großen Schwachheit, am folgenden Tage noch
eine Leichenpredigt hielt, ließ der Bürgermeister den Meßner
hinter den geliebten Prediger auf der Kanzel stehen, um ihn,
wofern er umsänke, sogleich in seinen Armen aufzufassen. Er
vollendete jedoch seine Predigt noch, obwohl mit schwacher
Stimme, einem ehrlichen Krieger gleich, der bis zum letzten
Athemzug seinen Posten behauptet. Todesmüde kam er in sein
Zimmer zurück, und blieb drei Tage lang auf einem Lehnstuhl
unter kindlichem Gebetsumgang mit Gott. Darnach legte er sich
endlich aus großer Mattigkeit im Schlafrock aufs Bett und ver=
schied ganz sanft unter Gesang und Gebet einiger treuen Freunde
am 30. Mai 1714, erst 47 Jahre alt.

Das angeführte Lied ist eins der trefflichsten Bußlieder,
die wir kennen; biblisch, einfach und herzlich. Der Verfasser ist
Michael Weiß, Pfarrer zu Landskron und Fulack in Böh=
men, ein Zeitgenosse Luthers, ein vortrefflicher Glaubensmann
und ein Sänger, der die alten Lieder der böhmischen Brüder
ins Deutsche übersetzte und selbst mehrere dazu gab. Sie er=
schienen im Jahre 1531.

43. Aus meines Herzens Grunde.

Aus meines Herzens Grunde
Sag ich dir Lob und Dank
In dieser Morgenstunde,
Dazu mein Lebelang.
O Gott! in deinem Thron
Dir zu Lob, Preis und Ehren
Durch Christum unsern Herren,
Dei'n eingebornen Sohn.

Das war des großen Königs Gustav Adolph von Schweden tägliches Morgenlied. Der Verfasser ist M. Johann Matthesius. Derselbe studirte in Wittenberg, war Luther's Freund und Tischgenosse, und ward zuletzt Pastor in Joachimsthal. Am 8. Oct. 1565 rührte ihn der Schlag auf der Kanzel, als er gerade über das Evangelium von der Wittwe zu Nain predigte, und starb wenige Stunden nachher. Er hatte einst mit großer innerer Anfechtung zu kämpfen, so daß er an Gottes Barmherzigkeit zweifelte, in dieser Zeit dichtete er das oben erwähnte Lied.

Es mag hier noch angeführt werden, daß, als er noch in Wittenberg war, und vor Luther predigen sollte, er in der Predigt stecken blieb, und die Kanzel verlassen mußte. Luther aber trieb ihn wieder zurück, bis er sich endlich faßte, und eine salbungsreiche Predigt hielt. Dieser Vorfall machte es denn, daß er fast immer mit Furcht und Zittern die Kanzel betrat; wie ihm denn das Predigen sehr sauer angekommen ist.

44.

Es schlagen im Leben manchmal Stunden, in denen der Geist Gottes ein früher erlerntes Lied zum Gnadenmittel an uns macht. Hier ein Beispiel. Eine Verbrecherin in der Strafanstalt zu S. übte mit andern unter Leitung des Lehrers die Melodie: Aus meines Herzens Grunde :c. nach dem Urterte ein. Plötzlich entquoll ein Thränenstrom ihren Augen und Rührung drückte sich auf ihrem Gesichte aus, so lange der Unterricht währte. Am Schlusse desselben gestand sie, die sonst Selbstgerechte, christlicher Einwirkung sich Verschließende, das erwähnte Lied habe ihr seliger Vater ihr gelehrt, der Vater, welcher nun aus Gram über sie gestorben sei. — Ein kurzes Geständniß, dem man aber sein ganzes drückendes Gewicht an= merkt. — Geständniß über die Liebe des Vaters, über eigene Ausartung, eigenen Undank, Reue über solche Sünde, sind das nicht mächtige Zeichen? Ein Lied war das Mittel dazu.

Wie viele der alten Kirchenlieder haben nicht schon durch irgend eine Ermahnung, einen Trost, eine Lehre, eine War= nung, eine Verheißung oder eine Züchtigung als Gottes Wort ihre Kraft bewährt und Seelen getroffen und gestärkt, erquickt und gelabt, gedemüthigt und erhoben. Möge dies für Lehrer ein Antrieb sein, dafür Sorge zu tragen, daß die Kinder bei ihrem Austritte aus der Schule eine hübsche Anzahl Sprüche und alter Kernlieder im Gedächtniß haben! Es schläft freilich ein Spruch und ein Liedervers nach dem andern ein, aber dann kommen nachher Lieb und Leid, Freud und Schmerz und rüt= teln die Schläfer, da reibt sich einer nach dem andern die Augen und steht auf, der eine als kräftiger Tröster in bitterer Trübsal, der andere als sicherer kundiger Führer in den dun= kelsten Lebensnächten, der dritte als strafender Geist, daß es einem durch Mark und Bein geht. Verloren sind also die Verse nicht.

---

45. Aus tiefer Noth schrei ich zu dir.

Aus tiefer Noth schrei ich zu dir,
Herr Gott, erhör mein Rufen!
Dein gnädig Ohr neig her zu mir,
Laß meiner Bitt' es offen;
Denn so du willst das sehen an,
Was Sünd' und Unrecht ist gethan,
Wer kann, Herr, vor dir bleiben?

Zu Anfang des vorigen Jahrhunderts lebte in Frank= furt am Main ein Jude, mit Namen Meyer; als er eines Tages mit seiner Schwester bei der Peterskirche daselbst vorüber= geht, hört er das Lied: „Aus tiefer Noth schrei ich zu dir" von der versammelten Gemeinde singen. Durch diesen Gesang wird der Jude so ergriffen, daß er nicht unterlassen kann, sich gegen seine Schwester darüber zu äußern und ihr sein nicht zu unterdrückendes Gefühl für dieses Lied an den Tag zu legen.

Obgleich nun seine Schwester ihn deshalb bestrafte, so ward er doch durch einen geheimen Drang seines Herzens dahin gebracht, daß er sich bekehrte und taufen ließ, wo man ihm den Namen gab: Philipp Johann Bleibtreu.

46.

In Magdeburg verkaufte am 6. Mai 1524 ein armer Tuchmacher auf dem Markte bei der Statue des Kaisers Otto die beiden Lieder:

> Aus tiefer Noth schrei ich zu dir, und
> Es wolle Gott uns gnädig sein.

Um die Vorübergehenden mit der Vortrefflichkeit dieser Lieder bekannt zu machen, sang er dieselben; worauf sich um ihn her die begierige Menge in dichten Reihen sammelte. Der zeitige Bürgermeister Hans Rubin, welcher aus der St. Johannistkirche, wo er der Frühmesse beigewohnt hatte, nach Hause ging, hörte den Gesang und sah die zahlreiche Versammlung, welche sich an dem Gesange erbaute. Als er seinen Diener, der ihn begleitete, fragte, was es dort gäbe, ertheilt ihm dieser die Antwort: daß ein loser Bube des Luthers ketzerische Lieder feil hätte und sänge. Darauf giebt der Bürgermeister den Befehl, diesen alten Mann ins Gefängniß zu werfen. Sobald dieses sich in der Stadt verbreitet, treten gegen zweihundert Bürger zusammen, die sich mit ihrem Wortführer Johann Eickstädt auf das Rathhaus begeben, und ihre Bitte vor den Bürgermeister bringen: diesen alten Mann in Freiheit zu setzen, und da der Diener fälschlich denselben angeklagt habe, jenen zu bestrafen; was denn auch der Bürgermeister nach dem Wunsche der Bittenden befiehlt. Sie waren aber auch der Meinung, daß der Bürgerschaft, welche schon seit dem Jahre 1330 wesentlichen Antheil an den weltlichen Angelegenheiten der Stadt genommen, auch bei der Verwaltung des geistlichen Regiments ein gleiches Recht zustehe. Noch an demselben Tage that die St. Ulrichsgemeinde die ersten Schritte, um sich in den Besitz dieses Rechtes zu setzen. Sie kam auf dem Kirchhofe zusammen und beschloß acht Männer aus ihrer Mitte zu wählen, die in Zukunft das Kirchenregiment versehen und geeignete Prediger be-

rufen sollten. Diesem Beispiele folgten alle anderen Gemein=
den. Der Rath hatte nicht Macht, dieses zu hindern, und zur
Seite der katholischen Pfarrer wurden allenthalben evangelische
Prediger gewählt.

---

47. Aus tiefer Noth schrei ich zu dir.

Nicht weit von Joachimsthal, so erzählt der fromme
Mathesius, hörte eine adlige Frau zur Zeit ihrer schweren Ge=
burt und etliche Tage anhaltender Noth und Gefahr, da fast
alle Anwesende den Muth fallen ließen, des Abends ein armes
Schülerlein vor dem Hause den Vers des Liedes „Aus tiefer
Noth" singen:

> Und ob es währt bis in die Nacht,
> Und wieder an den Morgen,
> Doch soll mein Herz an Gottes Macht
> Verzagen nicht, noch sorgen.

Solche Stimme ließ Gott der betrübten Frau in ihre
Ohren und Herz schallen, und wirkte dadurch der heilige Geist,
daß sie aus des Knaben Gesang wieder Herz, Muth und Trost
fassete und sagte: Laßt uns nicht verzweifeln noch sorgen!
Gott schickt uns sein getauftes Schülerlein zu und vermahnt
uns, wir sollen nicht ablassen, auf Gott zu warten, ob er
schon jetzt verzeucht. Laßt uns noch einmal anklopfen, und
auf sein Wort, Blut und theuren Eid zu ihm schreien; er wird
helfen, das wollen wir in der Kürze erfahren. Darauf spra=
chen sie ihr Vaterunser in starker Hoffnung und tröstlicher An=
dacht; ehe ihr Gebet gar aus war, half Gott gnädiglich, daß
Jedermann diesen Nothhelfer lobte und preisete.

48.

Als man den Leichnam Dr. Martin Luthers aus Eis=
leben wegfuhr, (1546 den 20. Februar) ward auf dem Wege
fast in allen Dörfern geläutet; das Volk lief herzu, Mann,
Weib und Kind, und alle weinten bitterlich. Aus Halle zogen
der Leiche entgegen alle Pfarrer, der ganze Rath, die Jugend
mit ihren Schulmeistern, und eine Menge Volk mit lautem Weh=

klagen und Weinen. Alles drängte sich um den Leichenwagen, daß er oft hat müssen stille halten; und ist erst Abends 7 Uhr vor die Kirche zu Unserer lieben Frauen gekommen. Da ließ man den Sarg eilend in die Sakristei tragen. Das Volk aber in der Kirche sang mit kläglichen gebrochenen Stimmen das Lied: „Aus tiefer Noth schrei ich zu dir." Gepredigt konnte nicht werden, weil die Nacht schon einbrach.

49. Aus tiefer Noth schrei ich zu dir.

Johann Georg, Churfürst von Sachsen, starb im Jahre 1656. Als derselbe im Sterben lag, erinnert sich der Oberhofprediger Dr. Weller, daß Ihro Durchlaucht das Lied: „Aus tiefer Noth schrei ich zu dir" im Feldlager und sonst allezeit gern gesungen, und fängt an dasselbe jetzt zu beten. Da faltet der sterbende Landesvater beide Hände und betet sehr andächtig mit, bis auf die Worte des letzten Verses: „Er ist allein der gute Hirt, der Israel erlösen wird," da legte er die Hände sanft auseinander und zu den Seiten nieder. Darauf segnete der Oberhofprediger den sterbenden Fürsten mit dem Kirchensegen zum Tode ein und alsbald blieb der Odem aus.

Dr. Luther dichtete das Lied im Jahre 1524. Es ist eins der acht Lieder, aus welchen das erste evangelische Gesangbuch bestand. Von dem Segen, welchen das Lied an einzelnen Seelen bewährt hat, sind viele Beispiele gesammelt worden. Die meisten Beispiele bleiben aber gewiß im Verborgenen.

50. Aus Gnaden soll ich selig werden.

Aus Gnaden soll ich selig werden,
Herz, glaubst du's oder glaubst du's nicht?
Giebt's je ein Wort voll Kraft auf Erden,
Ist's Wahrheit, was die Schrift verspricht,
So muß auch dieses Wahrheit sein:
Aus Gnaden ist der Himmel dein.

August Adolph von Below, weiland Churfürstlich Sächsischer Kammerjunker und Gegenhändler der Oberlausitz auf Großwelke und Milkwitz, stand am letzten Tage des Jahres 1786 noch gesund und sehr früh auf, um zum Besten der durch den

Brand in Zittau Verunglückten, einen Bericht an den Landes=
herrn auszufertigen und abzusenden. Hierauf erbaute er sich
mit den Seinigen in der Frühandacht, aus dem Liede: „Fröh=
lich soll mein Herze springen," besuchte den Früh= und Nach=
mittagsgottesdienst wie sonst. Mittwochs und Sonntags pflegte
er sich in der Stunde von 5 — 6 Uhr Nachmittags mit andern
auswärtigen Kindern Gottes zum Gebet zu vereinigen; dies ge=
schah auch mit der Familie an diesem Sylvestertage. In die=
sem Gebet begab er sich selbst auf's neue ganz unter den Willen
Gottes, und erklärte sich, da er sich eben unter mancherlei drük=
kenden Umständen befand, auf eine rührende Weise bereitwillig:
Wenn es sein Liebesrath so haben wolle, gern noch allerlei
Prüfungen zu erdulden." Darnach las er mit ihnen aus: „Dr.
Lorenzens Sonntägliche Gott=geheiligte Abendruhe," die Be=
trachtung auf den letzten Sonntag im Jahre, über Ps. 103,
15—19, welche zu dem, ihm unbekannter Weise ganz nahen
Ende und allen Umständen genau paßte, und mit dem Verse
schließt:

> Bringt noch dies Jahr mein letztes Ende,
> So trete solches selig ein.
> Ich lege mich in deine Hände;
> So bin ich todt und lebend dein,
> Und stelle mir zur Loosung für:
> Herr, wie du willst, so schick's mit mir.

Indem er nun mit den Seinigen noch das Lied an=
stimmte: „Aus Gnaden soll ich selig werden," und im dritten
Vers eben die Strophe sang: „Aus Gnaden, merk dies
Wort Aus Gnaden!" so ward er plötzlich vom Schlag ge=
rührt, verlor augenblicklich die Sprache, und, wie es schien,
alle Empfindung. Das war gegen 7 Uhr Abends. Alle ange=
wandten Mittel, ihn ins Leben zurückzurufen, blieben erfolglos;
die letzten Kämpfe des sonst kräftigen Werkzeugs ruheten am
Abend um halb 8 Uhr des ersten Tages 1787. Da ging die
Seele ein zu ihres Herrn Freude. Und es konnte auf ihn das
Wort des Herrn angewendet werden: „Wahrlich, wahrlich, ich
sage euch: So Jemand mein Wort wird halten, der wird den
Tod nicht sehen ewiglich."

Der Dichter des Liedes ist Dr. Christian Ludwig
Scheidt. Er war Hofrath und Bibliothekar in Hannover, wo
er im Jahre 1761 starb.

51. Befiehl du deine Wege.

Der Verfasser dieses Liedes ist der bei den Freunden des ächt christlichen Gesanges in theurem Andenken stehende Paul Gerhardt. Derselbe wurde geboren wahrscheinlich 1606[*]) zu Gräfenhainichen unweit Wittenberg, wo sein Vater Bürgermeister war. Ueber seine Jugendgeschichte ist nichts bekannt. Darf man aus der Wahl des Namens Paulus etwas folgern, so ist es nicht unwahrscheinlich, daß die Eltern den Sohn nach damaliger Sitte schon bei seiner Geburt für den geistlichen Stand bestimmt haben, und in diesem Sinne ist ohne Zweifel sowohl seine häusliche Erziehung als seine geistige Ausbildung geleitet worden. Wir dürfen daher als gewiß voraussetzen, daß er von früh auf in den Lehren des Evangeliums und in der lebendigen Bethätigung ihrer Kraft unterwiesen worden. Wie tüchtig und gründlich dabei auch der wissenschaftliche Unterricht gewesen sein muß, bezeugen Urkunden seines spätern Lebens, welche eine gediegene Schulbildung voraussetzen. Welcher Universität P. Gerhardt sich sodann zugewendet, wissen wir nicht. Es war der blutige und verheerende dreißigjährige Krieg, unter dessen Stürmen er die frischeste Zeit seines Lebens, von seinem 12ten bis zu seinem 42ten Jahre, zubringen sollte. Die Zerstörung so vieler Kirchen, die Verarmung der Gemeinden, die Verwirrung aller Zustände waren ohne Zweifel Ursache, daß er die ganze Dauer des Kriegs hindurch kein Pfarramt erhalten konnte. Deshalb finden wir ihn noch in seinem 45ten Lebensjahre als Candidat im Hause seines nachherigen Schwiegervaters, des Kammergerichts-Advokaten Bertholdt in Berlin als Erzieher von dessen jüngeren Kindern.

Wie früh P. Gerhardt sich in der Dichtkunst versucht, wissen wir nicht, doch pflegt diese Gabe, wo sie in solcher Stärke vorhanden ist, gewöhnlich schon in den Jünglingsjahren hervorzutreten. Mehrere seiner Lieder hat er in den traurigen Zeiten, da der 30jährige Krieg Alles verwüstete, Alles zer-

---

[*]) Ein großer Brand, der, von schwedischen Soldaten veranlaßt, im Jahre 1637 Gerhardts Geburtsort betraf, hat die Urkunden zerstört, die uns über das Jahr und den Tag seiner Geburt bestimmter benachrichtigen könnten.

tnidte, gedichtet. Das war für Deutschland eine schauerliche Zeit, voll Jammer und Noth, voll der traurigsten Aussichten! aber in Gottes stillen Wegen fand der Dichter Ruhe und Trost in den schrecklichen Tagen.

Im März 1651 wurde die Stelle eines Probstes in Mittenwalde, einem Städtchen, vier Meilen von Berlin, erledigt und der dortige Magistrat wandte sich an das geistliche Ministerium in Berlin mit der Bitte, ihm einen tüchtigen, für die Stelle geeigneten Mann vorzuschlagen. Die Befragten beriethen mit einander und beschlossen einmütbig, Paul Gerhardt für das eröffnete Amt zu empfehlen, was sie auch sofort thaten. Es läßt sich denken: mit welch dankbarer Freude er diese Ueberraschung empfing. Gegen Ende des Jahres 1651 war Alles vorbereitet, daß Gerhardt sein Amt antreten konnte, um am 18. November 1651 empfing er die kirchliche Einweihung dazu.

Noch zauderte er mehrere Jahre, ehe er sich zu einer ehelichen Verbindung entschloß. Endlich hatte er den Muth und das Vertrauen gewonnen, bei seinem alten Freunde Bertholdt um die älteste Tochter Anna Marie anzuhalten und sie wurde ihm zugesagt. Am Sonntage den 11. Februar 1655 wurde Gerhardts Ehe mit Anna Marie Bertholdt im Hause der Brauteltern durch den Probst Behr eingesegnet, und Gerhardt kehrte, um einen kostbaren Besitz reicher, nach Mittenwalde zurück.

Seine Ahnung, daß die junge Frau in den engen Verhältnissen des neuen Wohnorts mancherlei Entbehrungen werde erleiden müssen, wurde indeß erfüllt. Am 19. Mai 1656 gebar ihm seine Anne ein Töchterlein, aber schon den 14. Januar 1657 hatte Gerhardt den Schmerz, das Kind von dieser Welt wieder abscheiden zu sehen. Dazu gesellten sich noch andere Sorgen und Leiden. Der auf eine Zeitlang vermehrte Hausstand, das lange Kränkeln des Kindleins erforderten manche Ausgabe, für welche die unter den damaligen Zeitumständen sehr geringen Einkünfte der Stelle nicht ausreichten. Auch die amtlichen Verhältnisse Gerhardts wurden ihm zum Theil verkümmert und verbittert durch das mißliebige Benehmen seines Collegen, des Diakonus Allborn, der die erlittene Zurücksetzung bei der Berufung Gerhardts zur Probststelle nicht verschmerzen konnte.

Unter solchen Umständen fühlte Gerhardts Ehegattin, der

gerade die Besorgung aller der kleineren und größeren Bedürf=
nisse oblag, die drückende Lage immer mehr, glaubte endlich
keinen Ausweg mehr zu sehen, und ward darüber eines Tages,
gegen Ende Mai 1657, von tiefer Schwermuth befallen. Ger=
hardt sah ihren herben Kummer und erinnerte sie an den schö=
nen Spruch, Psalm 37, 5. „Befiehl dem Herrn deine
Wege und hoffe auf ihn, er wird's wohl machen."
Selber aber, von der Fülle dieses Gedankens ergriffen, ging er
in den Garten hinaus und dichtete dort, auf einer Bank sitzend,
das bekannte, unvergleichliche Lied:

> Befiehl du deine Wege,
> Und was dein Herze kränkt,
> Der allertreusten Pflege
> Des, der den Himmel lenkt:
> Der Wolken, Luft und Winden
> Giebt Wege, Lauf und Bahn,
> Der wird auch Wege finden,
> Da dein Fuß gehen kann.

Gerhardt brachte dies Lied der bekümmerten Hausfrau, las
es ihr vor, und sie fühlte sich einigermaßen dadurch getröstet.*)

Als es nun Abend ward, erschien bei ihnen ein gewisser
H. Martin Richter aus Berlin mit einem großen versiegelten

---

*) Die allgemein bekannte Entstehungsgeschichte des Liedes:
„Befiehl du deine Wege" beruht also nicht auf historischem
Grunde. Der im Jahre 1834 verstorbene Superintendent Fulda
hat im Jahre 1799 diese Sage zuerst im hallischen Wochenblatte
mitgetheilt. Nämlich diese: Paul Gerhardt, von dem großen Chur=
fürsten seines Amtes entsetzt und des Landes verwiesen, wandert mit
Weib und Kind nach Sachsen aus. In einem Gasthofe an der
sächsischen Grenze, wo seine Gattin ihres Jammers kein Ende weiß,
dichtet Gerhardt zu ihrem Troste das genannte Lied; und bald
darauf, noch im selben Gasthofe, kommt ganz unerwartet ein Bote
des Herzogs Christian zu Sachsen = Merseburg, der ihm einen Jahr=
gehalt und eine Anstellung in dessen Lande anbietet. — Da dieses
Lied bereits im Jahre 1659 in der von Heinrich Müller herausge=
gebenen „Geistl. Seelen = Musik" abgedruckt ist, Gerhardt aber erst
sieben Jahre darauf 1666 seines Amtes entsetzt wurde, derselbe außer=
dem des Landes gar nicht verwiesen worden ist, sondern bis zu sei=
ner Anstellung in Lübben ruhig und ohne Nahrungssorgen in Ber=
lin gelebt hat, so leuchtet die Unmöglichkeit davon von selbst ein.

Schreiben des Berliner Magistrats, dessen Anblick die schon einmal geängstete Frau nicht wenig in Schrecken setzte. Gerhardt aber, an den es gerichtet war, brach es auf, las es und fand darin, daß, nachdem durch Ableben des Probstes Peter Vehr am 10. October 1656 die Probststelle bei St. Nicolai in Berlin erledigt, diese nunmehr dem bisherigen Archidiakonus Georg Lölius, das Archidiakonat aber dem bisherigen Diakonus Reinhard übertragen worden sei: und daß bei der Berathung des Magistrats über die Wiederbesetzung des Diakonats sämmtlicher Votanten Meinung einhellig dahin gegangen, zu demselben ihn, Paulus Gerhardt, zu berufen; bäten ihn auch, diese Stelle anzunehmen und sich dazu womöglich bis Mitte Juli in Berlin einzufinden. Mit Thränen durchlas Gerhardt dieses Schreiben, dadurch allen Nöthen und Sorgen ein Ziel gesetzt schien, reichte es dann seiner Hausfrau und versetzte: „Siehe, wie Gott sorgt! Sagt' ich dir nicht: Befiehl dem Herrn deine Wege und hoffe auf ihn, er wird's wohl machen?" Anna las das Schreiben ebenfalls durch und mit Thränen in den Augen gab sie es ihrem Gerhardt schweigend zurück. Sie freute sich im Stillen schon, wieder zu ihren Anverwandten und Freunden in Berlin zu kommen.

Gerhardt entschloß sich nicht sofort zur Annahme dieses Rufs, denn rasch zuzufahren war nicht seine Art. Erst nach acht Tagen fleißiger Anrufung des Namens Gottes und reifer Erwägung der so einhelliglich auf ihn gefallenen Wahlstimmen, glaubte er zu erkennen, daß der liebe Gott in diesem Werke seine sonderliche Schickung und Regierung habe, weshalb ihm nicht gezieme, diesem großen und allgewaltigen Herrn zu widerstreben. Unterm 4. Juni 1657 schrieb er daher dem Magistrate in Berlin zurück, daß er die Vocation im Namen Gottes annehme, und in der Mitte Juli zog er mit seiner werthen Hausfrau von Mittenwalde nach Berlin. Hier wirkte er bis zum 6. Februar 1666, wo er seines Amtes entsetzt wurde, weil er, gleich mehreren andern Predigern, sich weigerte einige die Religion angehende Edicte des Churfürsten Friedrich Wilhelm anzunehmen. Am 31. Aug. 1667 ernannte der Magistrat seinen Nachfolger. Dieser aber zögerte mit seinem Eintritt bis tief in das Jahr 1668 hinein, so daß Gerhardt unterdessen noch die Accidenzien von seiner alten Stelle beziehen konnte. Kurz vor Ostern 1668 starb ihm seine Frau, die ihm 13 Jahre lang eine treue Gefährtin in Freud und Leid gewe-

sen war, und hinterließ ihm ein einziges sechsjähriges Söhnlein.
Im Monat September **1668** wurde Gerhardt nach der Stadt
Lübben berufen. Er trat aber daselbst erst **1669** sein Amt an.
Hier wirkte er noch sieben Jahre lang zum Segen seiner neuen
Gemeinde, bis er im siebzigsten Jahre seines Alters am 7. Juni
1676 starb.

Nächst Luther hat als Kirchenliederdichter keiner so segens-
reich auf Mit = und Nachwelt gewirkt, als Gerhardt. In ihm
vereinte sich Alles, was nur von dem religiösen Dichter gefor-
dert werden kann: Ruhe und Begeisterung, ein warmes Gemüth
und eine reiche Phantasie, heiliger, fester Glaube an seinen
Heiland, Tiefe der Idee und ein sicherer, klarer Blick in die
Verhältnisse des Lebens. Auch sind von keinem Liederdichter so
viele Gesänge in die kirchlichen Liedersammlungen aufgenommen
worden, als von Gerhardt.

Noch muß ich bei dem Liede: Befiehl du deine We=
ge, erwähnen, daß hier nicht dürfen die alten Anfänge der
Verse und dadurch der wunderbare Bau, die lieben Merk= und
Marksteine, aus denen Gerhardt das Lied zusammengesetzt hat —
so daß man mit den Anfangsworten sämmtlicher Verse den Spruch
lesen kann: Befiehl dem Herrn deine Wege und hoffe
auf ihn, er wird's wohl machen — zerstört werden, wie
in vielen neuen Gesangbüchern geschehen ist.

Es ist wohl der Mühe werth, daß du, lieber Leser, das
schöne Lied im Gesangbuche nachschlägst und mit Andacht durchliesest, das schon viele tausend Unglückliche und Betrübte wieder
aufgerichtet und getröstet, mit Vertrauen auf Gott, mit Muth
im Leiden und mit fröhlicher Hoffnung erfüllt hat.

52.

In dem Kriege von **1806** bis **1807** drang ein Haufe
von etwa **30** Mann deutscher Contingents = Truppen in das
Haus eines Pfarrers in einem schlesischen Dorfe. Sie bedräng=
ten den Pfarrer mit seiner Familie sehr hart. Ein dabei be=
findlicher Oberstlieutenant begehrte allerlei Erfrischungen für seine
Leute, die der Pfarrer anzuschaffen außer Stande war; ersterer
fügte Drohungen hinzu, falls nicht alles Gewünschte in einigen
Stunden vorhanden sein werde. Man durchsuchte das ganze

Haus, aber Alles war schon aufgezehrt. Da nahm Amalie, die Tochter des Pfarrers, als sie den großen Schmerz ihrer Eltern sah, ihre Harfe, und sang das bekannte vortreffliche Lied: „Befiehl du deine Wege." Noch hatte sie den Gesang nicht geendet, als sich die Thüre öffnete, und der Oberstlieutenant leise hereintrat. Er winkte der Erschrockenen zu, fortzufahren, und da sie geendet hatte, sprach er: „Frommes Kind, ich danke Ihnen für den schon lange entbehrten Genuß solcher Erbauung. Ich bin in jenem Zimmer Zeuge der Angst und Sorge Ihrer Eltern gewesen. Seien Sie aber ruhig, in Zeit von drei Stunden befreie ich Sie von Ihren Drängern, deren keiner Sie mit einer Drohung oder Forderung mehr belästigen soll." — Früh um drei Uhr zogen die Dragoner ab.

53.

Dieses liebe, alte Lied ist auch in der neuern Zeit einem Pfarrer recht zum Segen geworden. Es war der alte Pfarrer L. zu M. in Rheinbaiern, der in dem Jahre 1848 nicht nur in seinen Predigten der falschen Freiheit entgegentrat, sondern auch insbesondere den von ihm verlangten Eid der provisorischen Regierung verweigerte. In der Noth, die deswegen eintrat, lernte er das alte Lied: Befiehl du deine Wege ꝛc. aufs neue schätzen, jedes Wort desselben ward ihm zum Trost und zum Segen. An dem Tage besonders, da der Eid geleistet werden sollte, war die Angst sehr groß, aber der Herr half durch, denn ihm hatte er ja seine Wege befohlen. Bald nach der Eidesverweigerung des alten Pfarrers kam eine bedeutende Anzahl Freischaaren in seine Gemeinde, und man wollte deren Anwesenheit benutzen, um Rache an ihm auszuüben. Leute, die er nie, außer durch sein Zeugniß aus Gottes Wort beleidigt hatte, gaben ihn an, andere Gutdenkende warnten ihn, er solle sich entfernen. Aber nach Besprechung mit seiner Familie, die ihn darin bestärkte, trotz aller Gefahren den Eid nicht zu leisten, und die Sache dem Herrn getrost zu befehlen, begab er sich in sein Zimmer, fiel auf seine Knie und flehte um Beistand, Erleuchtung und festes Vertrauen, worauf er getrost zu den Seinen zurückkehrte. Bald ging die Hausthüre auf, die lieben Angehörigen des Pfarrers zogen sich nach dessen Wunsch in das Nebenzimmer zurück. Jetzt öffnete sich die Stubenthür und ein großer, starker, bärtiger Mann trat ein, wohl bewaffnet, das Gewehr aufstellend, mit der Frage: „Sind Sie der Pastor?" Indem der Pfarrer dies bejahte, fügte er gleich bei: „Sind Sie aber kein Pfälzer?" Auf die Frage, woher er das wisse? erwiederte er: „Die Pfälzer fragen nicht nach dem Pastor, sondern nach dem Pfarrer," und setzte bei: „Woher sind Sie wohl, wenn man fragen darf? und was für einen Beruf hatten Sie, ehe Sie bei den Freischaaren eintraten?" Er antwortete: „Ich bin ein Hanauer, ein Bergmann und evangelisch." Da hatte der Pfarrer durch Gottes Fügung freundlichen Eingang zu einem Gespräche mit diesem Manne gefunden; er sagte etwa: „Wenn Sie also ein Bergmann sind und evangelisch, so wissen Sie wohl, daß Dr. Luther auch ein Bergmann und zwar ein frommer Bergmann war; stellen Sie Ihr Gewehr bei Seite, nehmen Sie Platz bei mir," fügte er bei, „ich habe immer gewisse Vorliebe für die Bergleute." Da stellte er sein Gewehr vorsichtig in die Ecke, mit der Bemerkung, daß es schwer geladen sei, und setzte sich. Der Pfarrer erzählte ihm, wie er einst mit mehreren Bergleuten gereiset sei, lauter ernsten, fromm gesinnten Jünglingen, die mit freudigem Glauben und Vertrauen zum Herrn erfüllt erzählten, wie sie, stets ihr Todtenkleid tragend, sich täglich im Gebet zu ihrem gefahrvollen Berufe stärkten. Bei diesen Worten war das Herz auch dieses Bergmanns tief ergriffen; er ward freundlich und sanft, reichte dem alten Pfarrer die Hand und bat um die Erlaubniß, wieder kommen zu dürfen, die ihm recht gern gegeben wurde. Es dauerte nicht lange, so kam er wieder, bemerkend, er sei der Flügelmann des Hauptmanns und könne es nicht unterlassen, den Pastor wieder zu besuchen, bitte daher, dies während seines Aufenthalts dahier wiederholen zu dürfen, was auch öfter geschah, und wobei er mit aufrichtigem Herzen eröffnete, wie ihn Leichtsinn und Noth zu seinem jetzigen Stande geführt habe, wie er sich aber zu seinem früheren Berufe zurücksehne.

So wurde dieser Freischärler durch des Herrn gnädige Führung die Schutzwache des Pfarrers, dessen Dränger er nach der Meinung der Feinde hatte werden sollen, so daß man mit Joseph sagen könnte: Ihr gedachtet es böse zu machen, aber Gott gedachte es gut zu machen.

Heinrich, Erz. 1.   5

Es müssen Gottes Willen
Selbst Volksverderber thun,
Was er beschließt, erfüllen,
Nach kurzem Schnauben ruhn.

———

54. Bin ich gleich von dir gewichen.

In Mirow starb im Jahre 1675 der Herzog Johann
Georg zu Meklenburg. Dieser fromme gottesfürchtige Fürst
führte auf seinem Sterbebette viele christliche Reden; und da man
ihm, nach gesprochener Absolution den Vers vorbetete:

Bin ich gleich von dir gewichen,
Stell' ich mich doch wieder ein;
Hat uns doch dein Sohn verglichen
Durch sein' Angst und Todespein.
Ich verleugne nicht die Schuld;
Aber deine Gnad' und Huld
Ist viel größer, als die Sünde,
Die ich stets in mir befinde.

so sagte er: „Lasset mich den schönen Vers allein beten!" Dies
vollendete er nun mit festgehaltenen Händen, gen Himmel gerich=
teten Augen, vielen Thränen und brünstigem Herzen. Nach
empfangenem heiligen Abendmahle sprach er unter Anderem zu
seinem Beichtvater: „Da ich noch ein Kind war, lernte ich den
Katechismus; den habe ich noch nicht vergessen, und in demsel=
ben die Worte: Wo Vergebung der Sünden ist, da ist auch
Leben und Seligkeit! Nun hab' ich von Gott durch euch Ver=
gebung der Sünden empfangen, darum hab' ich auch Leben und
Seligkeit, darauf will ich selig sterben!" — Welches selige Ende
der christliche Fürst auch nach wenigen Stunden erreichte, seines
Alters 46 Jahre.

Der Vers ist aus dem Abendliede: „Werde munter, mein
Gemüthe" ꝛc. welches Johann Rist um das Jahr 1642 ge=
dichtet hat.

———

55. Christe, der du bist der helle Tag.

Es fehlt uns nicht an Geschichten, wo Sünder auf ihrem
verkehrten Wege in Folge eines Liederverses Stillstand gemacht
und den Herrn gesucht haben. Nachfolgende Erzählung liefert
einen Beweis.

Ein Weltmensch ging eines Abends spät auf seinen bösen Wegen vor dem Hause eines frommen Mannes vorbei und hörte denselben mit den Seinigen obiges Lied singen. Er bleibt unwillkürlich stehen und vernimmt folgenden Vers:

> Wir bitten dich, Herr Jesu Christ,
> Behüt uns vor des Teufels List,
> Der stets nach unsrer Seele tracht,
> Daß er an uns hab keine Macht.

Bei diesen Worten wird er mächtig ergriffen; er seufzt tief aus dem Innersten seines Herzens; kehrt eilend von seinem bösen Wege zurück, und wendet sich zum Herrn, daß er, um seines Blutes und Todes willen, ihn selig mache.

---

56. Christ, der du geboren bist.

Der deutsche Kaiser Friedrich zog im Jahre **1167** mit einem ansehnlichen Heere nach Italien. In demselben Jahre kam es vor Tusculum*) zur Schlacht. Der Erzbischof Christian entriß einem Bannerträger das Feldzeichen und stimmte laut den deutschen Gesang an, den die Deutschen im Kriege zu singen pflegten: „Christ, der du geboren bist." Alle stürzten heftig in den Feind, die Schlacht wurde gewonnen, **2000** Deutsche siegten über **30,000** Römer. Nun ging es auf Rom los. Man kämpfte vorzüglich um die Kirchen, die gleich Festungen vertheidigt wurden, und in der Hitze des Streites geschah es, daß die Deutschen Brandfackeln in die Marien=Kirche, die dicht an der Peterskirche lag, warfen, und daß die Flammen bis an die letztere drangen, welche in der allgemeinen Bestürzung von dem schwäbischen Herzoge Friedrich eingenommen wurde. Der Papst Alexander floh heimlich aus der Stadt, in der Kleidung eines Pilgrims, als die Römer über seine Beharrlichkeit zu murren anfingen. Aber bald darauf brach unter den Deutschen eine

---

*) Tusculum (jetzt Fraecati) war eine der Hauptstädte des alten Latiums, von Rom aus gegen Norden über Alba in einer überaus angenehmen Gegend, weshalb die Landschaft von hier bis Rom so mit Gärten und Villen angefüllt war, daß sie einem zusammenhängenden Garten glich.

5*

68

Seuche aus, so furchtbar, daß ein großer Theil des Heeres und
eine Menge der Vornehmsten weggerafft wurden. Es war an
einer Mittwoch im Augustmonat, als die Krankheit ausbrach;
die Hitze war schon lange außerordentlich angreifend und verzeh-
rend gewesen; an diesem Tage war am Morgen heller Sonnenschein, dann kam plötzlich ein Regen, und darauf schien wieder
die Sonne sehr heiß. Die Menschen starben so plötzlich, daß sie
oft, wenn sie den Morgen noch gesund waren, am nämlichen
Tage, während des Gehens auf der Straße, niederstürzten. Man
zählte acht Bischöfe, vier Herzöge, unter denen des Kaisers Vet-
tern, Friedrich von Rothenburg und Welf der Jüngere waren,
und mehrere Tausende edler Grafen und Herren. Da schrie das
Volk: „Das ist Gottes Strafe für die Flammen der Peterskirche!" — Der Kaiser war genöthigt, Italien wieder zu verlassen, und fast ganz allein, heimlich und verkleidet, über die
Alpen zurück zu gehen.

57.

Christus, der ist mein Leben,
Sterben ist mein Gewinn,
Dem hab' ich mich ergeben,
Mit Freud' fahr' ich dahin.

Es ist sehr lehrreich und erbaulich, den Verfasser eines
Liedes zu kennen. Wenn wir die Lebensverhältnisse eines Menschen erfahren, in denen er ein solches Lied gedichtet, und die
Veranlassung, welche dasselbe hervorgerufen, so liegt darin schon
eine kräftige Mahnung und ein großer Trost für uns. Der
Autor obigen Liedes ist nicht ganz sicher verbürgt; wahrscheinlich
aber hat es die Gräfin Anna von Stolberg verfaßt. Etwa um
1600 gedichtet, war es schon im Jahre 1604 gedruckt und kann
deshalb auch nicht, wie Einige anführen, den Simon Graf,
Pfarrer zu Schandau an der Elbe, der erst 1603 geboren wurde,
zum Verfasser haben. Es ist ihm wohl nur deshalb zugeschrieben, weil es hauptsächlich durch ein von ihm herausgegebenes
Gesangbuch mit bekannt geworden und verbreitet ist. Diese Ungewißheit mit dem Verfasser darf uns aber nicht bewegen, von
dem Liede abzusehen, da es so ungemein vortrefflich ist und

manchem Christen eine selige Heimfahrt bereitet hat. Auch die nachfolgende Erzählung liefert hierzu einen Beweis.

Conrad August Erdle, Zuchthausverwalter in Nürnberg starb am **8. Mai 1819**. Im Anfang seiner Sterbenswoche äußerte er, daß dies wohl seine Leidenswoche sein werde; doch wie mein Jesu will, setzte er hinzu, er wird mich schon zur rechten Stunde erlösen von allem Uebel und mir aushelfen zu seinem himmlischen Reiche. Mit ganzer Seele sprach er den Vers nach:

> Wie freu ich mich, Herr Jesu Christ,
> Daß du der Erst' und Letzte bist,
> Der Anfang und das Ende.
> Bald schließst du selig meinen Lauf
> Und nimmst mich dann zu dir hinauf,
> Ich eil' in deine Hände.
> Amen!
> Amen!
> Ja ich werde von der Erde freudig gehen
> Und dein Antlitz ewig sehen.

Er harrte in dieser Woche von einer Morgenreihe zur andern, wobei er zuweilen, wenn der Husten ihm die Brust zersprengen wollte, seufzte: „O mein Heiland hilf mir!" und:

> O wäre ich doch schon droben!
> Mein Heiland, wäre ich da,
> Wo dich die Schaaren loben,
> Und säng' Hallelujah;

Auf dieses Leben freute er sich von Herzen, so wie auch auf das Wiedersehen seiner vorangegangenen geliebten Freunde und Kinder. Am Morgen seines Siegestages, da seine Freunde schon frühe zu ihm kamen, und weil sie gleich beim Eintritt merkten, daß er seiner Vollendung mit schnellen Schritten entgegeneile, ihm einige Trostworte zuriefen, ergriff er die Hand des Einen, und sagte mit kaum noch vernehmlicher Stimme: „Meine lieben Brüder, wir haben uns auf Jesum verbunden, wir wollen auch bei ihm bleiben, damit wir uns einst vor seinem Gnadenthron wieder finden mögen." — Dies gelobten sie ihm unter vielen Thränen und baten ihn, ihrer stets in seiner Fürbitte vor dem Herrn zu gedenken, daß sie alle bewahrt werden möchten im Glauben zur Seligkeit. Die Freunde sprachen ihm noch das schöne Lied vor: „Auf meinen Jesum will ich sterben," wobei er immer durch ein schwaches Ja seinen Beifall zu erkennen gab.

Als es neun schlug, sagte er: vielleicht ist dies meine letzte Stunde — bald, bald ist überstanden — und so geschah es auch. Unter dem Vorlesen des Liedes:

> Christus, der ist mein Leben,
> Sterben ist mein Gewinn;
> Dem hab ich mich ergeben,
> Mit Freud' fahr ich dahin.

drückte er die Augen zu, um sie nicht wieder zu öffnen. Der Augenblick des Scheidens war gekommen, und seine Freunde empfahlen den sich ohne die geringste Zuckung loswindenden Geist betend den Händen seines allmächtigen und treuen Heilandes. Stiller Schmerz, vermischt mit einem gewissen Wonnegefühl des Dankes und der Anbetung des Herrn für die herrliche Vollendung ihres lieben Erble, hielt seine Freunde lange bei der entseelten Leiche zurück, deren Gesichtszüge auch im Tode noch Ehrfurcht einflößten. Und es drang sich aus aller Herzen der Wunsch: „daß auch mein Ende sei, wie das Ende dieses Gerechten!"

---

58. Christ ist erstanden.

Der Pfarrer Droschte hatte schon 1556 dem protestantischen Prediger Heidenreich gestattet, die Kanzel der katholischen Pfarrkirche zu Schweidnitz in Schlesien zu betreten, doch unter der Bedingung, sich aller kirchlichen Verrichtungen, aller Ceremonien und Ausspendung der Sacramente zu enthalten. Heidenreich erfreute sich hierauf eines bedeutenden Zulaufs. Der Pfarrherr aber darüber erbittert, bestieg am Osterfeste 1557 von neuem die Kanzel, wurde jedoch im eigentlichen Sinne alsbald wieder herabgesungen, indem das Volk das Lied anstimmte:

> Christ ist erstanden
> Von der Marter alle,
> Deß sollen wir alle froh sein,
> Christ will unser Trost sein.
> Kyrie eleison!

Dieses Osterlied, das wir jetzt noch in unsern Kirchen singen, war schon im 13. Jahrhunderte längst gebräuchlich. Luther ließ es unverändert.

Die alten Osterlieder sind alle voll Jubel. Wie muß unsern Vätern im Glauben das Herz voll gewesen sein von dieser großen That Gottes, daß ihnen der Mund so oft, so laut, so lieblich, so freudenreich davon überging! Lieber Leser, die Hand aufs Herz, freust du dich auch?

59. Christe, wahres Seelenlicht.

Christian Mende, war in der zweiten Hälfte des vorigen Jahrhunderts in einem kleinen Dörfchen an den baierschen Alpen geboren. Er kam in seiner Jugend durch Leichtsinn unter die preußischen Soldaten, unter den Soldaten in große Noth, in der Noth endlich durch christliche Zusprache zu Gott. Nachdem er eine lange Zeit gedient, nahm er eine erledigte Nachtwächterstelle in Berlin an. Mit großer Freude ging er zu seinem Nachtwächterdienste über, und versah denselben über 25 Jahre, und zwar mit solcher Vorliebe für denselben, daß er sagte: „Es ist die herrlichste Profession, ein Nachtwächter zu sein. Am Tage schlafe ich oder arbeite auf meinem Handwerk (er war ein Schneider), und die ganze Nacht bin ich mit meinem Herrn allein." — Im Anfange hatte er sein Revier in der neuen Friedrichsstraße. Damals galt noch in Berlin die liebliche Gewohnheit, daß die Nachtwächter, nachdem sie die Stunde gerufen und mit dem Horn ein Zeichen gegeben hatten, einen Vers aus einem bekannten Liede sangen. Mende war ein lebendiges Gesangbuch. Er sang die schönsten kräftigsten alten Kirchenlieder auf eine so erbauliche Weise aus innerstem Herzensgrunde, wie wohl selten ein Nachtwächter gesungen haben mag. — Schon den zweiten Tag nach dem Antritte seines Amtes kam er in eine nicht geringe Versuchung. Als er nämlich, von der Friedrichsstraße kommend, in die Gegend der aus Casernen bestehenden Gebäude kam, sah er die Compagnie, bei der er so lange gestanden, versammelt antreten. Der Capitän stand vor der Fronte. Mende stutzt und kommt in Versuchung: „Singst du, so lacht die ganze Compagnie; singst du nicht, so verleugnest du deinen lieben Herrn." Bei keinem Kugelregen war er so unentschlossen gewesen. Doch nach einigen Augenblicken behält die Stimme Oberhand: Es ist dein Beruf, in Gottes Namen! — Er tritt auf seinen Rufplatz, gerade vor die Compagnie,

grüßt den Hauptmann, welcher ihm dankt, und beginnt nun mit
seiner kräftigen Baßstimme den Morgenvers:

> Christe, wahres Seelenlicht
> Deiner Christen Sonne,
> O du klares Angesicht,
> Der Betrübten Wonne!
> Deiner Güte Lieblichkeit
> Ist neu alle Morgen;
> In dir bin ich recht erfreut,
> Darf nicht übrig sorgen.

Nicht ein Laut der Mißbilligung und des Spottes wurde
hörbar. Von da an beschloß der treue Mann, sich nie mehr
durch Menschenfurcht vom Singen abhalten zu lassen.

Einige Zeit darauf ward Mende in ein besseres Revier,
an der Oranienburgerstraße, Wassergasse 2c. versetzt. Der eigentliche Anlaß zu dieser Versetzung soll eine vornehme Person gewesen sein, welcher der kräftige, ausdrucksvolle Gesang dieses
frommen Nachtwächters unbequem war. Schon damals gab es
Aerzte, welche solch Singen für Nerven-aufregend hielten. Sagt
doch schon Salomo (Sprüche Sal. 25, 20): „Wer einem bösen
Herzen Lieder singt, das ist wie ein zerrissenes Kleid im Winter,
und Essig auf der Kreide.‟

Das obige Lied ist von Christoph Präterius, welcher im
17. Jahrhundert Advokat in Stendal war.

---

60. Christi Blut und Gerechtigkeit.

Ein frommer Gärtner zu Berlin besuchte mit seinem
fünfjährigen Töchterchen seinen Oheim in Schönhausen, der als
Gärtner im Dienste der Königin Elisabeth Christiane, Gemahlin
Friedrichs II., stand. Die Königin unterhielt sich einst in dem
Garten mit diesem Kinde und gewann es so lieb, daß sie es
nicht aus den Gedanken verlieren konnte, und nach wenigen
Wochen ausdrücklich verlangte, daß es wieder einmal solle zu
ihr gebracht werden. Der Vater brachte es daher wieder nach
Schönhausen. Eine Hofdame sah es ankommen, und zeigte es
der Königin an, als diese sich eben zur Tafel setzte. Sie ließ
sogleich das Kind holen, und in das Tafelzimmer führen. Es
erkannte gleich die Königin, lief zu ihr hin und küßte ihr das

Kleid. Auf Befehl der Königin wurde es neben ihr auf einen Stuhl gestellt, damit es die ganze Tafel übersehen könne. Die Königin wollte gern hören, was das naive Kind zu den schönen Aufsätzen und Kostbarkeiten der Tafel sagen würde. Das Kind sah Alles still an, warf einen Blick auf die kostbaren Kleider der Tafelgäste, die goldenen und porzellanen Aufsätze und schwieg eine Zeit lang. Dann faltete es die Hände und sang laut den Vers:

> Christi Blut und Gerechtigkeit,
> Das ist mein Schmuck und Ehrenkleid,
> Damit will ich vor Gott bestehn,
> Wenn ich zum Himmel werd' eingehn.

Die Anwesenden staunten und waren tief bewegt. Eine der anwesenden Hofdamen sagte weinend zur Königin: „O das glückliche Kind, wie weit stehen wir zurück!" —

61.
Das that ich für dich: Mensch, was thust du für mich?

Graf Nicolaus von Zinzendorf, Stifter der Brüdergemeinde, kehrte auf einer Reise bei einem Verwandten ein. Sein Blick fiel auf ein in der Stube hängendes Crucifixbild. Das Bild war kunstlos, ohne Bedeutung und Werth; aber darunter standen zwei Reihen von unendlichem Gewicht und erschütterndem Inhalte:

> Das that ich für dich:
> Mensch, was thust du für mich?

Wie ein Blitzstrahl fielen sie in der Mannes Seele und erhellten mit neuem Scheine das Dämmerlicht seines Lebens. Er konnte sie nimmer vergessen; ja, hätte er Flügel der Morgenröthe genommen und wäre gegangen zum äußersten Meer — immerfort mußte er die Frage vom Crucifix vernehmen: Was thust du für mich? Die hallte in seinem Herzen beständig wieder, die ließ ihm keine Ruhe, bis daß er völlige Ruhe gefunden bei Christo, der da Ruhe giebt allen Mühseligen und Beladenen. Er rastete nicht, bis daß eine über mehrere Erdtheile ausgestreute Saat das Beschämende und Vernichtende jener Frage von Golgatha wenigstens gemindert hatte.

---

62. Darum spricht Gott, ich muß auf sein.

Philipp Jakob Spener, geb. 1635, Oberpfarrer
zu Frankfurt, alsdann Oberhofprediger zu Dresden, endlich
Probst bei St. Nicolai zu Berlin, hat nicht allein für seine Gemeinden, sondern auch für die gesammte deutsche Kirche auf eine
Art gewirkt, welche von den segensreichsten Folgen war. Zu
einer Zeit großer Trauer über den so tief gesunkenen Zustand
der Kirche ging Spener in Frankfurt eines Sonntags Nachmittags zur Kirche, um die Betstunde zu halten. Seine ganze
Seele war betrübt über die große Noth im Reiche Gottes und
er fragte still den Herrn: „Wirst du dich nicht bald erbarmen,
wie sich ein Vater erbarmet über seine Kinder?" Und als er
dabei eben in's Gotteshaus trat, hörte er, vom Schülerchore
aus, aus dem von Luther nach dem 12ten Psalm gedichteten
Liede: „Ach Gott vom Himmel sieh darein," den vierten Vers singen:

> Darum spricht Gott: Ich muß auf sein,
> Die Armen sind verstöret!
> Ihr Seufzer dringt zu mir herein,
> Ich hab' ihr Klag' erhöret.
> Mein heilsam Wort soll auf dem Plan
> Getrost und frisch sie greifen an,
> Und sein die Kraft der Armen.

Diese Worte drangen wie eine göttliche Antwort in seine
betrübte Seele und gaben ihm Trost und Frieden zurück. Als er
nun im Jahr 1686 auf seiner Reise nach Dresden an die sächsische Grenze kam, wurde er von einem daselbst aufgestellten
Schülerchore empfangen und wunderbarer Weise sangen sie ihm
denselben Vers. — Dies erfüllte sein Herz mit wahrhaft seliger Freude und er war nun dessen völlig gewiß, daß sein
Eingang nach Sachsen gesegnet sei. Seine Liebe zu diesem
Liede wurde aber so groß, daß er später in Dresden sich dasselbe allwöchentlich von dem Schülerchore vor seinem Hause
singen ließ und jedesmal dabei mit wehmüthiger Freude und
lautem Danken der gnädigen Führung seines Gottes gedachte.
Obiger Vers war das große Losungswort seines reformatorischen Wirkens.

63. Der beſte Freund iſt in dem Himmel.

Ein Prediger an einer Strafanſtalt erzählt Folgendes: Unter den vielen Gefangenen in der Strafanſtalt fiel mir ein junges Mädchen durch ihr ganzes Verhalten beſonders auf und ſie ward mir Gegenſtand beſonderer Beobachtung. Sie war kräftig und blühend. Auf ihrem Geſichte lag fortwährend eine fröhliche Munterkeit und ein lachender Zug. Sie erſchien leicht= fertig und ohne alle Ahnung, daß ſie eine Gefangene ſei und Jahre ſtrenger Haft zu verbüßen habe. Von Reue über ihr Leben und über ihr Verbrechen war keine Spur. Sie war hei= ter und ſorglos und Vergangenheit und Zukunft ließen ſie ohne Nachdenken und ohne Kummer. Und doch hatte ſie ſchwere Miſſe= thaten hinter ſich und eine harte Schuld lag auf ihrem Gewiſſen. Ihr Vater war früh geſtorben und die arme Mutter mußte ſie bald unter fremde Leute bringen und ſie in einem Alter von neun Jahren als Kindermädchen vermiethen.

In die Schule kam ſie nur wenig, weil die Herrſchaften, wie ſie ſagen, Dienſtboten, aber nicht Schulkinder brauchen.

Und dies Kind wurde eine zweifache Brandſtifterin im Alter von 9 und von 13 Jahren; ſie wollte keine Strenge lei= den, die Bosheit der andern Dienſtboten reizte ſie auf zur Rachſucht und diefe hauchte ihr den Plan ein, an der Herr= ſchaft ihr inneres Feuer durch äußeres Feuer zu kühlen; beide= mal wandte Gott die Gefahr ab und erſt da ſie die ruchloſe That zum zweiten Male verſucht und verübt hatte, ward ſie zur Strafe der Gerechtigkeit überliefert. Das Mädchen kam als Brandſtifterin in's Zuchthaus; — ihre Verbrechen waren nicht gelungen und der Schaden war klein; — keine Reue drang in ihr Gewiſſen, weil je meiſt der Erfolg und nicht die Abſicht in die Wagſchale gelegt wird. Vergebens wurde ihr das Schauer= liche ihrer Abſicht und ihrer That, vergebens wurde ihr die Untiefe ihres Herzens offenbart, das eines ſolchen Gedankens in ihrer Jugend ſchon fähig war und ohne Gottes Erbarmen über viele Familien das ſchwerſte Elend bringen konnte — ſie blieb in ihrem luſtigen Sinn, und meinte kurz: es iſt ja weiter kein Schaden geſchehen.

War es deine Abſicht, daß kein Schaden geſchehen ſollte, wurde ſie gefragt, haſt du den Schaden verbütet? und was würdeſt du ſagen, wenn das Feuer viele Menſchen in Armuth

geſtürzt und Eltern und Kinder im Winter des Obdachs beraubt
hätte? Kannſt du bei dem Gedanken auch noch lachen und
luſtig ſein und dich freuen, daß ein furchtbares Verbrechen dich
in's Zuchthaus gebracht hat?

Aber an ihrem Sinn zerflatterte jede Rede, ſie blieb in
ihrem leichten, frohen Muth, arbeitete fleißig und war bei den
Vorgeſetzten und bei den Gefangenen wegen ihres harmlofen
Weſens beliebt. So vergingen viele Monate und keine Spur
einer Aenderung trat hervor. Ihre That erzählte ſie mit Lachen,
und leichtfertig ſprach ſie von der Angſt der Leute, da das Feuer
herausbrach. Doch plötzlich, ohne daß Jemand eine Urſache
ahnte, änderte ſich ihr ganzes Weſen. Sie ward ſtill und verſchloſſen: es ſchwand ihr heitrer, leichter Sinn und oft weinte
ſie bittere Thränen. Auf ihr Geſicht trat eine auffallende Bläſſe
und ihr Körper ward matt und ſiech. Auf alle Fragen, was
ihr fehle, antwortete ſie wenig und nur ihr Auge redete durch
Thränen und durch eine ſichtbare Melancholie. Sie mußte in
die Krankenſtube gebracht werden und ihr Leben rang mit dem
Tode. Heſtig begehrte ſie ein Gefangbuch und da ſie es erhalten, drückte ſie es an ihre Lippen und gab es nicht aus den
Händen. Am Tage las ſie darin und des Nachts legte ſie es
unter ihren Kopf. Sie ſprach ſehr wenig mit den andern Gefangenen, und nur wie aus tiefer Verſunkenheit ſich erman-
nend, ſchrie ſie oft: Meine arme gute Mutter. Sie er-
holte ſich, legte das Gefangbuch weg, eine andere Kranke nahm
es, las darin und zeigte an, daß ein Blatt ausgeriſſen ſei.
Bei der Unterſuchung fand ſich das Blatt bei jenem Mädchen,
ſie hatte es ängſtlich unter ihrem Bruſttuche verborgen. Man
wollte es ihr wegnehmen, aber krampfhaft hielt ſie es in den
Händen und bat ſchluchzend, es ihr zu laſſen. Da ihre Anfre-
gung ſich gelegt und ihre Seele mehr Ruhe gewonnen hatte,
löſte ſie in folgender Weiſe dies auffallende Benehmen. Als ich
vor einigen Wochen leicht und luſtig wie immer in die Kirche
ging und an nichts weniger, als an mein Jugendleben dachte,
ward das Lied gefungen:

> Der beſte Freund iſt in dem Himmel
> Auf Erden ſind nicht Freunde viel,
> Denn bei dem falſchen Weltgetümmel
> Steht Redlichkeit oft auf dem Spiel.
> Drum hab ich's immer ſo gemeint:
> Mein Jeſus iſt der beſte Freund.

Da ich dies Lied hörte und mitsang, regte und bewegte sich mein Herz und an jede Zeile knüpften sich bange und schwere Erinnerungen. Dies Lied hat meine Mutter oft und mit Thränen gesungen. Wenn wir in Noth waren und ich mit ihr betrübt am Spinnrocken saß, stimmte sie dies Lied an, und dann sagte sie mir, wie erfrischt: Kind, unser Freund, unser Gott lebt; wir wollen ihm trauen unser Leben lang; wenn Andre des Sonntags in schönen Kleidern zur Lust gingen, dann sang sie ihr Lied, „der beste Freund ist in dem Himmel," und ruhig sprach sie — unser Schmuck und Ehrenkleid ist Christus unser Herr. Als ich mit jenen schlechten Dienstboten mich ein=gelassen und von ihnen gereizt, mein erstes Verbrechen began=gen hatte — sang sie wieder „der beste Freund ist in dem Himmel und warnte mich bittend vor den falschen Freunden auf Erden. Dies Lied habe ich so oft gehört, so oft mitgesun=gen, daß mir jede Zeile, jedes Wort noch lebendig im Gedächt=niß ist; denn bei jedem Verse gab sie mir die Erklärung und viel, viel hat sie dabei geweint und gebetet. Ich habe dies Lied lange nicht mehr gehört, lange nicht mehr daran gedacht — und da fiel es mir hart auf meine Seele, als ich es neu=lich in der Kirche unerwartet hörte. Ich dachte an meine arme, traurige Mutter, ich hörte sie im Geiste jetzt dies Lied allein singen — ich sah sie weinen und über mich trauern — und mein Herz war zerschnitten. Ich fühlte, daß ich allein diesen Gram verschuldet und ihre Liebe mit Undank vergolten habe. Ich dachte mir, wie, wenn deine Mutter aus Gram gestorben und mit Kummer über dich aus der Welt gegangen ist — wer ist dann anders ihre Mörderin als ich? Da ergriff mich eine tiefe Angst nach der Mutter und ich konnte nicht mehr fröhlich, nicht mehr heiter sein. Bei Tag und Nacht sah ich die Mutter weinen und hörte sie das Lied singen; — ich konnte nicht essen, nicht schlafen und verfiel in meine schwere Krankheit. Wie viel habe ich in dieser Zeit an meiner Seele gelitten; viel mehr als an meinem Leibe. Die Andern schliefen, ich war wach und immer sah ich die Mutter an meinem Bette abgezehrt und wei=nend; — ihr Auge sah zum Himmel und ihr Finger drohte, und es war, als spräche sie: „unglückliches Kind, hast du ganz mein Lied, ganz den besten Freund im Himmel vergessen?" Wie glücklich war ich, da meine Bitte erhört und mir allein ein Gesangbuch gegeben ward, da konnte ich immer das Lied lesen,

an meine gute Mutter und an meine Kinderjahre denken; aber
ich fürchtete, man werde mir das Gesangbuch wieder abnehmen
und dann hätte ich mein Lied nicht mehr — und in meiner
Angst riß ich das Blatt heraus, darauf das Lied stand und ich
verbarg es wie den größten Reichthum. O verzeihen Sie mir,
ich habe Unrecht gethan, aber lassen Sie mir das Blatt, ich
will gern arbeiten und so viel sparen, daß ich das ganze Buch
bezahle — nur nehmen Sie mein Lied nicht weg.

Sie weinte und schluchzte laut und wer sie hörte, mußte
weinen — denn aus ihr redete lebendige Wahrheit und neu erwachte Kindesliebe — und eine ganz Andere stand vor uns,
als vor einigen Wochen. O hört's doch, ihr Eltern, in dem
Herzen des Mädchens ging auf der Keim, den die Mutter hin-
eingepflanzt; er war lange niedergedrückt, aber nicht verloren,
nein! Gott ersah die Zeit, nahm hinweg den Schutt und ein
Lied der frommen Mutter mußte die Gefangene erwecken, das
Bild ihrer Kindheit in ihrem Gemüthe auffrischen und eine heiße,
herzliche Kindesliebe darin entzünden. Werden auch eure Kinder
also erwachen können?

Das Mädchen war von der Zeit an offen für das Wort
Gottes, jetzt fühlte und erkannte sie ihre schwere Schuld, jetzt
nahm sie zu Christi Erbarmen ihre Zuflucht und der Leichtsinn
war gebrochen. Nur den irdischen Wunsch hatte sie, daß sie
noch einmal die Mutter sehen, an ihrem Herzen weinen und
ihre Vergebung erhalten möchte. Der Wunsch ward ihr gewährt. Sie wurde auf die Fürsprache der Vorgesetzten begnadigt. Als ihr diese Begnadigung, von welcher sie keine Ahnung
hatte, in der Kirche bekannt gemacht wurde, da stürzte sie hervor und hin vor den Altar; — hier warf sie sich nieder
auf ihr Knie — und weinte und schluchzte; sie rang die Hände
und schrie: — ich bin's nicht werth, ich bin's nicht werth; mein
Gott, ich werde meine Mutter sehen — ich werde ihr eine
bessere Tochter sein können; mein Gott — ich bin eine Gefangene, aber ich danke dir und deinem Erbarmen, und ich gelobe
dir — ich will dir und meinem Heiland treu bleiben, ich will
eine Christin sein und dir keine Schande machen — nur hilf
mir, denn ich bin schwach, und laß deinen Segen über Alle kommen, die hier so viel Gutes an mir gethan haben. Sie sprang
auf, weinte, lachte, drückte die Hände — es war ein tief ergreifender Augenblick. Alle Beamte, Fremde und Gefangene wein-

ten laut; — der Geistliche konnte kein Schlußwort reden — er legte die Hand auf ihr Haupt und übergab sie dem Herrn — mit dem Segensworte — „der Herr segne und behüte dich."

Sie ist seit Jahren aus ihrer Haft entlassen, keine Kunde ist über sie eingegangen, aber wir hoffen zum Herrn, daß die gute Saat, welche die Mutter in das Kind gepflanzt hat, nicht untergeht, sondern zu seiner Zeit die herrlichsten Früchte in die Scheunen der Ewigkeiten hineintragen wird. Der Name des Herrn sei hoch gelobt.

Der Verfasser des erwähnten Liedes ist Benjamin Schmolke, welcher im Jahre 1737 den 12. Februar als Oberpfarrer in Schweidnitz starb.

—

64.

Deinen Frieden gieb
Uns aus großer Lieb,
Uns, den deinen, die dich kennen,
Und nach dir sich Christen nennen.
Deinen Frieden gieb,
Denen du bist lieb!

Ein evangelischer Prediger in Preußen erzählt in den Basler Sammlungen, daß er in seiner frühesten Kindheit bei einer Mißhelligkeit in der Familie von selbst obigen Vers wiederholt gesungen habe, wodurch die ganze Familie ergriffen wurde und Thränen vergoß, aber was noch erfreulicher ist, — der Friede wurde dadurch wieder hergestellt. Und deswegen, setzt der Prediger hinzu, ist mir auch bis heute noch jener Vers, so wie das ganze Lied „Seelenbräutigam" ganz besonders wichtig.

Der Verfasser dieses Liedes ist der im Jahre 1718, als Capellmeister in Arnstadt verstorbene Adam Dreja. Derselbe wurde nach einem leichtsinnigen Leben durch Spener's Schriften bekehrt. Er hat das Lied auch selbst in Musik gesetzt.

65. Der Grund, drauf ich mich gründe.

Ein chriſtlicher Nachtwächter, Namens Mende, hatte einſt erfahren, daß in einem Hauſe bei einem ſonſt redlichen Manne ſich ein Schwarmgeiſt eingeſchlichen hatte, welcher auf eine be= ſondere Heiligkeit durch Faſten u. ſ. w. drang und dabei von der Kirche abmahnte, weil die angeſtellten Lehrer Weltdiener und Baalspfaffen ſeien. Da der Wirrkopf ſeine Beſuche ſpät am Abende machte und auch die Geſellen des ſonſt braven Schuhmachers zu Zuhörern hatte — da erſchien Mende Abends um zehn Uhr, und nachdem er die Zeit abgerufen, ſang er mit erhöhter Stimme den dritten Vers aus dem Paul Gerhardt'ſchen Liede (Iſt Gott für mich, ſo trete):

> Der Grund, drauf ich mich gründe,
> Iſt Chriſtus und ſein Blut;
> Das machet, daß ich finde
> Das ew'ge, wahre Gut.
> An mir und meinem Leben
> Iſt nichts auf dieſer Erd;
> Was Chriſtus mir gegeben,
> Das iſt der Liebe werth.

Das machte einen merkwürdigen Eindruck. Der redliche Schuhmacher fühlte das ganze Gewicht des apoſtoliſchen Bekennt= niſſes: „Einen andern Grund kann Niemand legen, außer dem, der geleget iſt, welcher iſt Jeſus Chriſtus." Indem er nun in dem Geſange des Mende eine Hinweiſung auf dies Gotteswort erkannte, verabſchiedete er den Separatiſten mit den einfachen Worten: daß er mit den Seinen bei dieſem Grunde bleiben wolle, bis der Glaube in Schauen verwandelt würde, und keinen andern Meiſter weder ſuche noch annehme.

66. Die Uhr ſchlägt Eins.

Der Herr, reich an Erbarmung, wählt oft die kleinſten Zufälle, um das größte ſeiner Allmachtswerke, die Bekehrung ei= nes Sünders, zu bewirken.

Ein Jüngling in London, von einer angeſehenen Familie, war mit ſeinen Freunden auf einem Balle, wo es ſehr wild zu= ging. Mitten in dem Tanze ſchlug die Uhr Eins. Wie die

Warnstimme eines Engels vom Himmel klang in seinem Ohre der Schlag **Eins.** Plötzlich fiel ihm lebhaft der Vers des Dichters in's Gemüth:

„Die Uhr schlägt Eins. Wer achtete der Zeit?
Wir hören jetzt, daß sie verloren ist!
Hin ist die Zeit! Dahin! — das nur
Sagt uns der Uhre Klang.
Ich höre ihren Feierton;
Ich höre der verlornen Stunden Trauerton.
Wo sind sie hin? Verschwunden ist
Der Tage, Jahre Zahl in ew'ge Nacht.
Ich hör' des Engels Warnungsruf!
Den Ruf ins dunkle Todesthal!
Bin ich bereit zum ernsten Schritt?
Ist es vollendet, meiner Tage Werk? —
Die Hoffnung einer ew'gen Seligkeit,
Die Furcht vor ewiger verdienter Qual,
Gestattet sie die Tödtung unsrer Gnadenzeit?"

Der Jüngling betroffen, erschreckt, überzeugt, verließ sogleich die Versammlung und kehrte nach Hause. Die nachmalige heilsame Frucht seines Entschlusses war eine vom Geiste Gottes in ihm gewirkte selige Veränderung seines Sinnes und Herzens. Er lebte seitdem und wandelte als ein Christ in der Wahrheit.

---

67. Dies sind die heil'gen zehn Gebot.

Ein Handwerksjunge, welcher die Sonntage bei seinem Meister nach der Kirche arbeiten mußte, sang immer dies Lied bei seiner Arbeit. Als nun der Meister ihn fragte, wie es komme, daß er immer dies Lied singe? antwortete er: Es steht darin:

V. 4.   Du sollst heil'gen den siebenten Tag,
Daß du und dein Haus ruhen mag;
Du sollst von deinem Thun lassen ab,
Daß Gott sein Werk stets in dir hab',
Kyrieleis!

und ich muß doch da sitzen und arbeiten. Von der Zeit an hat ihn der Meister am Sonntage nicht mehr arbeiten lassen.

---

68. Durch Adams Fall ist ganz verderbt.

Wie zu unserer Zeit diejenigen, die mit Entschiedenheit des Herrn Sache und Reich wollen, sich kennen und lieben: so war es zur Zeit der Reformation. Auch in Nürnberg hatte Luther einen Freund, der seinem Herzen sehr nahe stand, den er als einen „feinen, werthen Mann" sehr liebte. Spengler war ganz frühe (seit 1519), für Luther's Sache aufgetreten und von da an stand er ihm zur Seite mit seiner Umsicht und Erfahrung. Als Nürnberger Gesandter und Rathsschreiber war er auf dem Reichstage zu Worms, wie auch später auf dem Reichstage zu Augsburg.

Seitdem das neue evangelische Licht, „dieser Morgenstern," in seinem Herzen aufgegangen, da ward er ein eifriger Beförderer der Reformation zunächst in seiner Vaterstadt Nürnberg — und dann überall, wohin sein sehr bedeutender Einfluß in damaliger Zeit nur reichen konnte. — Luther setzte nach seinem Tode ihm ein besonderes Liebes = und Ehrendenkmal, indem er sein Glaubensbekenntniß drucken ließ.

Wir besitzen nur ein einziges Lied von ihm: „Durch Adams Fall ist ganz verderbt," als ein köstliches Zeugniß seines Glaubens und innern Lebens. Wer sollte dieses Kraft = und Kernlied der evangelischen Kirche nicht kennen? Tief durchdrungen in diesem Kernliede ist Spengler von der innern Verderbniß, von dem Gifte, das uns angeerbt. Aber er hat auch den rechten Trost gefunden, ihn also vor aller Welt in damaliger Zeit bekennend:

> „Wer hofft in Gott, und dem vertraut,
> Der wird nimmer zu Schanden;
> Denn wer auf diesem Felsen baut,
> Ob ihm gleich stößt zu Handen
>   Viel Unfalls hie,
>   Hab ich doch nie
> Den Menschen sehen fallen,
> Der sich verläßt
> Auf Gottes Trost;
> Er hilft sein'n Gläub'gen allen."

Das angeführte Lied dichtete er im Jahre 1524. Es ist dasselbe bald ins Lateinische, ebenso später auch ins Griechische, Französische, Böhmische und Niederdeutsche übersetzt worden.

Spengler wurde geboren 1479 zu Nürnberg, wo sein Vater Rathsschreiber war. Von einundzwanzig Kindern seiner Eltern war er das neunte. Im Jahre 1494 bezog er in einem Alter von 16 Jahren die Universität Leipzig, um die Rechte zu studiren. Nach seiner Zurückkunft von Leipzig erhielt er in der Rathskanzlei seiner Vaterstadt eine Anstellung und wurde schon im Jahre 1507 Rathsschreiber. Er zeigte dabei eine solche Gewandtheit, daß er einmal sechs Kanzleischreiber in sechs verschiedenen Sachen schreiben ließ, dabei von einem zum andern hinging und jedem sonderlich zuredete. Bei dem im Jahre 1530 zu Augsburg übergebenen Glaubensbekenntniß, wobei Spengler als vorderster Rathsschreiber der Stadt Nürnberg, die das Bekenntniß unterzeichnet hatte, zugegen war, bat man ihn um sein Bedenken, als Philipp Melanchthon und Andere bei der in Vorschlag gebrachten Vergleichung zu viel nachgeben wollten. Er gab dasselbe und es scheint, seine Einsicht und seine Entschiedenheit haben Melanchthon von seiner zu großen Nachgiebigkeit zurückgebracht. Die größten Männer seiner Zeit waren seine Freunde. Luther nannte ihn nur „seinen Lasarus," und schenkte ihm im Jahre 1534 seine vollständige Bibelübersetzung, die noch auf der Nürnberger Bibliothek sich befindet.

Als seine Gesundheit durch die vielen Arbeiten geschwächt wurde, hielt ihm der hohe Rath einen eigenen Wagen, daß er in demselben auf das Rathhaus fahren konnte. Er starb am 7. September 1534 in seinem 56. Lebensjahre. Nicht nur seine Vaterstadt, sondern alle Freunde der evangelischen Kirche in ganz Deutschland trauerten um ihn.

----

69. Durch Adams Fall ist ganz verderbt.

Ein Mann, dem es bei seinem Gewerbe und seinem Broderdienst etwas hinderlich ging, gerieth darüber in solche unmäßige Traurigkeit, daß er sich selber ums Leben bringen wollte. Indem er aber eben mit diesem bösen Gedanken umging, fügte es Gott, daß des Mannes Schwester das Lied sang:

Durch Adams Fall ist ganz verderbt.

Da ward ihm sein Herz für den guten Inhalt des Gesanges aufgethan, und seine ganze Betrübniß entwich, als er sie mit fröhlicher Stimme den Vers singen hörte:

6*

Wer hofft in Gott und dem vertraut,
Der wird nimmer zu Schanden:
Denn wer auf diesen Felsen baut,
Ob ihm gleich geht zu handen
Viel Unfall hie, hab ich doch nie
Den Menschen sehen fallen,
Der sich verläßt auf Gottes Trost:
Er hilft sein'n Gläub'gen allen.

Von Herzen beschämt und voll Reue bat er Gott seine
große Sünde ab, ward von nun an in seinem Herzen getrost
und ruhig, und erfuhr dann bald auch in seinem Gewerbe den
Beistand, den Gott allen verheißen hat, die sich auf ihn ver=
lassen.

----

70. Durchs Kreuz führt Gott die Seinen.

Eine Bauerfrau, die sich die Beine durch einen unglück=
lichen Zufall verbrannt hatte und die entsetzlichsten Schmerzen
ausstand, weil ihr durch die Hand des Wundarztes ganze Stük=
ken faules verbranntes Fleisch abgeschnitten werden mußten, war
dabei ganz ruhig! Sie ertrug die Schmerzen ohne Weinen und
Schreien, und es heißt: sie habe ihrem Heilande es zugetraut,
er werde es wohl machen. Als der Wundarzt zu ihr kam, fiel
ihr der Liedervers ein:

Durchs Kreuz führt Gott die Seinen
Dem Himmelreiche zu;
Nach Klagen und nach Weinen
Folgt Freude, Trost und Ruh;
So wird der Glaube klar,
So muß er überwinden,
Muß rein sich lassen finden
Bei Trübsal und Gefahr.

Zur andern Zeit entdeckte sie ihren Gemüthszustand also:
Ich leide am Fleisch meiner Sünden wegen, was meine Thaten
werth sind. Wenn Jesus nur nicht ferne von mir tritt. Sie
sahe auch ihre Krankheit als ein Reinigungsmittel der Sünden
an, und sprach: Auf dem Krankenbette wird man vieles gewahr,
was man bei gesunden Tagen nicht gesehen. Jesus hat noch
viel an mir zu bessern. Das Haus ist noch nicht fertig. Gott
kann mich nicht anders, als durch schwere Leiden selig machen.

Ich habe ihn darum gebeten. Sie erzählte, daß, wenn sie in gesunden Tagen die Worte gesungen:

Kein Brennen, Hauen, Stechen,
Soll trennen mich und dich!

so hätte sie immer die Achseln gezuckt und gedacht: das kannst du nicht mit singen, so weit bist du nicht im Glauben gekommen; aber jetzt muß ich's erfahren, da so viel von meinem Leibe geschnitten wird. Sie bezeugte, daß der Herr sie oft durch sein Wort und durch seinen Geist gestärkt hätte, daß es ihr noch immer auszustehen möglich gewesen sei.

Die Verfasserin des angeführten Liedes ist Magdalena Sybilla Riegerin, Tochter des Prälaten Weißensee, wurde am 29. Decbr. 1707 zu Maulbronn geboren, als ihr Vater daselbst noch Klosterpräceptor war. Von ihrer Kindheit schreibt sie selbst:

„Ich sog ein Kopfweh schon an Mutterbrüsten ein
Und trat gleich als ein Kind in diesen Leidensorden."

Da sie nämlich noch in Mutterleib war, hatte ihre Mutter großen Schrecken bei dem Raubeinfall der Franzosen durchzumachen; beide Eltern flüchteten, von beständigem Kriegslärm umschwärmt, nach Schwäbisch = Hall, wobei der Wagen zweimal umstürzte. Kaum war sie aber zehn Wochen zur Welt geboren, so mußte sie im März 1708 bei dem Aufzug ihres Vaters als Klosterpräceptor zu Blaubeuren eine beschwerliche Reise über die rauhe Alb mitten im tiefsten Schnee mitmachen, während der sie keines Bettleins oder Wiege zu genießen hatte. Diese Umstände mögen wohl der Grund der Kränklichkeit und der außerordentlichen Nerven = und Kopfleiden gewesen sein, mit denen sie ihr ganzes Leben lang zu kämpfen hatte. Weil ihrem Vater seine zwei hoffnungsvollen Söhne gestorben waren, so erklärte er sie für seinen Sohn, weßhalb er sie auch weiter führte, als es sonst bei Mädchen gewöhnlich ist; er machte sie unter den außerordentlichsten Fortschritten nicht allein mit der heiligen Schrift aufs genaueste bekannt, sondern lehrte sie auch Natur = und Weltgeschichte. Sie genoß so sehr seiner Liebe, daß sie fast stets um ihn blieb; unter des Vaters Anleitung sang und spielte sie auf dem Clavier und übte sich in der Dichtkunst. Ihre Körper = und Geisteskräfte entwickelten sich nun schnell, doch verließ sie von

ihrer ersten Lebenszeit an das Kopfweh keine Stunde, worüber
sie den Herrn mit den Worten pries:

> Doch der ist treu und liebevoll,
> Er hat es gut mit mir gemeint,
> Mir so den Sündenweg verzäunt,
> Daß ich der Höll' entrinnen soll,
> Dies sollt' mich von der Welt entfernen,
> Nur Demuth und Geduld zu lernen.

Ehe sie noch sechzehn Jahre alt war, am 31. Aug. 1723,
verheirathete sie sich mit Emanuel Rieger, damals Stadt- und
Amtsvoigt in Blaubeuren. Sie fand an ihm einen frommen
Lebensgenossen und gewissenhaften, gegen alle seine Nebenmen-
schen liebreichen, für Gottes Ehre eifernden Mann.

Im Jahre 1730 kam sie nach Calw, wo ihr Mann als
Rath und Vogt angestellt wurde, und in diesem Jahre war es
auch, daß sie anfing „zu Gottes Preis die Nebenstunden einzu-
richten und was zu reimen und zu dichten."

Die Nerven- und Kopfleiden wurden in ihrem Ehestande
immer heftiger und sie hatte es zu erfahren, daß bei ihr ein
gesunder und starker Geist in einem kränklichen Körper wohnen
mußte. Im Jahre 1737 hatte sie besonders viel durchzumachen
an einem lang anhaltenden Magenkrampf, sie dichtete aber darunter ein Gebetslied zu Gott, worin sie unter Anderem sagt:

> „Fahr fort mit deiner Zucht, beug selbsten meinen Rücken,
> Damit ich mich recht lern' in deine Wege schicken,
> Und mach mein Herz vor dir geduldig, willig, still,
> Bis du den Zweck erreichst, der mein Heil schafft und will,
> Heißt aber mich dein Rath, aus Mesechs Hütten fliehen —
> Dein Will ist auch mein Will — ich werd' ihn gern vollziehen;
> Hier bin ich deine Magd: machs nur durch Jesu Blut
> (Dies einz'ge ding ich aus) mit meinem Ende gut."

Ein schwerer Schlag traf sie im Jahre 1758 durch den
schnellen Verlust ihres geliebten Mannes, von dem sie in einem
ihrer Gedichte sagen konnte:

> „Ein Mann nach meinem Herzen,
> Ein Herz mit mir in Freud und Schmerzen."

Acht Jahre zuvor war derselbe Stadtvogt zu Stuttgart
und Regierungsrath geworden. So war sie unerwartet schnell
eine Wittwe, in welchem Stande sie 28 Jahre lang zu Stutt-

gart lebte — als eine rechte Wittwe, die ihre Hoffnung auf Gott stellet und bleibet am Gebet und Flehen Tag und Nacht. Endlich starb sie am letzten Tage des Jahres 1786 im einund= achtzigsten Lebensjahre.

---

71. Ein' feste Burg ist unser Gott.

Daß dieses Lied nebst seiner Melodie von unserm großen Kirchenvater Martin Luther gedichtet worden ist, weiß fast jedes Kind.

Die protestirenden Lichtfreunde sangen in ihren Versamm= lungen und singen hie und da noch zum schäumenden Bierkruge und zur brennenden Cigarre lustig und unablässig: „Ein' feste Burg ist unser Gott."

Ronge zog mit einigen Gleichgesinnten in Teutschland umher und sang mit den Teutsch=Katholiken und Liberalen bei jedem Zweckessen: „Ein' feste Burg ist unser Gott," nachdem zuvor in den berathenden Versammlungen ausgemacht worden, Luther sei nur ein schwacher Anfänger und genüge nicht mehr für unsere mächtig fortgeschrittene Zeit.

Am 12. August 1845 warf ein empörerischer Haufe in Leipzig dem sächsischen Prinzen Johann die Fenster ein und sang dazu: „Ein' feste Burg ist unser Gott."

Welches ernste besonnene Gemüth hätte je ahnen können, daß des glaubensstarken Luther's gottbegeistertes, heiliges Lied zu einer Marseillaise sträflicher Empörung, jugendlichen Leicht= sinns und gedankenlosen Uebermuthes gemißbraucht werden sollte! Es verhält sich, wie uns dünket, mit allen ächt christli= chen Dingen, wie mit dem Herrn Christus selbst, aus dessen Geist und Liebe sie hervorgegangen sind: sie sind, wie der Herr und Meister und wie seine ganze Kirche, gesetzt zu einem Fall und Auferstehen Vieler. Es werden daran vieler Herzen Gedan= ken offenbar. Jenes Lied singen, und unmittelbar vorher und nachher so reden und so handeln, wie es z. B. in jenen Ver= sammlungen geschehen ist, giebt ja jedem Erfahrenen und Nach= denkenden sofort den untrüglichen Maaßstab für das dort wal= tende Wesen. Das Lied wird von Allen, von den Bewußten wie den Unbewußten, von den Ernsten wie von den Spöttern, gesungen, zu einem Zeugniß über sie.

Das herrliche Lied mit seiner erhebenden Melodie ist aber auch schon in die Heidenwelt hinüber getragen worden. So berichtete auf dem Jahresfeste der Basler Missionsgesellschaft im Jahre 1852 der Inspector Josenhans, der in demselben Jahre seine aufgetragene Visitation der ganzen indischen Mission vollendet hatte, Folgendes: „Ein Dorf in Malabar ist ganz bekehrt, Amtschartandy; die ganze Gemeinde kam mir singend entgegen." Von einem andern Orte schreibt er: „Unvergeßlich bleibt es mir, wie die Katechistenschüler mir zum Abschied anstimmten: Ein' feste Burg ist unser Gott! Den Eindruck kann ich nicht beschreiben, den es macht, wenn man so eine Heidengemeinde vor sich knieen sieht. Obgleich ich ihre Sprache nicht verstand, so habe ich doch lebendigen Segen in den Kirchen und Schulen empfangen; ich habe es ihren Gesichtern abgelesen, ihren Thränen abgesehen, daß der Geist des Herrn unter ihnen ist."

Das Lied ist eine freie Ueberarbeitung des 46. Psalms von Luther im Jahre 1529 nach beendigtem Reichstage zu Speier gedichtet, gleichsam als offenes Protestationslied der ganzen evangelischen Kirche, die wider alle ihre Widersacher und Feinde auf Gott allein, als ihren Hort und ihre Burg, vertraue.

Mit dem Liede schuf Luther auch die Melodie; beide sind wie aus einem Guß, entflossen der tiefsten, edelsten Begeisterung seines Gemüths, also daß er sein innerstes Wesen in reichster Fülle in das Wort und in den Ton ergoß. Er soll es zu Coburg auf der Veste während des Augsburger Reichstags im Jahre 1530 täglich, mit der Laute am Fenster stehend und gen Himmel schauend, gesungen haben.

– – ·

72.

**Ein' feste Burg ist unser Gott,
Ein' gute Wehr und Waffe.**

Nach dieser Wehr und Waffe griff auch der edle Schwedenkönig, Gustav Adolph, am Morgen der Schlacht bei Leipzig, den 17. September 1631, da er Tilly gegenüberstand. Er ließ vor dem Beginn der Schlacht sein ganzes Heer dies Lied anstimmen, und als ihm nun Gott zum Siege verholfen

und er den Feind allenthalben fliehen sah, warf er sich mitten
unter den Todten und Verwundeten auf seine Knie und dankte
Gott und rief: „Das Feld muß er behalten." Gott
war und blieb auch in Allem seine Burg; nichts that er ohne
ihn, und auf den Fahnen seines Heeres stand mit goldenen
Buchstaben: „Ist Gott für uns, wer mag wider uns
sein?" Röm. 8, 31.

---

73. Ein' feste Burg ist unser Gott.

Im Jahre 1727 wurde Leopold Anton von Firmian Erzbischof von Salzburg. Ein Mann mit einem stolzen Sinne,
mit einem harten Herzen und einem finstern Angesicht. Dieser
und sein Minister faßten nun gleich nach ihrem Regierungsan-
tritt den Entschluß, die Evangelischen zur Verläugnung ihres
Glaubens zu zwingen oder aus dem Staate hinauszutreiben.
Der Letztere hoffte dabei eine schöne Summe Geld von dem
Vermögen der Ketzer zu gewinnen; der Erstere sich dadurch die
Gunst seines Oberherrn, des Papstes, im hohen Grade zu verdienen. Auf Befehl der Regierung durchzogen jetzt ganze Haufen Jesuiten unter dem Namen „Bußprediger" das Land. An
diese schlossen sich zu tüchtigen Gesellen die Priester der Ortschaften an. So drangen sie bei Tag und Nacht in die Häuser
ein, durchsuchten alle Schränke und Winkel nach evangelischen
Büchern. Wehe aber dem, der als Evangelischer erkannt wurde,
über ihn erging ein furchtbares Gericht. Er wurde öffentlich
in der Kirche dem Teufel übergeben, durfte nicht mehr das Sakrament des Altars genießen, nicht mehr am Taufstein Pathen-
stelle vertreten, und wenn er starb, wurde seinem Leichnam die
Ruhestätte in geweihter Erde versagt. Nach vielen vergeblichen
Versuchen, die Evangelischen von ihrem Glauben abwendig zu
machen, drangen im Herbste 1731 sechstausend Mann Infante-
rie und Cavallerie in das Land. Nun erreichte das Quälen
und Leiden eine ungeheure Höhe. Die Soldaten quartirten sich
in die evangelischen Häuser ein, wirthschafteten darin mit Fluchen und Toben, erbrachen Kisten und Schränke, und plünderten.
Am Schlusse des Jahres 1731 fingen die Evangelischen an
auszuwandern, nachdem sie viele Trangsale ausgestanden hatten.
Die Meisten zogen, in verschiedenen Richtungen, gen Preußen.

Der preußische König, Friedrich Wilhelm I. hatte ihnen Kom=
missäre entgegengesendet, die, wo es Noth war, für ihre Bedürf=
nisse sorgten und sie führten. Von der großen Liebe, mit der
sie auf evangelischem Boden überall aufgenommen wurden, hier
nur ein Beispiel.

Gera, eine Stadt im Sächsischen, wurde durch die
Nachricht von ihrer Ankunft ganz in Bewegung gesetzt und Tau=
sende der Bewohner eilten den theuern Gästen entgegen. Je
länger sie verzogen zu kommen, desto größer wurde die Unge=
duld der Städter. Endlich, schon in der Dämmerung, tönte
über die schweigenden Fluren das Lied her:

> Ein' feste Burg ist unser Gott,
> Ein' gute Wehr und Waffen;
> Er hilft uns frei aus aller Noth,
> Die uns jetzt hat betroffen;
> Der alte böse Feind
> Mit Ernst er's jetzt meint,
> Groß' Macht und viel List
> Sein grausam' Rüstung ist;
> Auf Erd'n ist nicht sein's Gleichen.

Mit Entzücken bewillkommte man die müden Pilger, und
es entstand ein schöner Wettstreit, indem jeder Einwohner einige
in seine Wohnung zur wohlbereiteten Erquickung führen wollte.
Tief in die Nacht wallte das freudetrunkene Volk in den Stra=
ßen auf und nieder, und wie aus den Häusern die schönen
Nachtgesänge ertönten, da stimmte in frommer Begeisterung auch
das Volk auf den Straßen mit ein. Am andern Morgen hiel=
ten die Geistlichen einen feierlichen Gottesdienst in der Stadt=
kirche. O wie schlug hier, in den weiten hohen Hallen des
evangelischen Tempels, den Salzburgern das Herz so fromm und
froh! Nach der Kirche ging ein rühriges fröhliches Leben auf
dem Markte an. An den Brunnen standen die Mägde, wuschen
und glätteten mit emsigen Händen; Geras Frauen und Jung=
frauen hatten ihre Schränke geöffnet und aus ihrem Schatze
Altes und Neues hervorgeholt, sie nahmen den fremden Müt=
tern ihre Säuglinge und hüllten sie sorgsam in frische Wäsche
und Betten ein, oder waren von Kinderhaufen umringt, die sie
unter freundlichen Gesprächen mit anmuthiger Geschäftigkeit an=
zogen und aufputzten. Auf gleiche Weise wurden die Salzburger

in Potsdam, Berlin und andern Städten empfangen. In Al=
lem waren **30,000** Menschen ausgewandert.

74.

Churfürst und Pfalzgraf Friedrich III. gab, als man ihn
fragte, warum er keine Festungen in seinem Lande bauen ließ,
folgende Antwort: „Eine feste Burg ist unser Gott! so haben
wir getreue Unterthanen, wohlgeneigte Nachbarn, und im Fall
der Noth eine mittelmäßige Anzahl solcher Kriegsleute, die nicht
allein mit Wehr und Waffen, sondern auch vornämlich mit dem
Gebet, unsern Feinden widerstehen können."

Auf dem zu Wittenberg aufgestellten Standbilde Luther's
stehen auf der Vorderseite die Worte: „Ein' feste Burg ist un=
ser Gott."

75.

Eine Mauer um uns bau',
Daß dem Feinde davor grau'.

In der Zeit des Glaubens frommt uns nicht, Vieles
und Großes zu scheuen, und Gott pflegt, wo er sich offenbaren
will, seine Größe noch hinter der Kleinheit der Mittel, durch
die er sich offenbaret, zu verbergen und zu verhüllen. Kann er
für uns Arme doch nie anders groß als im Kleinen sein! Aber
doch, wie oft ist diese seine gewöhnliche und nothwendige Weise
zu handeln verkannt worden! Sagen sie nicht, dies und das
sei zu gering für ihn, drum hat nicht er's, sondern der Zufall
gethan?

Im Anfang des Jahres **1814** standen Schweden, Ko=
saken und die russisch=deutsche Legion nur eine halbe Stunde
von Schleswig entfernt; jeden Tag kam vom Lande her den Stadt=
bewohnern eine neue Schreckensnachricht zu, denn wild und rauh
war das Betragen einiger von dieser feindlichen Schaar; und
was mußte man erst erwarten, wenn die Zeit des Waffenstill=
standes abgelaufen war! Angstvoll sah man der Mitternachts=
stunde des 5. Januars entgegen, denn dann war dieser Waffen=

stillstand zu Ende. Da wohnte nun am Eingange der Stadt, nach der Seite hin, wo der Feind stand, eine alte, fromme Frau, Großmutter von einem zwanzigjährigen Enkel, der nebst seiner schon ziemlich bejahrten Mutter mit der alten Frau in einem Hause wohnte. Betete sie in guten Tagen, was sollte sie nicht in diesen bösen Tagen beten? Ja, ja, die Zeit der Noth ist just die Zeit, wo man nur ganz dreist zu Gott kommen darf, wenn man auch sonst nicht zu ihm gekommen ist; denn die Noth ist sein gewöhnliches Einladungsschreiben an harte Herzen, daß sie weich werden sollen und ihn suchen. Die gute fromme Frau betete nun in diesen Tagen ganz einfältiglich mit Inbrunst den Vers eines alten Kirchenliedes:

> Eine Mauer um uns bau',
> Daß dem Feinde davor grau',

Das hörte der Enkel. Ei, Großmutter, sagte er, wie mögt Ihr doch um so ein unmöglich Ding bitten, daß der liebe Gott gerade um Euer Haus eine Mauer bauen soll, daß der Feind nicht dazu kommt? — Das will ich damit auch nicht gesagt haben, versetzte sie, sondern ich hab's anders gemeint, nämlich der Herr wolle gnädiglich uns und unsere Stadt vor dem Feinde schützen und bewahren; das habe ich mit dem Gebet sagen wollen. Aber was denkst Du denn, wenn's nun Gott just auch gefiele, so eine Mauer um uns her zu bauen, meinst Du, daß er das nicht könnte?

Nun kam denn jene gefürchtete Stunde. Die feindlichen Vorposten rückten von allen Seiten in Schleswig ein; die dänischen Truppen hatten sich schon Tags vorher zurückgezogen, und immer mehr kleine Abtheilungen kamen nach. Das Haus der alten Frau lag, ziemlich hervorstehend vor andern Häusern, an der Heerstraße; desto eher und desto häufiger hätte sie also von den Soldaten besucht werden sollen; wohl sahe sie, daß sie zu den Häusern ihrer Nachbarn ritten und da allerlei verlangten, aber zu ihr kam Keiner, Alles ritt vor ihr vorbei. Das ging nun so zu: bisher hatte es fast gar nicht geschneiet, erst am 5. Januar war ein großes Schneegestöber, und am Abend dieses Tages kam Sturm dazu, und das Gestöber wurde so heftig, als man es selten sieht. Vier Pulk*) Kosacken fanden den

---

*) Pulk, ein Trupp, Fähnlein (Kosacken).

Weg um die Stadt, den sie ziehen sollten, verschneit, und warfen sich nun in die Stadt hinein, blieben aber alle in dem Theil derselben, der ihnen am nächsten war, und der ziemlich weit von dem größeren Theile entfernt liegt. Darum wurden dort die Häuser mit Soldaten überladen, so daß wohl 60—70 Mann sich in mehrern der Wohnungen einquartierten, die um das Haus der alten, frommen Frau lagen. Schrecklich ging's da zu, aber zu der alten Frau wollte keiner der wilden Fremdlinge kommen, nicht einmal an die Laden klopfte einer. Deß wunderte sich denn Großmutter, Tochter und Enkel gar sehr, und wie war's denn auch nur zugegangen? Das fand sich gleich am andern Morgen. Der Glaube hatte der guten Frau geholfen. Wer glaubt, dem hält der Herr oft ganz wörtlich Wort, und das that er auch hier. Denn in der Nacht hatte er wirklich eine Mauer um das Haus gebaut; ein Mannshoher Schneeberg zog sich vor dem Hause her, daß die Kosacken wohl hatten von ihm wegbleiben müssen. Siehst Du nun, sagte die Großmutter zum Enkel, daß Gott auch eine Mauer um uns bauen kann? Der Enkel staunte den Schneeberg an, und schämte sich seines Unglaubens.

76.

Drauß vor Schleswig, an der Pforte
Wohnen armer Leute viel.
Ach, des Feindes wilder Horde
Werden sie das erste Ziel!
Waffenstillstand ist gekündet;
Dänen ziehen aus zur Nacht;
Russen, Schweden sind verbündet,
Brechen ein mit wilder Macht.

Drauß vor Schleswig, weit von allen,
Steht ein Hüttlein ausgesetzt.

Drauß vor Schleswig in der Hütte
Singt ein frommes Mütterlein:
„Herr, in deinen Schooß ich schütte
Alle meine Sorg' und Pein!"
Doch ihr Enkel, ohn' Vertrauen,
Zwanzigjährig, neuster Zeit,

Hat, den Bräutigam zu schauen,
Seine Lampe nicht bereit.

Drauß vor Schleswig in der Hütte
Singt das fromme Mütterlein.

„Eine Mauer um uns baue!"
Singt das fromme Mütterlein,
„Daß dem Feinde vor uns graue,
Nimm in deine Burg uns ein!"

„„Mutter, spricht der Weltgesinnte,
Eine Mauer uns ums Haus
Kriegt fürwahr nicht so geschwinde
Euer lieber Gott heraus!""

„Eine Mauer um uns baue!"
Singt das fromme Mütterlein.

„Enkel, fest ist mein Vertrauen!
Wenn's dem lieben Gott gefällt,
Kann er uns die Mauer bauen,
Was er will, ist wohl bestellt."

Trommeln rumbidum rings prasseln;
Die Trompeten schmettern drein;
Rosse wiehern, Wagen rasseln;
Ach, nun bricht der Feind herein!

„Eine Mauer um uns baue!"
Singt das fromme Mütterlein.

Rings in alle Hütten brechen
Schwed' und Russen mit Geschrei,
Fluchen, lärmen, toben, zechen,
Doch dies Haus gehn sie vorbei.
Und der Enkel spricht in Sorgen:
„„Mutter, uns verräth das Lied!""
Aber sieh! das Heer, vom Morgen
Bis zur Nacht, vorüber zieht.

„Eine Mauer um uns baue!"
Singt das fromme Mütterlein.

Und am Abend tobt der Winter,
Um die Fenster stürmt der Nord.
„Schließt die Laden, lieben Kinder!"
Spricht die Alte, und singt fort.

Aber mit den Flocken fliegen
Nun Kosackenpulke 'ran;
Rings in allen Hütten liegen
Sechzig, auch wohl achtzig Mann.

„Eine Mauer um uns baue!"
Singt das fromme Mütterlein.

„Eine Mauer um uns baue!"
Singt sie fort die ganze Nacht.
Morgens wird es still: „O schaue,
Enkel, was der Nachbar macht!
Auf nach innen geht die Thüre;
Nimmer käm' er sonst hinaus:
Daß er Gottes Allmacht spüre,
Liegt der Schnee wohl haushoch drauß.

„Eine Mauer um uns baue!"
Sang das fromme Mütterlein.

„„Ja! der Herr kann Mauern bauen!
Liebe, gute Mutter komm,
Gottes Wunder anzuschauen!"" "
Spricht der Enkel und ward fromm.
Achtzehnhundert vierzehn war es,
Als der Herr die Mauer baut;
In der fünften Nacht des Jahres
Hat's dem Feind davor gegraut.

„Eine Mauer um uns baue!"
Sang das fromme Mütterlein.

----

77. Ein Kindelein, so löbelich.

Unter die Lieder, welche schon vor der Reformation da
waren, gehört auch: „Ein Kindelein, so löbelich." Luther selbst
setzt es unter die von alten Christen gemachten Gesänge und
war schon achthundert Jahre vor Luther bekannt, doch nur der
erste Vers, später erschienen die drei folgenden. Es lautet:

Ein Kindelein, so löbelich
Ist uns geboren heute
Von einer Jungfrau säuberlich
Zu Trost uns armen Leuten.

Wär' uns das Kindlein nicht geboren
So wär'n wir allzumal verloren:
Das Heil ist unser Aller.

Als ein Wittenbergischer Doctor zu Melanchthon schickte und ihn fragen ließ: warum man in diesem Liede sänge: „ist uns geboren heute" da doch Christus vor so viel hundert Jahren Mensch geboren worden? so gab Melanchthon dem Die= ner zur Antwort: Sage deinem Herrn, ob er nicht auch heute Trost bedarf? —

Kaiser Ferdinand 1. soll einst bei Anhörung dieses Liedes gesagt haben: Ich bin auch deren Einer, von welchen gesungen worden: „Zu Trost uns armen Leuten!" Ich gehöre auch unter die armen Leute, von welchen Christus zu den Abgesandten Johannis des Täufers sagte: Den Armen wird das Evangelium gepredigt!

---

78. Ein Herz mit Reu und Leid getränkt.

Ein Student lag krank zu Wittenberg, Dr. Martin Lu= ther besuchte ihn und sprach: Mein Sohn! es stehet schlecht um dich, allem Ansehen nach wirst du diese Welt gesegnen müssen. Nun weißt du wohl, daß du ein sündliches Leben geführt. Wie willst du nun vor Gott bestehen, und was willst du ihm mit= bringen? Der Student antwortete: Herr Doctor! ich weiß ihm nichts anderes mitzubringen, als

Ein Herz mit Reue und Leid getränkt,
Mit Christi theurem Blut besprengt,
Voll Glauben, Liebe und gutem Vorsatz,
Das ist vor ihm der beste Schatz.

Ei, bist du so gefaßt, sagte Luther, so fahre hin, mein Sohn, in Gottes Namen, du wirst ihm ein angenehmer Gast sein.

79. Einig's Herze, das soll meine Weide.

Bei dem Rückmarsche der Russen im Jahre 1813, so er= zählt ein Landprediger in der Gegend von Görlitz, kam ein Oberster zu mir ins Quartier, ein Mann, der die Liebe und

Freundlichkeit selbst war, aber fast nicht ein Wort deutsch spre=
chen konnte. Nach dem Mittagessen und nachdem er ausgeruhet,
rief er mich in sein Zimmer. Hier öffnete er einen Koffer und
brachte ein sehr schönes Kästchen heraus, worinnen ein in vio=
lettem Sammet mit silbernen schönen Figuren eingebundenes und
mit goldenem Schnitt versehenes Buch befindlich war. Indem
er es aufschlug und mir zeigte, sagte er: „Dat is Bibel —
das ich alle Tag!" — Ich sah hinein und sah an den Auf=
schriften, daß es eine russische Bibel sei. Er wollte nun gern
sich mit mir besprechen, konnte aber nicht, und mich verstand er
nicht.

Ebenderselbe ließ sich, da ich eine Harmonika besitze und
etwas weniges spiele, Abends von mir vorspielen. Nachdem er
eine Weile zugehört, sprach er zu mir: „Pastor, spiel sich so,
wie thun die Leut, wenn sie beten zu Gott in der Kirk." Ich
verstand ihn, daß er Choräle hören wollte, fing also an zu spie=
len, worauf er mich während dem Spielen verließ. Nachdem
ich eine Weile gespielt hatte, trieb mich die Neugierde zu sehen,
wo er sei. Ich sahe durch die Spalte, die zwischen seiner Thür
und dem Thürstock war, hindurch und bemerkte ihn, auf seinen
Knieen liegend, mit entblößtem Haupte beten. Dies rührte mich,
und ich ergriff die Melodie aus Herrnhut:

> Einigs Herze, das soll meine Weide
> Und schon hier mein Himmel sein,
> Dir zu leben, dir allein zur Freude,
> Leib und Seele dir zu weihn;
> Bin ich gleich kein Held, viel auszustehen,
> Mag mirs darum gleichwohl immer gehen,
> Blutigs Herze! wie du willt,
> Bis ich meinen Lauf erfüllt.

Nachdem ich sie zwei Mal durchgespielt, wollte ich zu ei=
ner andern übergehen. „Noch mal!" schallte es aus seinem
Zimmer, und ehe ich damit fertig werden konnte, war er bei
mir, und als ich fertig war, sagte er: „Nun ich dank!" Da
ich aufgestanden war, drückte er mich mit Feuer an seine Brust,
küßte mich und sagte: „Jesus Christus mit dir!" Mir stürzten
Freudenthränen aus den Augen. Als er diese sahe, trocknete er
sie mit seinem Tuche und küßte sie. „Gott segne!" rief er zu=
letzt und legte sich zur Ruhe. Meine Seele hatte aber viel zu

Heinrich, Erz. 1.   7

thun, ehe sie einschlafen konnte. — Das angeführte Lied ist
vom Graf Zinzendorf.

---

80. Ei, wie so selig schläfest du.

Leute, welche die Brüdergemeinde nur aus der Ferne ken=
nen, denken sich heute noch unter ihr eine Secte von Kopfhän=
gern und Schwärmern, und ihren Gründer, den Graf Zin=
zendorf, als einen verschrobenen Kopf; und sagt man ihnen,
daß er Leib und Leben, Gut und Blut daran gewendet habe,
ihrer Etliche selig zu machen, dann können sie noch weniger be=
greifen, wie ein Mann von seinem Geist, seinen Kenntnissen
und seiner Stellung einen solch untergeordneten Beruf habe
wählen können. Ein Graf und doch Prediger des Evange=
liums, ein Reicher und doch der Aermsten Diener, ein Angesehe=
ner und doch um seines Glaubenswillen Geschmähter und Ver=
folgter, das sind Gegensätze, die die Welt noch heute nicht fas=
sen kann. Wenn man aber die Menge der Schriften überschaut,
die Zinzendorf in den Jahren 1722 bis 1736 schrieb, wenn
man die Reisen betrachtet, die er im Dienste des Reiches Got=
tes machte, wenn man sich die hundertfachen Angriffe vergegen=
wärtigt, die er von Gelehrten und Ungelehrten zu ertragen
hatte, wenn man erfährt, wie derselbe Mann heute durch Spott
und morgen durch Preis, geehrt und verachtet, gelobt und ge=
schmäht, doch immer gleich thätig, gleich liebend und verzeihend
blieb, dann unterliegt es keinem Zweifel, und gewiß, Jeder muß
es erkennen, daß er ein treuer Diener des Herrn war. Das
zeigte sich auch bei seinem Tode.

Er erkrankte an einem Katarrhalfieber den 5. Mai 1760,
das einen schnellen Verlauf hatte. Während der ganzen Krank=
heit war er aber heiter in seinem Gemüth. Er pries den Herrn
für das viele Gute, das er in den etlich und dreißig Jahren
seines Dienstes gethan hatte an ihm und der Gemeinde. Wer
ihn besuchte, wurde mit dem Ausdruck der zärtlichsten Liebe
empfangen. Als sein Ende nicht mehr ferne war, ließ er seinen
Schwiegersohn, Johannes von Watteville, dicht an sein Bett
setzen und sagte ihm mit schwacher Stimme und schon schwer
athmend: „Nun, mein getreuer Johannes, ich werde nun zu
meinem Heiland gehen; ich bin fertig; ich bin in den Willen

meines Herrn ganz ergeben und er ist mit mir zufrieden. Will er mich nicht länger hier brauchen, so bin ich ganz fertig, zu ihm zu gehen, denn mir ist nichts mehr im Wege." Dann sah der zum Hinscheiden fertige Jünger des Herrn sich noch einmal im Zimmer, in dem sich gegen hundert Schwestern und Brüder eingefunden hatten, mit unbeschreiblich vergnügten Blicken um, und diese seine redenden Blicke wurden von den Anwesenden mit Liebesthränen beantwortet. Sein letzter Abschiedsblick war ungemein heiter und ehrwürdig. Es war Morgens zehn Uhr am 9. Mai 1760, als der Steckfluß, der bei ihm eingetreten, ein Ende nahm, worauf er sein Haupt zurücklegte und seine Augen für immer schloß. Sein Schwiegersohn segnete ihn noch mit dem Segen des Herrn, und als er das letzte Wort desselben: „Friede!" aussprach, erfolgte der letzte Athemzug des Mannes Gottes. Er ward unter einem Gefolge von 2100 Leichenbegleitern und 2000 Fremden in größter Ordnung und Stille mit Ehrerbietung beerdigt. Zweiunddreißig Prediger und Missionare, deren einige aus Holland, England, Nordamerika und Grönland in Herrnhut eben anwesend waren, trugen wechselnd den Sarg, unter Begleitung der ganzen Gemeine, mit Musik und Gesang, unter andern dem Liede:

> Ei, wie so selig schläfest du
> Nach manchem schweren Stand,
> Und liegst nun da in süßer Ruh,
> In deines Heilands Hand.

> Du läß'st dich zur Verwandelung
> In diese Felder sä'n
> Mit Hoffnung und Versicherung,
> Viel schöner aufzustehn.

> Verbirg dich unserm Angesicht
> Im kühlen Erdenschooß;
> Du hast das Deine ausgericht't
> Und hast ein selig's Loos!

Ueber ganz Herrnhut waltete in dieser Stunde ein allgemeiner, herzrührender und stiller Friede.

———

7*

81.

Erhalt uns, Herr, bei deinem Wort
Und steure stets der Feinde Mord,
Die Jesum Christum, deinen Sohn,
Stürzen wollen von seinem Thron.

Luther dichtete von diesem Liede die drei ersten Verse und zwar nicht lange vor seinem Tode, die beiden folgenden wurden später durch Justus Jonas hinzugefügt. Zur Zeit der Gefangenschaft des Churfürsten Johann Friedrich betete nicht nur dessen fromme Gemahlin Sibylle eifrigst für ihren Gemahl, sondern sie ließ auch zu Weimar wöchentlich dreimal die Litaney öffentlich singen, und setzte zu dem Liede: „Erhalt uns, Herr, bei deinem Wort" folgenden Vers hinzu:

Ach Herr, laß dir befohlen sein
Unsern Landesherrn und Diener dein;
Im festen Glauben ihn erhalt,
Und rett' ihn aus der Feind' Gewalt.

Nachdem Gott das brünstige Gebet dieser frommen Fürstin erhört, und ihr Gemahl aus der Gefangenschaft, in welcher ihn die Feinde der Wahrheit fünf Jahre gehalten hatten, zu ihr zurückgekehrt war, wurde öffentlich in der Kirche Gott in folgendem Verse gedankt:

Wir danken dir, o treuer Gott,
Daß du unsers Lands=Fürsten Noth
Gewendet hast so gnädiglich,
Regier ihn forthin seliglich.

---

82. Erhalt uns, Herr, bei deinem Wort.

Als der kaiserliche General Tilly am 10. Mai 1631 die Stadt Magdeburg mit Sturm erobert hatte, richteten seine Krieger ein schreckliches Blutbad unter den Einwohnern an. Da zogen während dieser Schreckensauftritte die Schulkinder in Ordnung über den Markt her und sangen dieses Lied. Darüber ergrimmt, ließ der grausame Feldherr sie Alle, wie einst Herodes die kleinen Bethlehemiten, durch die Croaten niedersäbeln, wie=

wohl sich selbst zur größten Kränkung, sintemal er solchen Kin-
dermord hernach nicht allein bereuet, sondern auch nach dieser
That gar kein Glück mehr gehabt hat.

83.

Die Kinder sangen dies Lied: „Erhalt uns, Herr, bei
deinem Wort" in den Häusern und auf den Straßen, und eine
merkwürdige, weit verbreitete Sage erzählt, der türkische Kaiser
habe seine Gelehrten zusammengefordert und sie gefragt, ob er
auch werde Glück haben wider die Christen. Darauf sie geantwortet: Zu Felde, da er mit seinem Volke, als Menschen, wider
Menschen streite, werde er Glück haben, aber es wären auch viel
junger Kinderlein in Deutschland, die stets zwitscherten: „Erhalt
uns, Herr, bei deinem Wort und steur des Papsts und Türken
Mord," die würden ihn ohne alle Wehr und Waffen schlagen
und wieder zurücktreiben.

84.

Als ein Bürgermeister zu Lemgo in der Grafschaft Lippe
seinen Rathsdiener in die Kirche geschickt hatte, auf diejenigen
Bürger zu achten, welche eine Liebe zu der neuen Religion würden blicken lassen, damit sie gestraft werden könnten, und denselben bei seiner Zurückkunft befragte: Welche denn die Lieder:
„Erhalt uns, Herr, bei deinem Wort," und „Eine feste Burg
ist unser Gott" gesungen hätten? und er zur Antwort gab:
Herr, sie sungen alle. Da sprach der Bürgermeister: Ei, Alles
verloren! — Und hat auch, von dieser Zeit an das Papstthum
an gedachtem Orte sich nicht wieder erholen können.

85.

Es ist bekannt, daß der theure Gottesmann Luther im
Jahre 1546 den 18. Februar früh halb drei Uhr zu Eisleben
gestorben ist. Den 20. Februar Mittags von zwölf bis ein Uhr

wurde die Leiche in Begleitung einer großen Volksmenge, unter
Glockengeläute und Gesange, mit vielen Thränen die Stadt hin=
durch bis vor das Thor begleitet, wo am äußersten Geistthore
Eislebens Jugend und Kinderschaar, in Trauerkleider gehüllt,
auf den Knieen lag und unter Thränen das Lied sang: Er=
halt uns, Herr, bei deinem Wort ꝛc. Die Einwohner
Eislebens begleiteten die Leiche unter abwechselndem Gesange
bis Seeburg. Unterwegs von Eisleben bis Halle, wurden in
allen benachbarten Dörfern die Glocken geläutet. Den 22. Febr.
wurde der Sarg in der Schloßkirche zu Wittenberg unter gro=
ßen Feierlichkeiten beigesetzt.

Nach dem Berichte eines Zeitgenossen Luther's, des M.
Cyriacus Spangenberg, lesen wir in dessen Sammlung von
Liederpredigten (gedruckt 1569), die er in Mansfeld als dortiger
Generaldecan gehalten, daß um dieses Liedes willen viele Pfarr=
herren und Schulmeister abgesetzt und verjagt, daß es oftmals
durch gottlose Obrigkeit zu singen und zu sprechen verboten wor=
den, ja daß fromme christliche Unterthanen darüber ins Elend,
auch etliche in schwer Gefängniß, und nicht wenig ums Leben
gebracht sind.

So sehr hielt man damals und lange Zeit dieses Lied in
Ehren, daß man an die Glocken schlug, damit es Morgens und
Abends von dem Volke sollte gesungen werden. Fast in allen
alten Kirchenordnungen war es nächst dem Lied: „Verleih uns
Frieden gnädiglich" vorgeschrieben zum Singen beim Läuten,
Stundenschlagen, in der Vesper, bei der Predigt u. s. w. In
der Ulmer Kirchenordnung vom Jahre 1747 ist es als Mittags=
gebet vorgeschrieben.

86.

Der Oberhofprediger Dr. Weller starb im Jahre 1664.
Kurz vor seinem Ende sang er noch mit den Seinigen das Lied:
„Erhalt uns, Herr, bei deinem Wort" und fing es selbst an.
Darauf stieg er in das Bett, denn er hatte noch so viel Kräfte,
und seufzte dabei: „Das walt Gott Vater, Sohn und heiliger
Geist, die heilige, hochgelobte Dreieinigkeit;" und da er es ge=
sagt, verschied er sanft, ohne alle Bitterkeit des Todes.

87. Es ist gewiß ein köstlich Ding.

Ein vornehmer junger Mann, der nicht lange erst zur Erkenntniß Jesu Christi gekommen war, traf in einem Hotel in Königsberg mit einem jungen Kaufmanne zusammen, der nach einigen Unterredungen ein solches Vertrauen zu ihm gewinnt, daß er sich ihm entdeckte. Er sagte ihm, daß er eben im Begriff stehe, sich das Leben zu nehmen, und zwar, weil er auf der Elbe, beim Hinüberbücken über das Geländer des Dampfschiffes, sein Taschenbuch und damit eine bedeutende Summe Papiergeldes, die seinem Prinzipal gehörte, verloren. Er wage es nun nicht zurückzukehren; Anfangs habe er über die preußische Grenze gehen, und sich dem Schicksal überlassen wollen. Jetzt aber sei der Entschluß zum Selbstmorde in ihm reif geworden. In dem Augenblicke, wo der vornehme junge Mann das hört, tritt ihm der Unglaube in seinem ganzen Elend entgegen, es kommt ihm, wie früher noch nie, zum Bewußtsein, wie schrecklich der Mensch daran ist, der keinen ewigen Halt, der keinen Gott und Heiland hat. Freilich fühlte ich damals (bekennt der vornehme junge Mann), wie wenig ich selbst noch hatte; aber ich mußte meinen Gott doch loben für das, was er mir gegeben, und für die Gnade, mit der er mich vom Abgrunde des Verderbens zurückgezogen. Mit dem Wenigen, das ich hatte, kam ich nun heraus, und redete aus meinem Herzen und aus meinem Glauben zu dem armen Verzweifelnden.

Der Herr gab Gnade, daß ihm meine Worte zu Herzen gingen. Nun gingen wir zusammen in einen Buchladen, um die heilige Schrift zu kaufen, die Jener noch nicht kannte, und auf die ich ihn, als auf den einzigen Halt und Trost, gewiesen.

Im Buchladen wird uns ein Gesangbuch angeboten, mein Gefährte schlägt es auf, und liest den Vers:

Es ist gewiß ein köstlich Ding
Sich in Geduld zu fassen,
Und Gottes väterlichen Wink
Sich ganz zu überlassen,
Sowohl bei trüber Noth und Pein,
Als auch bei heiterm Sonnenschein.
Geduld erhält das Leben.

Da sehe ich, wie ihm beim Lesen die Thränen aus den Augen stürzen. Wir kommen nach Hause. Da giebt er mir sein Terzerol ab, und gelobt, von seinem sündlichen Vorhaben abzustehen. Der Entschluß war nun gefaßt, zurückzukehren zu seinem Prinzipal, und Alles über sich ergehen zu lassen, was Gott beschlossen. So trennten wir uns.

Wie wunderbar spinnt doch die Jesusliebe ihre Fäden, die verirrten Sünder damit zu umziehen. Wie treu, und oft so verborgen, geht doch der gute Hirte den verlornen Schafen nach! Wie lohnt er die Treue im Kleinen schon hier, und segnet es, wenn mit dem von ihm verliehenen Pfunde treulich gewuchert wird!

88. Es ist gewißlich an der Zeit.

Joh. Schmidtgens, Hofgärtner zu Sorisch=Conzendorf in der Ober=Lausitz, sang dieses Lied bei einem Gewitter, indem er sich, unvorsichtiger Weise, unter eine Eiche stellte; als er zum Schluß dieses Liedes kam:

> Komm doch, komm doch, du Richter groß,
> Und mach uns in Gnaden los
> Von allem Uebel. Amen!

streckte ihn ein Blitzstrahl todt zur Erde. — Das geschah am **8. August 1702.**

Das Lied ist aus dem Lateinischen übersetzt. Der Uebersetzer ist unbekannt. Bartholomäus Ringwaldt verbesserte es um das Jahr **1598.**

89. Einst hat er auch, der Menschenfreund.

Eine fromme Wittwe war in großer Noth. Mit thränenden Augen schlägt sie das auf dem Tische liegende Gesangbuch auf, und findet folgende Verse:

> Einst hat er auch, der Menschenfreund,
> Im Thränenthale hier geweint;
> Auf deine Thränen giebt er Acht,
> Und dir zu helfen hat er Macht.
>
> Und helfen will er, zweifle nicht!
> Hör', was sein treuer Mund verspricht:

Nicht lassen will ich, Seele, dich!
Sei frohen Muths und glaub' an mich!

Bald darauf kam ihr braver und frommer Sohn nach
Hause und brachte eine goldene Sackuhr, die er auf dem Wege
gefunden. Mit bangem Herzen wendeten beide sich zum Herrn
mit der Bitte und Anfrage, was sie doch jetzt machen sollten?
Die Antwort in ihrem Innern war: daß sie den Fund bekannt
machen sollten. Es geschah, und bald kam ein Herr, der die
Uhr verloren hatte und gab dem redlichen Finder acht Thaler.
Die Mutter fiel mit ihrem Sohne nieder und dankte dem Geber
aller guten Gaben mit Thränen für diese Aushülfe.

90. Es ist das Heil uns kommen her.

(Zwei Geschichten aus Luther's Zeit in Versen.)

Es ist das Heil uns kommen her;
Die Zeit sie ist gekommen,
Wo wiederkehrt die reine Lehr';
Jetzt hilft nicht Macht, nicht Waffenwehr',
Nicht Fürstenthum, nicht Kaiserehr',
Wenn sie sich stämmen noch so sehr,
Es kann ihnen all nichts frommen.

Der reinen Lehre starke Macht
Hält alles dies bezwungen.
Der heil'ge Glaub' ist neu erwacht,
Er steigt empor aus alter Nacht,
Hat Lieb' und Hoffnung wiederbracht
Und tilgt der Werke sünd'ge Pracht,
Die vreisen Gleißners Zungen.

So hört es denn und glaubt es fest,
Wie es einmal ergangen
Zu Heidelberg am heil'gen Fest. —
Ob Fürstenmacht den Herrn verläßt,
Dann niedres Volk ihn doch nicht läßt,
Wirst kühnlich ab den letzten Rest
Von Menschenfurcht und Bangen.

Dort in der Kirch' zum heil'gen Geist
Wird einst zur Meß' geläutet.

Der Churfürst selber bald sich weis't,
Das Volk den Herrn andächtig preis't,
Doch Luthers Lehre allermeist,
Die mancher still die seine heißt,
Ist dorthin schon verbreitet.

Jetzt Stille herrscht am heil'gen Ort
Und alle für sich beten,
Bis daß der Priester nimmt das Wort,
Die Meß' beginnend, also fort
In Opferpomp mit fremdem Wort
Das Volk empfehlend Gottes Hort
Es will beim Herrn vertreten.

Wohl mancher seufzend zu sich spricht:
Wie also wir Gott dienen,
Wir kennen's, wir verstehen's nicht;
Doch wie es Luther uns bericht't,
Ist alles klar, ist alles licht,
Die Andacht frei durch's Herze bricht:
Gott's Gnad' ist neu erschienen.

Der Churfürst selber fühlet wohl
Die starke Macht der Wahrheit:
Er huldigt ihr nicht, wie er soll,
Weil Furcht ihn hält zu sehr im Zoll
Vor Kaisers Zorn, der Grimmes voll
In Waffenklang schon laut erscholl,
Zu tilgen neue Klarheit.

Wie wundervoll sich Gott erweis't,
Hört's jetzt zu seiner Ehre,
Ihr Frommen gläubig allermeist. —
Da ist's, als wenn der heil'ge Geist,
Den Gottes Gnade dem verheißt,
Der ihn durch Buß' und Glauben preis't,
Der Gemeine Sinn verkläre.

„Es ist das Heil uns kommen her"
Fängt stracks man an zu singen —
„Die Werke helfen nimmermehr" —
Die Orgel tönt so hell und hehr.
Versunken in der Andacht Meer
Einstimmig und einmüthig sehr
Die Herzen sich erschwingen.

Der Priester legt das Sakrament
Stillschweigend drauf bei Seite;

Die heil'ge Glut in ihm auch brennt,
Die keines Menschen Zunge nennt,
Der Wahrheit gern die Ehr' er gönnt
Und auf die Kniee sinkt am End'
Beim hellen Sang der Leute.

Ja auch der Churfürst selber kann
Forthin nicht widerstreben.
Die Wahrheit so den Sieg gewann,
Trotz Kaisers Acht und Papstes Bann;
Er stand verwundernd still und sann
Und sprach so fort ermuthigt dann:
Gott sei die Ehr' gegeben.

Und so ließ er in deutscher Zung',
In beiderlei Gestalten,
Zu fördern stets der Andacht Schwung,
Damit verständ' es Alt und Jung,
Da man nicht fremde Worte sung —
Und wie's die rechte Lehre drung —
Das heil'ge Nachtmahl halten.

91.

„Wer singt da draußen vor der Thür,
Stört mich in heil'ger Arbeit hier
So spät in nächt'ger Weile?
Die Zeit rinnt hin und wahrlich wohl,
Wer Gottes Wort recht fördern soll
Hat immer große Eile."

Spricht's Luther, der im Kämmerlein
Studirt noch bei der Lampe Schein
Und will hinaus schon geben.
Da hört er den Gesang recht an,
So hell und fromm, so wohlgethan,
Und bleibet lauschend stehen.

„Es ist das Heil uns kommen her."
Und wie im Liede folget mehr,
Hört er die Stimme singen.
Er falt't die Hände andachtvoll;
Freut sich, daß reine Lehr' schon soll
Jetzt auch zu Niedern dringen.

Und als das Lied sich dann verlor,
Tritt er wohl aus der Thüre vor,
Ein Allmosen zu geben.
Wer bist du? er zum Bettler spricht,
Denn aus der Stadt hier scheinst du nicht,
Scheinst in der Fremd' zu leben.

„Nein, Herr, ich bin hier nicht bekannt,
Ich komme fern aus Preußenland,
Muß fremde Hülf' erflehen.
Ich dank' auch sehr, daß meiner Noth
Ihr euch erbarmt — der liebe Gott
Laß es ewig wohl euch gehen.“

Und als die Thür geschlossen ist:
„Ich danke dir, Herr Jesu Christ“
Sinkt betend er dann nieder.
„Des Evangelii reine Lehr'
„Find't in der Fern' am balt'schen Meer
„Und überall schon Brüder.“

„Und wenn die Klugen sind dir feind,
„Dann herrlich deine Lehr' erscheint
„Aus Einfältiger Herzen.
„Der Weisheit Redner sind verstummt,
„Doch aus Unmündiger schwachem Mund
„Glüh'n auf des Glaubens Kerzen.

„Das hat Speratus uns gethan,“
Der fromme treue Gottesmann
Mit Recht uns der Gehoffte;
Der hat das wackre Lied gemacht,
Wohl mehr bewirkt, als er gedacht,
Wie Gottes Segen ofte.

Paul Speratus hat das Lied im Jahre 1523 gedich-
tet, als er sich in Wittenberg bei Luther aufhielt, kurz ehe er
sein Reformationswerk in Preußen angefangen. Er starb den
17. September 1554.

92.

Es woll' uns Gott gnädig sein
Und seinen Segen geben;
Sein Antlitz uns mit hellem Schein
Erleucht zum ew'gen Leben,
Daß wir erkennen seine Werk',
Und was ihn liebt auf Erden,
Und Jesus Christus Heil und Stärk'
Bekannt den Heiden werde
Und sie zu Gott bekehre.

Gustav Adolph, König von Schweden, sang vor der Schlacht bei Lützen (1632 den 6. Nov.) nachdem die Trompeter das Lied: eine feste Burg ist unser Gott 2c. geblasen hatten, mit lauter Stimme: Es woll' uns Gott gnädig sein, um sich mit den im dritten Vers enthaltenen Worten: „Uns segne Vater und der Sohn" gleichsam einzusegnen. Es war ein trüber Novembertag, und da um 11 Uhr die Sonne endlich durch die Wolken drang, bestieg der Schwedenkönig sein Schlachtroß, und führte die Seinen in den Kampf, mit den Worten: Nun wollen wir dran! Das walte der liebe Gott; Jesu! Jesu! hilf mir streiten zu deines Namens Ehre. — Der Herr verlieh ihm Sieg; aber steckte ihm auch das Lebensziel. Eine Kugel traf ihn und er sank vom Pferde mit den Worten: Mein Gott! Mein Gott!

Sein Tod für die evangelische Wahrheit sei auch den fernsten Geschlechtern eine dringende Mahnung: treu zu halten an der reinen Lehre Jesu Christi, unseres hochgelobten Heilandes, und wie er, dem die Erde eine glänzende Königskrone bot, dennoch alles für Schaden achtete gegen die überschwengliche Erkenntniß Gottes in Christo Jesu, so wollen auch wir das Zeitliche dahinten lassen, unsere Hand ausstrecken nach einem Gute, das in Noth und Tod uns bleibt und das selbst die Pforten der Hölle nicht vermögen zu rauben.

93. Es woll' uns Gott gnädig sein.

Ein Pfaffe ward bitterböse, als man in der Wolfenbüttelschen Hofkapelle das lutherische Lied sang: „Es woll' uns Gott genädig sein;" und er beklagte sich gegen Herzog Heinrich: „Sie wollen lutherische Gesänge aufbringen und ketzerisch werden!"

Heinrich fragte: „Welche Lieder?" — „Das: es woll' uns Gott genädig sein!"

Unerwartet antwortete aber der sonst Luthern unholde Herzog; Soll uns denn der Teufel gnädig sein? Wer soll uns denn sonst gnädig sein, als Gott allein?"

Das Lied ist im Jahre 1524 von Dr. Martin Luther gedichtet.

94.

Erhalt' mich bei Verstand!
Gieb einen Heldenmuth,
Daß mitten im Gebet,
Ich sterb' auf Jesu Blut!

Es giebt wohl für den redlichen Freund Jesu keinen interessanteren Anblick, als das Sterbebette eines wahren Christen, der für seinen Herrn gelebt hat, und nun auf dem entscheidenden Punkte steht, seine mühevolle Erdenlaufbahn zu beschließen, und in das wahre Vaterland, das droben ist, hinüberzueilen. Jeder Wink, jedes Wort, jede geäußerte Empfindung des sterbenden Christen, hat für die zurückgelassenen Wanderer auf demselben Glaubenswege, zu demselben großen Ziele eine ganz eigenthümliche Wichtigkeit, denn sie sind Thatbeweise der Probehaltigkeit des Glaubens an Christum; sie lehren das Wahre vom Falschen, das Wesentliche vom Unwesentlichen, das Haltbare vom Unhaltbaren richtig unterscheiden, und zeigen an Einem Beispiele, worin das Eine Nothwendige bestehe, das in den bangen Todesstunden der Seele allein Freudigkeit zum Sterben, Trost und Ruhe, einen heitern Aufblick in die Ewigkeit, und eine unerschütterliche Stütze gewährt, wenn der Tod alles Andere uns gewaltsam entreißt.

Dieses Eine Nothwendige, das in dem gegenwärtigen Leben unsers unermüdeten Strebens allein würdig ist, wollen wir an dem Sterbebette des selig vollendeten Kaufmanns Hebeisen zu Straßburg zu unserer Zurechtweisung, Beruhigung und Förderung im Christenlaufe kennen lernen.

Mittwoch Morgens den 1. Februar 1804 fing Hebeisen

an überzeugt zu sein, daß er seiner Vollendung entgegeneile. Er nahm von allen Anverwandten, die ihn besuchten, mit kurzen aber kraftvollen Worten Abschied. Freunde! sagte er, stehet fest im Glauben! Seid getreu bis in den Tod, und entfliehet der vergänglichen Lust dieser Welt.

Gegen Mitternacht verlangte er nach seiner treuen Gattin, die bisher als Christin willig und redlich Freud und Leid mit ihm getheilt hatte, und nun an seinem Sterbebette manche heiße Thräne der Wehmuth vergoß. Sie erschien; und er umschlang sie mit seinem ermatteten Arme; und fest und getrost sagte er zu ihr, indem er sie an sein sterbendes Herz drückte: „Weine nicht, ich weine ja auch nicht. Du warst immer darauf bedacht, mir Freude zu machen; mache sie mir auch in diesen letzten Tagen noch, treue, bewährte Gehülfin! Aus Fürsorge für mich mußtest du oft Martha werden; nun scheide ich von dir, und bitte dich, sei von nun an Maria, und widme den Rest deiner Tage, die du noch hienieden einsam zubringen wirst, ganz dem Dienste des Herrn. Und nun lebe wohl, meine geliebte Elisabeth, bis zum frohen Wiedersehen in jener seligen Ewigkeit, wo wir alsdann vereint, zum Preise Gottes, dem Herrn, der für uns am Kreuze starb, Lob- und Danklieder anstimmen werden.

Freitag Morgens brachte man den Kranken, um ihm etwas Linderung zu verschaffen, aus seinem Bette auf seinen Lehnstuhl, den er auch, bis zu seinem Hinscheiden nicht verließ. Als es acht Uhr schlug, fragte er mich um die Zeit und den Tag. Ich bedeutete ihm: es sei der Todestag Jesu; worauf er seine matten Hände emporfaltete, und ausrief: „Gottlob, daß ich gewiß weiß, daß mein Heiland auch für mich am Kreuze hing, und auch meine Sünden mit seinem Blute getilgt hat. O möchte er mich heute noch vollenden! — o möchte er mich gleich zu sich nehmen! — Diese Worte sprach er mit großer Inbrunst seines Herzens und mit heiterer Stimme, ob er gleich am Körper sehr entkräftet war.

Um 9 Uhr kam sein Seelsorger und segnete ihn ein. Der Kranke war in seinem Geiste ganz gegenwärtig, betete und dankte. Gegen Abend erwartete man sein Ende; allein der Herr wollte ihn noch eine Nacht unter uns lassen, um seine um sein Bett herumstehenden Freunde noch manches Schöne sehen und hören zu lassen. Kurz vor Mitternacht befand sich der Kranke ein wenig gestärkt: er richtete seinen Glaubensblick gen Himmel, faltete die Hände, und betete: „O laß all' die Meinigen zu deiner Herrlichkeit, o Jesu eingehen, daß keines, keines derselben zurückbleibe." Seine Seele freute sich Gottes, seines Heilandes, dessen grundlose Barmherzigkeit er mit sterbenden Lippen erhob. Gegen 2 Uhr entfärbte Todesblässe sein Angesicht: und seine Hände fingen an zu erstarren. Pfarrer B. stärkte den seinem Ziele sich nähernden Kämpfer durch Vorlesung der schönen Lieder: Wie wohl ist mir, o Freund der Seelen u. s. w. Wie wird mir dann, o dann mir sein u. s. w. Gegen sechs Uhr Morgens segnete er den, nunmehr schnell Vollendeten, mit den Worten ein:

> Gott sei mit dir! Amen! Amen!
> Entschlaf in jenem großen Namen,
> Vor dem sich Erd und Himmel beugt! —
> Sieh, an deiner Laufbahn Ende
> — Bist du! — Er nimmt in seine Hände
> Die Seel' auf, die der Erd entfleucht.
> Hör, o erlöster Geist,
> Der bald am Thron ihn preist:
> Jesus Christus
> Hat dich versöhnt!
> Von ihm gekrönt
> Empfängst du nun den Gnadenlohn.

Die Todesschwäche nahm immer mehr zu: das Licht seiner Augen war schon den Tag vorher ausgelöscht; aber noch war sein Geist gegenwärtig. Herr Pfarrer B. betete mit ihm, seine um sein Sterbebette versammelten Freunde beteten mit: und es waltete eine feierliche Stille in der ganzen Versammlung. Als um 9 Uhr nochmals gebetet wurde, und man „Amen" sagte, bewegte der Sterbende noch einmal seine Lippen, gleich als hätte er auch „Amen!" sagen wollen. Nun stand der Puls still; die rechte Hand, die sich so oft zum Wohlthun ausgestreckt hatte, sank zuerst, und dann die Linke; der Athem stockte; und sein Geist war nun der sterblichen Hülle entflohen. Er verschied im 72. Jahre seiner Erdenwallfahrt ganz sanft in Jesu Arm und Schooß; und es ward an ihm erfüllt, was er in gesunden und kranken Tagen so oft gebetet und gesungen hatte:

> Erhalt mich bei Verstand;
> Gieb einen Heldenmuth,
> Daß mitten im Gebet,
> Ich sterb' auf Jesu Blut!

So stirbt der Christ, der dem Herrn gelebt hat! — Der lebendige Glaube an Jesum Christum verläßt ihn auch im Tode nicht!

95.

Fahre hin,
Schnöder Gewinn!
Fahr' auf immer hin;
Du, mein Gott! bist mein Gewinn!

Ein sehr reicher Capitalist in Holland, der aber auch reich war an Glauben und an ächten Früchten des Glaubens, hatte einen einzigen Sohn, auf dessen Erziehung er große Summen wendete, und den er besonders in den Lehren des Christenthums sehr sorgfältig unterrichten ließ. Da er bei dem Jünglinge einen großen Hang zum Geize gewahr ward, so ließ er es an Ermahnungen und Warnungen nicht fehlen. Er erkrankte plötzlich, und war seiner bevorstehenden Vollendung gewiß. Er rief seinen Sohn, und hielt an ihn seine letzte väterliche Ermahnungsrede. Mein Sohn, sprach er unter anderm: Gott hat mich vor Tausenden an zeitlichen Gütern gesegnet. Ich habe es als einen unverdienten Segen dankbar erkannt. Aber ich danke ihm unendlich mehr für die noch unendlich größere Segenswohlthat, daß er mich aus Gnaden bewahrt hat, mein Herz nicht an den vergänglichen Reichthum zu hängen. Ich hinterlasse nun dir, mein Sohn! den zeitlichen Segen, mit welchem Gott mich ohne alles Verdienst gesegnet hat. Ich nenne es getrost einen Segen. Denn wenn Gott uns reich oder arm macht, so ist Reichthum wie Armuth, als Segen für uns gemeint. Traurig ist es, daß so viele ihren Segen in Fluch verwandeln! Hüte dich, mein Sohn, vor dieser Sünde! Empfange, was aus Gottes freigebiger Hand dir jetzt zufällt, mit nüchterner Freude; genieße es mit Danksagung, und vergiß nicht, dem Herrn davon zu leihen. Was du den armen Brüdern Christi darreichst, das reichst du ihm selbst. Wenn du an deine Gold- und Silberschätze denkst, so denke allemal auch daran: daß du selbst theuer erkauft bist, nicht mit Silber oder Gold, sondern mit dem theuren Blute Jesu Christi. Nach geendigter Ermahnungsrede ertheilte er dem Sohne seinen väterlichen Abschiedssegen, worauf

Heinrich, Erz. I. 8

er in einen sanften Schlummer fiel, in welchem seine Seele ihrer irdischen Hülle sanft und unvermerkt entfloh.

So weit haben wir der schriftlichen Erzählung des Soh= nes nacherzählt, hören wir von nun an ihn selbst.

Ich sah mich nunmehr in dem Besitze eines Vermögens von sechsmalhunderttausend Gulden an Geld und Geldeswerth. Die letzte Ermahnung meines Vaters hatte einen tiefen Eindruck auf mein Herz gemacht. Aber die Freude über meinen jetzigen Glücksstand erstickte nach und nach den guten Saamen. Ich vergaß alles andere, und dachte an sonst nichts, als wie ich meinen Glücksthurm noch höher bauen könnte. Ich wünschte mit dem Ehrentitel eines Millionärs prangen zu können. Tag und Nacht sann ich daher auf die sichersten Mittel, zu dieser hohen Würde zu gelangen.

Oft zwar wurde ich in meinen Plänen durch den plötz= lichen Gedanken an die Ermahnung meines sterbenden Vaters gestört; am meisten durch die Worte: Du bist theuer erkauft, nicht durch Silber oder Gold! Aber da solche Störungen mir sehr unwillkommen waren, so ließ ich sie nie lange in mir ver= weilen. Eine Million — dann bin ich am Ziel meiner Wünsche, und auf dem Gipfel meines Glücks. Das war der Eine Ge= danke, der mich beseelte und belebte.

Unter den nachgelassenen Papieren und Büchern meines seligen Vaters fand ich ein altes Jugendstammbuch, welches mein Vater auf seinen Reisen bei sich geführt hatte. Da ich unter den Unterschriften mehrere sehr berühmte Namen fand, so las ich es in einer Abendstunde durch. Ich las auf einem Blatte den Vers:

Fahre hin,
Schnöder Gewinn!
Fahr' auf immer hin;
Du, mein Gott, bist mein Gewinn!

Ein Blitzstrahl fuhr durch meine Seele. Ich gerieth in peinigende Unruhe, und ich konnte lange Zeit nicht zu meiner vorigen Gemüthsbehaglichkeit gelangen.

Mehrere leisere und lautere Warnungen des Geistes der Gnaden, gewöhnlich wenn und wo ich sie am wenigsten erwar= tete, suchte ich durch Zerstreuungen abzuweisen. Die göttliche Barmherzigkeit trug mich mit Geduld. Sie gab sogar zu mei=

nen Unternehmungen Segen und Glück; so daß ich auf Wegen, welche vor der Welt als unsündlich und rechtmäßig gelten, mein Capital nach und nach nahe an eine Million brachte.

Vor etwa zwei Jahren schickte mir ein vormals Wohlhabender, durch fremde Schuld aber gänzlich verarmter Mann ein Kistchen voll alter seltener Denk= und Schaumünzen, mit der Bitte, sie ihm, wenn auch nur für den halben Werth, abzutauschen.

Ich beschäftigte mich lange mit diesen Münzen; besah jedes einzelne Stück, und las die Inschriften und Umschriften. Ich fand eine goldene vorzüglich schwere und schön geprägte Denkmünze in einem versiegelten Papiere. Ich las die unerwarteten Worte:

> Fahre hin,
> Schnöder Gewinn;
> Fahre zur Hölle!
> Rette dich, Seele!

Ich erstaunte. Gott! rief ich unwillkürlich aus; bist du es, der redet? denn so wahr du Gott bist, du sollst nicht vergeblich geredet haben! Ich gelobe es dir; hilf mir, hilf mir erfüllen, was ich gelobe! —

Ich packte auf der Stelle den ganzen Münzvorrath zusammen und legte ihn auf die Seite. Ich fiel jetzt auf meine Kniee; Thränen quollen aus meinen Augen. Ich wollte, aber ich konnte vor Weinen nicht beten. Meine Seele lag wie in einer süßen Betäubung. Ich fühlte mich traurig und doch empfand ich zugleich ein sanftes Vergnügtsein. Plötzlich war es, als wenn meine Seele einen recht freien Odemzug thun könnte, und mein Mund zum Beten wie aufgeschlossen wurde. Ich betete: O mein Gott, ich erkenne meine Thorheit und Sünde! Ich habe dich verachtet, und Koth und Erde zu meinem Gott gemacht! Du hast mich gewarnt, und ich habe deine Warnungen von mir gestoßen. O mein Gott! erlöse mich von meinen Banden! Reiß aus meiner Seele die schnöde Lust an Reichthum und Gewinn! Ziehe mein Herz zu dir hinauf, und wäre es auch durch Armuth und Verlust! Herr Jesu! ist es wahr, daß du der Heiland aller Sünder bist, o dann bist du auch mein Heiland! Bekehre mein Herz, und erfülle es mit dir!

Ich betete fort, bis ein neuer Thränenstrom die Worte

8*

erstickte. Ich stand vom Gebet auf, indem ich das Amen sprach.
Bei diesem Amen fühlte ich mich mit einem unbeschreiblichen
Trost getröstet, und ich kann es mit Wahrheit sagen ganz wie
neugeboren. Ich konnte mich über mich selbst nicht satt wun=
dern. Alle Freude an meinem Gelde und Gute, und alle Be=
gierde ein Millionär zu werden, war wie der Nebel verschwun=
den. Nach meinem inneren Triebe hätte ich am liebsten mein
ganzes Vermögen für die Armen zum Fenster hinausgeworfen.
Ich dachte an nichts, als an das Wort meines sterbenden Va=
ters. Bedenke, daß du erkaufet bist nicht mit Silber oder Gold,
sondern mit dem theuren Blute Jesu Christi. Ich sehnte mich
nach Nichts mehr, als daß ich Christum ganz gewinnen und in
ihm erfunden werden möchte.

In dieser Seelenstimmung verbrachte ich einige Wochen.
Die Süßigkeit des Genusses nahm in der Folge ab; aber mein
Glaube, meine Hoffnung, mein Vertrauen auf die Treue des
Erbarmers nahm eher zu als ab. Mein unwandelbarer Ent=
schluß blieb: nicht mehr an Schätze mein Herz zu hängen, nach
denen die Diebe graben, und die der Rost und die Motten ver=
zehren, sondern Jesum Christum und seine Gnade als meinen
Schatz über alle Schätze, als mein höchstes Gut im Himmel und
auf Erden, in Zeit und Ewigkeit, fest zu halten.

Auf diese seine Gnade setze ich allein mein Vertrauen.
Ihn zu verherrlichen durch Liebe, Dank und Gehorsam, in Ge=
danken, Worten und Werken, das ist's wornach ich mich sehne
für die vielleicht nur kurzen Tage meiner Wallfahrt. Und wie
es mir auch ergehen mag, was immer seine Weisheit über mich
beschlossen habe; ich bin gewiß, daß weder Tod noch Leben, we=
der Gegenwärtiges noch Zukünftiges mich scheiden kann von der
Liebe Gottes in Jesu Christo meinem Herrn. Er wird es ge=
ben, der Treue, Wahrhaftige. Amen.

---

96. Frisch auf, mein' Seel, verzage nicht.

In der Stadt Osterburg in der Alt=Mark, entstand am
18. September 1761 Morgens eine große Feuersbrunst. Sie
brach um 9 Uhr aus, da der öffentliche Gottesdienst anging.
Während der Predigt ergriff das Feuer den Kirchthurm, den es
ganz niederbrannte, und von der großen Hitze wurden auch die

Pfeiler in der Kirche sehr entzündet. An diesen hing eine hölzerne Tafel, auf der folgendes Lied, welches gesungen war, angeschrieben stand:

> Frisch auf, mein Seel', verzage nicht!
> Gott wird sich dein erbarmen,
> Rath, Hülf' wird er dir theilen mit,
> Er ist ein Schutz der Armen.
> Geht's oft gleich schwer, Christ merk die Lehr:
> Das Kreuz soll uns auch nützen,
> Wer Gott vertraut, hat wohl gebaut,
> Den will er ewig schützen.

Diese Schrift, obgleich das Tafelbrett an den Rändern umher angebrannt war, blieb dennoch so unversehrt, daß sie deutlich zu lesen war. Die Tafel selbst blieb an ihrem Pfeiler einige Tage hindurch hängen, und da hat sie nach vier Tagen ein Augenzeuge, der am 22. jenes Monats durch die Stadt reiste, mit Verwunderung gesehen.

Der Dichter des Liedes ist Kaspar Schmucker aus Redwitz im Bayreutischen gebürtig; er lebte um das Jahr 1578; von seinen näheren Lebensumständen ist nichts weiter bekannt.

97. Frommes Herz, sei unbetrübet.

Eine Frauensperson, welche zur Schwermuth geneigt war, gerieth bei einem besonders starken Anfall derselben auf den unglücklichen Gedanken, ihrem Leben ein Ende zu machen. Schon war sie entschlossen, sich in's Wasser zu stürzen; noch ehe sie aber aus dem Hause ging, fühlte sie einen innern Trieb, noch einmal in die Küche zu gehen. Hier sah sie ein Stückchen Papier, das aus einem Buche abgerissen war, auf dem Boden liegen. Sie hob es auf und las, was darauf stand. Es war ein Liedervers aus einem Gesangbuche, welcher so lautet:

> Frommes Herz! sei unbetrübet,
> Und vertraue deinem Gott;
> Halte still dem, der dich liebet,
> Der abzählet deine Noth.
> Laß du deinen Vater walten,
> Der so lange hausgehalten;
> Er ist deine Zuversicht,
> Er verläßt die Seinen nicht.

Wie eine göttliche Stimme sprachen diese Worte sie an;
die Unruhe ihres Herzens wurde augenblicklich gestillt; sie gab
ihren unseligen Entschluß auf, und faßte einen andern, den
heilsamsten, den sie fassen konnte: sich dem ganz zu ergeben,
der durch Leiden zur Herrlichkeit eingegangen ist, um die Seinen demselben Ziele zuzuführen.

98.

Geduld ist noth, wenn's übel geht,
Wenn uns des Kreuzes schwere Lasten drücken.
Nicht Jedermann die Prüfung wohl besteht,
Es trotzt das Fleisch und will nicht gern sich bücken;
Es zagt so leicht bei unverhofftem Schmerz
Das blöde Herz.

Dieses Lied hat Johann Anastasius Freylinghausen beim empfindlichsten Zahnweh gedichtet. Daher sagt
Wiegleb von ihm: „Man sollte sich allemal freuen, wenn
Freylinghausen Zahnweh hat; denn wenn die Hennen schreien
so hat man allezeit ein Ei zum Besten.“ Er trat in seinem
45sten Jahre in den Stand der Ehe mit A. H. Franckens einziger Tochter, deren Taufzeuge er gewesen war. Nach Franckens
Tode wurde er im Jahre 1727 dessen Nachfolger im Pastorat
an der St. Ulrichskirche und im Directorat des Waisenhauses
und Pädagogiums. Er starb 1739.

99. Gott dessen Donner rollt.

Als Whitefield *) im Begriff war nach Amerika ab-
zusegeln, ließ er den Methodistenprediger Kinsmann zu Tisch
einladen. Ein junger Geistlicher speiste mit ihnen. Sie waren
kaum aufgestanden, als plötzlich ein heftiger Sturm mit Donner und Blitz sich erhob. Am Fenster stehend betrachteten sie

---

*) Einer der eifrigsten und einflußreichsten Methodisten, gebo-
ren 1714 zu Gloucester, war siebenmal Missionär in Nordamerika
und starb 1770.

die erzürnten Elemente. Kinsmann legte treuherzig seine
Hand auf die Schulter des jungen Mannes und sang mit freundlichem Ernste den Vers:

Gott, dessen Donner rollt
Wenn er gebeut;
Gott, dessen Hand die Himmel umfaßt
Und lenkt das brausende Meer. —

Mit Innigkeit, im Ton der Zuversicht sang er weiter:

Der Gott, so furchtbar jetzt, ist unser Gott!
Ist unser Vater; ist die Liebe!

Diese Worte machten einen tiefen Eindruck auf den jungen Geistlichen und veranlaßten ein Gespräch, dessen Frucht
seine gründliche Bekehrung wurde.

100.

Gott hat das Evangelium
Gegeben, daß wir werden fromm.
Die Welt acht't solchen Schatz nicht hoch,
Der mehre Theil fragt nichts darnach,
Das ist ein Zeichen vor dem jüngsten Tag.

Dr. Blumberg meldet in seinem Zwickauischen Gesangbuche bei diesem Liede, daß zu Breslau eine gewisse Person,
deren Namen er mit Fleiß verschwiegen, der letzten Worte jedes
Verses: Das ist ein Zeichen vor dem jüngsten Tag,
spöttisch geredet, eines plötzlichen Todes gestorben, welches sich
Spötter zur Warnung mögen dienen lassen.

Der Verfasser ist Dr. Erasmus Alber. Die Bosheit
und große Sicherheit, die sich nach der Reformation überall kund
thaten, gaben dem Autor die Veranlassung zu diesem Liede.
Alber wurde in der Wetterau geboren, begann sein Studium
in Nidda, ging dann nach Wittenberg, ward Luthers eifriger
Zuhörer und zugleich sein Freund. Nachdem er sein Studium
dort vollendet hatte, wurde er Pastor zu Dreieichen, dann zu
Sprendelingen, Babenhausen und endlich erhielt er den Ruf
als Hofprediger bei dem Kurfürsten Joachim zu Brandenburg.
Von hier ging er als Pastor nach Rotenburg an der Tauber,
dann als solcher nach Magdeburg und endlich wurde er Gene-

ral=Superintendent zu Neubrandenburg im Mecklenburgischen. Er wurde, seines Glaubens wegen, sieben Mal vertrieben und starb am 5. Mai 1553.

---

101. Gieb, daß ich standhaft glaube.

Richard Densham war ein Reiseprediger in England. Ueberall, wohin er kam, wurde er geschätzt und geliebt, und fand Eingang mit seinem anmuthigen Vortrage des Evangeliums; nichts desto weniger war sein Beruf mit manchen Widerwärtigkeiten verbunden, da der rohe Pöbel ihn oft neckte und verfolgte. Bald wurde er mit stinkenden Eiern geworfen, bald mit Staub überschüttet, bald schwuren einige feindselige Pächter, ihre Hunde auf ihn zu hetzen, bald machte der Pöbel mit allerhand gellenden Instrumenten einen so fürchterlichen Lärm, daß seine Stimme nicht mehr durchdringen konnte. Doch er ließ sich durch dieses Alles nicht einschüchtern, und hatte manchmal die Freude, zu hören, wie die lärmendsten Volkshaufen durch seine ergreifenden Predigten zur stillen Aufmerksamkeit umgestimmt wurden. Nicht geringer war die Anstrengung, mit welcher er seinem Beruf sich widmete, einmal predigte er innerhalb 25 Tagen in 12 verschiedenen Orten 53 Mal. Endlich ward er auf eine sehr beklagenswerthe Weise ein Opfer seiner unermüdeten Thätigkeit für das Reich Gottes. Am 25. Juli 1802 setzte er sich Morgens mit einem seiner Gemeindeglieder in eine einspännige Chaise, um nach Hazlemern zu fahren, wo er ein Stück Feld ankaufen wollte, um darauf eine Kapelle zu errichten. Sie unterhielten sich mit gottseligen Gesprächen, und hatten eben mit einander den Vers gesungen:

Gieb mir, daß ich standhaft glaube,
Daß ich froh mich leg zum Staube,
Und das Ungeheu'r, den Tod,
Ueberwind, so sehr er droht.

als sie auf der Höhe des Hügels angekommen waren, an dessen Fuße Hazlemern liegt. In diesem Augenblicke zerbrach etwas an dem Geschirr, das Pferd wurde wild und rannte den Hügel hinunter. Es kam glücklich um eine scharfe Ecke an der Herberge herum, und schon glaubten die Zuschauer die Reisenden gerettet, als die Chaise umstürzte; Densham an den Stall hinge=

worfen, erhielt einen heftigen Schlag und wurde sprachlos aufgehoben. Man entdeckte am Kopfe eine bedeutende Verletzung. Er kam zwar wieder ein wenig zu sich, allein ohne alle Empfindung, und am andern Morgen war er bereits entschlafen.

102.

Gott der Vater wohn' uns bei
Und laß uns nicht verderben,
Mach' uns aller Sünde frei
Und hilf uns selig sterben.
Vor dem Teufel uns bewahr',
Halt uns beim festen Glauben
Und auf dich laß uns bauen,
Aus Herzens Grund vertrauen,
Dir uns lassen ganz und gar,
Mit allen rechten Christen
Entfliehn des Teufels Lüsten,
Mit Waffen Gottes uns rüsten.
Amen, Amen, das sei wahr,
So singen wir Halleluja!

Joachim Friedrich, Churfürst von Brandenbug (regierte von 1598—1608) hatte auf seinen Reisen die Gewohnheit, sich durch fromme Lieder zu erbauen. Als er im Jahre 1608 den 18. Juli wegen eines Anfalls vom Magenkrampfe sich von Köpenit nach Berlin begiebt, und in seinem Wagen das Lied: „Gott der Vater wohn' uns bei," gesungen hatte, stirbt derselbe in der Haide unweit Köpenit, nachdem er plötzlich die Hände gefaltet und seinen Blick gen Himmel gerichtet und gerufen hatte: Hilf Herr Gott, wie geschieht mir; ach Gott, hilf mir! an welchem Orte man dem würdigen Fürsten ein einfaches Denkmal errichtete.

103.

Besonders wichtig aber wurde das Lied bei einer großen Wasserfluth in Thüringen, welche durch einen Wolkenbruch am 29. Mai 1613 zur Nachtzeit entstand, und vorzüglich in der Gegend um Weimar unerhörte Verwüstungen anrichtete, so daß

65 Menschen, 44 Wohnhäuser nebst Scheunen ein Raub der verheerenden Fluthen wurden. In dieser Schreckensnacht hörte man von vielen Hunderten dieser Unglücklichen auf den schwimmenden Trümmern ihrer Häuser oder auf hohen Bäumen, auf welche sie, ihr Leben zu retten, sich geflüchtet hatten, das Lied anstimmen: „Gott der Vater wohn' uns bei."

Dieses Lied war schon vor der Reformation da; Luther änderte dasselbe im Jahre 1525 nach dem Sinne der reinen Lehre.

104.

Gott, den ich als Liebe kenne,
Der du Krankheit auf mich legst,
Und des Leidens Flamm' erregst,
Daß ich davon glüh und brenne!
Brenne doch das Böse ab,
Das den Geist bisher gehindert,
Das der Liebe Regung mindert,
Die ich öfters von dir hab!

Der Bruder des Prälaten Albrecht Bengel, der gottesfürchtige Expeditionsrath und Vogt Joseph Bengel zu Sulz am Neckar († 25. Juli 1752), dessen letzte Krankheit viel mehr noch, als bei Hiob, ein „Gefängniß" zu nennen war, ergötzte sich am Tage seiner sehnlich gewünschten Erlösung noch ganz besonders an diesem Liede.

Der fromme Arzt Chr. Fr. Richter dichtete dieses Lied in seiner letzten kränklichen Zeit auf dem Krankenbette sich selbst zur süßen Arzenei. Erst nach seinem Tode (1711) erschien es zum ersten Mal im Jahre 1713 im Druck. Er hatte es oft vorhergesagt, er werde in der Blüthe seiner Jahre dahinsterben. Und so geschah es auch. Am 5. Oct. 1711 nahm ihn der Herr zu sich in einem Alter von 35 Jahren.

105.

Gott ist und bleibt getreu!
Sein Herze bricht vor Lieben,
Pflegt er gleich östermal
Die Seinen zu betrüben;

Er prüfet durch das Kreuz,
Wie rein der Glaube sei,
Wie standhaft die Geduld;
Gott ist und bleibt getreu.

Eine arme Wittwe, welche mit naßgeweinten Augen und Wangen einem Priester begegnete, antwortete diesem, als er sie fragte, warum sie denn gar so heftig weine? „sie habe in ihrer großen Noth gemeinet, sie sei von Gott und Menschen verlassen und habe sich deshalb in die Tauber stürzen und ersäufen wollen. Da habe sie aber das Lied singen hören: „Gott ist und bleibt getreu," worüber es als ein Wolkenbruch ihr auf's Herz gefallen und als ein Bach von Thränen nach den Augen und Wangen gelaufen sei."

106. Gott giebt, und wär' ich noch so arm.

Zwanzig Jahre hatte Meister Hermann, ein Schneider, in einem Dorfe des Thurgaus sich und seine Kinder redlich er= nährt; nie hatte es ihnen an Kleidung, nie an dem gefehlt, was zu des Leibes Nahrung gehört. Aber im Jahre 1770, da schon das Feld grün war, die Veilchen blühten, die Lerchen sangen, und Jedermann glaubte, der Frühling wäre da, da fiel in einer Nacht ein tiefer, tiefer Schnee. Zwar zerschmolz der Schnee nach einigen Tagen; aber nun sah es noch trauriger aus. Die Felder waren verwüstet; die Aecker, die vor etlichen Wochen noch mit Korn bedeckt waren, standen ganz entblößt da, und auf andern stand die Saat äußerst dünn. Da war überall großes Wehklagen, und als die Aernte kam, da wurde das Wehklagen noch größer. Man ärntete kaum so viel, daß man die Aecker wieder für das künftige Jahr davon besäen konnte. Nun entstand eine große Theuerung im Lande, die den guten Hermann besonders drückte. Denn wo er sonst einen Groschen für ein Brot gebraucht hatte, da brauchte er jetzt zwei, dann drei, dann vier, endlich fünf Groschen. Und gleichwohl verdiente der gute Mann nicht mehr als sonst. Er schränkte sich aber ein, aß kein Fleisch, zuletzt kein Gemüse mehr, und hatte Wochen lang keine andere Speise als trockenes Brot und Wassersuppe. Doch war er vergnügt, und dankte mit sei= nen Kindern Gott, daß er sie nur nicht Hunger leiden ließ. Aber auch dieses Vergnügen dauerte nicht lange. Die Noth ward täglich größer. Die Bauern ließen keine Kleider machen, und der gute Herrman mußte oft drei bis vier Tage fißen, ohne daß er etwas verdienen konnte. Und gleichwohl wollte er und seine Kinder alle Tage essen. Da wurde ihm ängstlich ums Herz! Er nahm sein weniges Zinn, verkaufte es, und da das Geld, das er daraus gelöset hatte, aufgezehrt war, verkaufte er auch seine Kleider. Aber am Ende hatte er nichts mehr zu ver= kaufen übrig. Es kam mit ihm so weit, daß er einmal des Morgens aufstand, ohne zu wissen, woher er auch nur einen Bissen Brot nehmen sollte. Seine Kinder traten um ihn her, und riefen: Brot! Brot! lieber Vater! Brot! Da brach ihm das Herz vor Jammer. Doch faßte er sich, tröstete die Kinder und sagte: diesen Morgen werdet ihr freilich fasten müssen, aber zu Mittage sollt Ihr Alle Euch sättigen! Und woher, fragten die Kinder wehmüthig, werdet Ihr Brot, bekommen? Der Va= ter wies gen Himmel, ging dann in seine Kammer, fiel auf die Knie und seufzte: „Ach Gott! Ach Vater! Meine Kinder! Es sind ja deine Kinder! Willst du mich armen Mann den Jammer erleben lassen, daß meine Kinder vor mir verschmach= ten? Du ernährst ja so viele Vögel, und giebst den Raben ihr Futter. Unmöglich kannst du meine Kinder verhungern las= sen. Gewiß das kannst du nicht. Du wirst mir heute noch Nahrung für sie bescheeren." So seufzte er und hoffte gewiß, daß der gute Gott ihm ein Mittel zeigen werde, seinen Kindern eine Mahlzeit zu bereiten.

Schon eine Viertelstunde hatte er vergebens hin und her gesonnen, da trat eine reiche Bäuerin aus der Nachbarschaft in die Stube, und fragte: ob Meister Hermann sich getraue, für sie und ihre Tochter in zwei bis drei Tagen ein Kleid zu ver= fertigen? Sie müsse, sagte sie, dasselbe nothwendig haben, weil sie nebst ihrer Tochter auf den nächsten Montag zu einer Hoch= zeit eingeladen wären. Gerne, gerne! antwortete Meister Her= mann, der kein größeres Glück erkannte, als Arbeit! Ich bin froh, sagte die Bäuerin und damit ihr mit desto mehr Vergnü= gen arbeiten möget, so habe ich auch hier etwas Lebensmittel mitgebracht. Sie eröffnete zugleich einen großen Korb, und nahm ein Brot, dann einen Topf voll Erbsen, dann Butter und geräuchertes Fleisch heraus. Da schlugen die Kinder in die Hände, sahen einander an und eins nach dem andern wendete sich um, und fing an zu schluchzen. Was ist denn das? fragte die Bäuerin. Da erzählte ihr der frohe Vater die betrübten Umstände, in denen er sich mit seinen Kindern befunden hätte. Die Bäuerin wurde wehmüthig, weinte auch mit, und freute sich, daß Gott durch sie so vielen ehrlichen Leuten das Leben gerettet hätte. Diese Freude war ihr so süß, daß sie sich vornahm, sie noch länger zu genießen. Von nun an, Meister Hermann, sagte sie, sollt ihr keine Noth mehr leiden. Ich habe von den vorigen Jahren noch so viele Frucht auf meinem Boden, daß ich euch alle davon ernähren und doch noch verkaufen kann. Kommt zu mir, so oft ihr Brot brauchet. Ihr sollt es allemal haben. Und wenn ihr andere Lebensmittel verlangt, so will ich sie euch nie abschlagen. Ich will euch alles um einen billigen Preis anrechnen, und ihr könnt es ja nach und nach mit eurer Arbeit abverdienen. Ich habe ja auch Kinder; wer weiß, wo es Gott ihnen wieder segnet! Die ganze Familie war vor Freuden außer sich. Sobald die gute Frau weg war, bereiteten sie eine gute Mahlzeit und genossen sie. Die schmeckte! Der Vater aber stimmte in die Worte des frommen Dichters ein:

> Gott giebt! und wär ich noch so arm,
> Doch soll ich nicht verderben.
> Was hilft mir denn mein steter Harm,
> Als müßt ich Hunger sterben?
> Er hat ja Brot!
> Und wenn die Noth
> Uns nach der Wüste weiset,
> Wird man auch da gespeiset.

Auch die Kinder falteten nun freudig ihre Händchen, und beteten den in der Schule gelernten Vers:

> Gott sorgt für mich in theuren Zeiten,
> Auch in der größten Hungersnoth
> Kann er mir einen Tisch bereiten,
> Nie fehlet mir mein täglich Brod.
> Ist's gleich nicht viel, doch denke ich:
> Er segnet es und sorgt für mich.

---

107. Gott lebt, wie kann ich traurig sein.

Ein Bürger zu . . war durch unverschuldete Unglücksfälle zurückgekommen. Dringende Nahrungssorgen, die lebhafte Zu-

rückerinnerung: Ehemals war's besser, und der immer darauf
folgende Gedanke: Wann wird's besser? verbreitete eine so tiefe
Melancholie in seiner Seele, daß sein edles Weib seinetwegen
schreckliche Folgen fürchtete. Sie hatte alles, Liebkosungen, Thrä=
nen und Vorstellungen angewendet; aber vergebens. Eines
Morgens stand sie sehr traurig auf. Der Mann fragte nach der
Ursache; aber sie schweigt. Nach vielen Bemühungen, die Jener
anwendete, gestand sie ihm endlich, es habe ihr geträumt, unser
Herr Gott sei gestorben, und die heiligen Engel wären mit zur
Leiche gegangen.

Lange hatte der Mann nicht gelächelt; allein hier konnte
er sich des Lachens nicht enthalten. Er fragte: ob sie denn
nicht wisse, daß Gott unsterblich sei?

Wie? Ist Gott unsterblich? —

Ei freilich! wer zweifelt?

Das weißt du, und verläßt dich nicht auf ihn — der nie
stirbt, von dem jedes Haar gezählt wird, — der uns bisher ge=
holfen hat? — Der Mann ging in sich und stimmte das
Lied an:

> Gott lebt! wie kann ich traurig sein,
> Als wär' kein Gott zu finden?
> Er weiß gar wohl von meiner Pein,
> Die ich hier muß empfinden.
> Er kennt mein Herz
> Und meinen Schmerz;
> Drum darf ich nicht verzagen,
> Und ihm nur Alles klagen.

Von der Zeit an ward er ruhiger, arbeitete, und trauete
auf Gott, der ihn auch nicht verließ. — Der Dichter des Liedes
ist Benjamin Schmolke, welcher 1737 starb.

---

108. Gottlob! ein Schritt zur Ewigkeit.

Der berühmte Dr. August Hermann Francke, dieser aus=
gezeichnete Gottesgelehrte und Stifter des Waisenhauses zu Halle,
hielt im Jahre 1690 eine Gastpredigt in Erfurt, und wurde
darauf im Juni desselben Jahres zum Diaconus an der Augu=
stinerkirche gewählt. Eine große Menge Zuhörer strömte jeden

Sonntag in Francken's Predigten, selbst Katholiken in Erfurt besuchten sie, und mehrere verließen die katholische Kirche, um in
die protestantische überzutreten, in der das Evangelium so lauter
und rein verkündigt ward. Aber ein Theil der protestantischen
Bürgerschaft, und selbst ein College Francken's, sahen sein Wirken ungern und wünschten seine baldige Entfernung; und noch
mehr arbeitete ihm der katholische Theil der Bürgerschaft entgegen, und suchten es endlich dahin zu bringen, daß der Churfürst
von Mainz, der damals noch Landesherr von Erfurt war, ihn
absetzen solle.

Man suchte einen Vorwand, um Francken beizukommen,
und es ward daher das Verbot: „ketzerische Bücher zu verbrei-
ten" bekannt gemacht, denn man wußte, daß Francke manches
Ballot Bücher bekomme. Er fuhr aber fort, neue Testamente
und Arnd's wahres Christenthum zu verschreiben, und bald war
von der wachsamen Post ein solches Packet, das an Francke ad-
dressirt war, auf das Rathhaus abgeliefert. Francke ward vor
den Rath beschieden. Man fragte ihn: „Warum er sich unter-
standen habe, gegen das Verbot ketzerische Bücher zu verschreiben?" Er versicherte, nie so etwas gethan zu haben. Man
antwortete: „Weil er denn so dreist seine That läugne, so wolle
man ihn überführen" und läßt das Packet kommen und öffnen.
Aber da fanden sich nur neue Testamente; die Rathsherren
schämten sich und entließen Francke mit Ehren. Nun schien alles
zufrieden. Aber plötzlich erschien ein churfürstliches Rescript von
Mainz aus, „man könne keine Secte in Erfurt dulden und der
M. Francke sei zu entfernen." Sobald Francke etwas von diesem
Rescripte hörte, ging er vor den Rath der Stadt, und beschwerte
sich hierüber. Man rieth ihm, selbst um seine Entlassung ein-
zukommen, er aber antwortete: „Der Gottlose flieht, und Niemand jagt ihn, der Gerechte aber ist getrost, wie ein junger
Löwe."

Nun empfing er den Befehl, innerhalb achtundvierzig
Stunden Erfurt zu verlassen. Francke that es, nachdem auf
seine Bitte „ihm das Recht, das auch ein Dieb und Mörder
habe, sich zu verantworten, doch auch zu lassen" — keine Rück-
sicht genommen ward. Vergeblich gingen die Schulkinder fle-
hentlich vor die höchste Obrigkeit, ja sie thaten sogar einen Fuß-
fall, um ihren Francke behalten zu dürfen, vergebens baten die
Bürger, man setzte die Bittenden gefangen.

Die zwei Tage, während deren Francke sich noch in Erfurt aufhielt, ließ er Zuhörer und Freunde in seiner Wohnung sich versammeln, und ermahnte sie auf's beweglichste, treu zu bleiben in der empfangenen Gnade, und zu beharren bis an's Ende. Sie zerflossen in Thränen. Am 27. September 1691 verließ er Erfurt in Empfindung des überschwenglichen Trostes des heiligen Geistes, um zu seiner Mutter nach Gotha zu gehen. Auf diesem Wege verfertigte er ein Lied, das in sein Herz blicken läßt, und wohl manchen bekannt sein wird, von dem jedoch einige Verse gewiß hier nicht ungerne gelesen werden:

> Gottlob! ein Schritt zur Ewigkeit
> Ist abermal vollendet,
> Zu dir im Fortgang dieser Zeit
> Mein Herz sich sehnlich wendet,
> O Quell, daraus das Leben fließt,
> Und alle Gnade sich ergießt
> In meine Seel' zum Leben.

> Ich zähle Stunden, Tag und Jahr,
> Und wird mir allzulange,
> Bis es erscheine ganz und gar,
> O Leben dich umfange,
> Damit was sterblich ist in mir,
> Verschlungen werde ganz in dir
> Und ich unsterblich werde. u. s. w.

Im Dezember 1691 wurde Francke nach Halle als Prediger in der Vorstadt Glaucha berufen, welche Stelle er im Februar 1692 wirklich antrat, und wozu er in kurzer Zeit um Ostern 1692 ein Professorat der Theologie übernahm.

Den Bau des Waisenhauses fing er den 13. Juni 1698 an. Die Welt lachte und spottete freilich über den Baumeister, der sein Geld nicht im Sacke zeigen konnte, und ein Frevler hatte sogar gesagt: Wenn die Mauer fertig wird, so will ich mich daran hängen lassen. Aber die Rechte des Herrn, die der glaubensstarke Francke faßte, behielt den Sieg. Im Juli 1699 war das große Haus unter Dach. Francke starb den 8. Juni 1727.

— —

109. Gott selber hat dies Wort.

Zufolge der im Monat März 1848 ausgebrochenen Unruhen wurde Berlin in Belagerungszustand versetzt. Als derselbe im Januar 1849 noch fortdauerte, so haben sich mehrere Wahlmänner angemaßt, dagegen zu protestiren und eine Deputation an den König Friedrich Wilhelm IV. zu schicken, welche verlangte, der Belagerungszustand solle sofort aufhören. Unser lieber Herr und König hörte die Leute ruhig an, dann sagte er ernst: „Lesen Sie im Porst'schen Gesangbuche *) das Lied No. 205., das ist meine Antwort!" Die ersten Verse dieses Liedes lauten also:

Gott selber hat dies Wort der Wahrheit fest versiegelt,
Bewährt durch seinen Geist, und in der Seel verriegelt!
Recht muß doch bleiben Recht! Hält's gleich die Welt für Scherz,
So fället ihm doch zu ein jedes gläub'ge Herz.

Ihr Menschen dräuet mir mit viel und manchen Plagen,
Wo ich nach eurer Lust euch nicht bald will behagen;
Ihr wollt mir, wie ihr sagt, benehmen Amt und Ehr',
Und machen, daß kein Kind mich nicht soll achten mehr. u. s. w.

Was meinst du, lieber Leser, konnte unser lieber König die Leute wohl besser abführen? Es ist wohl der Mühe werth, daß du das Lied in einem alten Gesangbuche aufsuchst und es mit Bedacht durchliesest. Der Verfasser desselben ist Johann Caspar Schade, Diakonus an der St. Nicolaikirche in Berlin. Er starb am 25. Juli 1698 in einem Alter von zweiunddreißig und ein halb Jahren.

110. Gott ruft uns zwar zuerst zu sich.

Ernst Gottfried Spener, das jüngste Kind des bekannten Hofpredigers Dr. Philipp Jacob Spener, war 17 Jahre alt, als der Vater aufs Todtenbette kam. Der sterbende

---

*) Dies Gesangbuch ist noch jetzt in der Nicolaikirche zu Berlin im Gebrauche. Porst war an dieser Kirche Prediger und starb im Jahre 1728.

Heinrich, Erz. I.　9

Vater ermahnte den Sohn, dereinst ein treuer Knecht im Hause Gottes zu werden, und segnete ihn mit den herzlichsten Worten. Allein es schien, als ob alle diese Ermahnungen und Gebete vergeblich wären. Der Sohn nach seinem flüchtigen Weltsinne gab den Einflüsterungen der Verführung Gehör, verließ das Studium der Theologie, studirte die Rechte und wandte sich auf die breite Bahn des Verderbens. Wie er selbst nachher erkannt, lag der Hauptgrund seines Falles in seiner Undankbarkeit gegen Gott, da er nicht erkannte, was an ihm der treue Gott vor vielen Tausenden seiner Kinder in der Welt durch seine frommen Eltern gethan. Er ward in der Folge königlich preußischer Ober=Auditor zu Berlin, kam aber nicht eher von seinen Irr= wegen zurück, als bis ihn Gott mit schweren Leiden heimsuchte. Schon im Jahre 1713 bekam er ein hitziges Fieber, an dem er lange Zeit darnieder lag; allein noch hatte die Stunde seiner Umkehr nicht geschlagen, er genaß wieder, und statt sein neuge= schenktes Leben Gott zu widmen, ergab er sich aufs Neue der Welt; doch der gute Hirte ging dem verlornen Schäflein nach, und da der Verirrte nicht anders sich zurückführen ließ, so suchte er ihn im Jahre 1714 abermals mit einer Krankheit heim, die dreiviertel Jahr dauerte, und erst mit seinem Tode endete. Während dieser langwierigen und beschwerlichen Krankheit kam er endlich zu sich selbst. „Die Gebete meines Vaters" soll er einmal gesagt haben, „umringen mich wie Berge." Da konnte er nicht mehr entfliehen, er mußte der Gnade dessen sich erge= ben, der gekommen ist, zu suchen und selig zu machen, das ver= loren ist. Am 4. April 1715 schrieb er mit zitternden Händen folgende, seine jetzige Gesinnung bezeichnende Verse:

> Gott ruft uns zwar zuerst zu sich mit lauter Gnaden,
> Als wie ein Vater oft mit seinen Kindern thut:
> Zu Zeiten weist er uns von ferne nur die Ruth,
> Und zieht indessen uns noch mit dem Liebesfaden.
> Doch sieht er, daß er uns vergeblich eingeladen,
> Daß wir aus freiem Sinn und stolzem Uebermuth
> Verachten über uns das allerhöchste Gut,
> Und rennen als wie toll in unsern eignen Schaden,
> Gleich als ein junger und noch nicht gezähmter Gaul,
> Alsdann so wirst er uns auch ein Gebiß ins Maul,
> Und zeigt, daß er gar leicht kann unsern Hochmuth legen.
> Ach Herr! ich floh vor dir in gutem Stand und Glück,
> Drum ziehst du mich nunmehr durch einen harten Strick:

Doch wie du auch den Fluch verwandeln kannst in Segen,
So gieb, daß dies, was jetzt zwar macht dem Fleische Pein,
Nur meiner Seele mag zum Heile dienlich sein.

Wenn ihn seine bisherigen Freunde, mit welchen er der Welt und Eitelkeit gedient, besuchten, so zeigte er ihnen seinen elenden, theils abgemagerten, theils aufgeschwollenen Körper, und sagte ihnen oft mit vielen Thränen: „Seht, das ist der Mensch, so kann Einen Gott demüthigen und mit gewaltiger Hand darniederbeugen, daß Einem aller Stolz und Eigensinn vergeht. O laßt euch doch warnen, und bekehret euch, ehe Gott mit solchen Zuchtruthen auch zu euch kommen muß." — Daneben bat er alle seine Verwandten und Bekannten um Verzeihung wegen des Aergernisses, daß er ihnen durch seinen ungöttlichen Wandel und ungeziemende Reden gegeben, und bat sie um die Wunden Jesu, doch nun auch ihr Unrecht demüthig zu erkennen, und das Heil da zu suchen, wo es wirklich zu finden sei. Wiederholt beschäftigte er sich mit dem Liede von Simon Dach: „Ich bin ja, Herr, in deiner Macht," ꝛc. das eines der Lieblingslieder seines seligen Vaters gewesen war, und machte dazu eine Parodie, indem er zu jedem Verse dieses Gebetliedes eine göttliche Antwort setzte, z. B. zu Vers 1:

So recht, mein Kind, ergieb dich mir,
Das Leben gab ich Anfangs dir,
Bis hieher hab' ich's auch erhalten:
Ich bins, der dir den Odem giebt,
Und wenn es mir einmal beliebt,
Wird auch dein siecher Leib erkalten,
Doch wann du sollst sein ausgespannt?
Das steht allein in meiner Hand.

In dieser Gemüthsfassung verschied er den 8. Mai 1715 in einem Alter von 26 Jahren und 8 Monaten.

---

111. Gott ist getreu! er selbst hat's oft bezeuget.

Dieses Lied hat seine Kraft erprobt an der Seele des frühern Bürgermeisters Hoffmann von Leonberg (gest. 1846), dem Vater des Inspectors Hoffmann am Missionshause in Basel. Als derselbe noch im Stande der Unentschiedenheit war,

9*

zwar spürte, daß es anders mit ihm werden müsse und er
auch gern anders geworden wäre, aber noch kein rech=
tes Vertrauen zum Herrn fassen und sich ihm noch nicht ganz
hingeben konnte, kam Pfarrer Machtolf von Möttlingen zu ihm
auf Besuch. Als ihm Hoffmann auf seinem Heimwege das Ge=
leite gab und über seinen Herzenszustand mit ihm sprach, rief
ihm dieser, die Hand auf seine Achsel legend, freundlich die
Worte von V. 1 zur Mahnung zu:

> Gott ist getreu! er selbst hat's oft bezeuget;
> Hier ist sein Wort: das gilt doch ewiglich.
> Er hat zu mir sein Vaterherz geneiget,
> In keiner Noth will er verlassen mich.
> An meiner Treu' ermangelt mancherlei;
> Das wußte, der mit mir den Bund gemacht,
> Und der mein Elend pünktlich überdacht,
> Und schenkt mir doch das Wort: Gott ist getreu!

Diese Worte faßten alsbald Hoffmann's Herz im innersten
Grunde mit wunderbarer Kraft, also daß es bei ihm nun mit
einem Male zur völligen Entscheidung kam. In seinen alten
Tagen noch erzählte er den Eindruck dieses Verses, besonders
der Worte: „An meiner Treu ermangelt mancherlei — — und
schenkt mir doch das Wort: Gott ist getreu" voll tiefer Rüh=
rung, und die Thränen liefen ihm dabei aus den Augen, die
voll Dankes aufschauten zu der Treue Gottes, welche er nun
selbst auch reichlich erfahren hatte.

Der Verfasser des Liedes ist Johann Muthmann,
Pfarrer und Superintendent in Pößneck in Sachsen=Coburg=
Saalfeld. Da geschah es einst, daß er zu Schlöttwein, um Mi=
chaelis 1747 Kirchenvisitation zu halten hatte. Er fuhr dort=
hin mit seiner Frau. Zum Schluß der Predigt ließ er aus
dem Liede: Herzlich lieb hab ich ꝛc. den dritten Vers singen,
der also anfängt: „Ach Herr, laß deine lieb' Engelein" ꝛc. Als
dieser gesungen war, stellte er mit der Gemeinde das gewöhn=
liche Examen an und wurde während desselben vom Schlag ge=
troffen. Er ward sofort in die nahe Pfarrwohnung gebracht,
wo er nach zwölf Stunden vollends von seinem Erlöser völlig
aufgelöst wurde. So ging er in die ewige Ruhe.

———

112.

**Habe Dank, Herr Jesu Christ,
Daß du unser Gast gewesen bist. Amen!**

Dies kurze Verslein wird noch täglich von Gläubigen und Ungläubigen, von Jungen und Alten in den Häusern gebraucht, wo noch die löbliche Sitte herrscht, daß vor und nach Tische gebetet wird. Ein frommer Gelehrter in Frankfurt am Main starb während dieses Gebets. Er saß mit seiner gleichfalls frommen Gattin, einer Tochter und einem oder zweien guten Freunden des Abends am Tische und führten christliche Gespräche. Alle waren heiter und der Gelehrte besonders munter. Seiner Gewohnheit nach betete er laut am Tische, das geschah auch jetzt; nach geendigter Mahlzeit stand er auf, richtete seinen Blick empor, fing an zu beten: „Habe Dank, Herr Jesu Christ" und in dem Augenblicke nahm der Herr seinen Geist auf, er sank nieder und war auf der Stelle todt.

Wer so stirbt, der stirbt wohl!

113. Harre des Herrn und sei unverzagt.

Der fromme Prediger Mörlin zu E. hatte sich wahrscheinlich durch unermüdeten Eifer in seinem schönen Berufe, Kranke zu trösten und Sterbende zu stärken, eine entzündliche Brustkrankheit zugezogen, welche ein Leiden in der Lunge zurückließ. Allmählig hatte sich hier, allen Anzeichen nach, ein verschlossenes Geschwür gebildet; der gute Kranke, der sich weder durch den von Zeit zu Zeit sehr fühlbaren Schmerz, noch durch die zunehmende große Schwäche von den Geschäften seines Amtes abhalten ließ, vertrauend auf den Herrn, dessen Werk es war, in dessen und aus dessen Liebe es geschah, magerte allmählig ab, und mußte zuletzt, so hart er daran ging, zu Bette liegen. Die liebende Gattin, müde vom langen Weinen und Wachen, saß auch, in der wahrscheinlich letzten Nacht seines Lebens, an des Theuren Sterbebette, da fühlte der Kranke ein vorzüglich dringendes Verlangen, einmal recht ungestört und ruhig zu schlafen. Er bat die liebe Gattin, das Nachtlicht ganz zu entfernen, und sich auch schlafen zu legen in seiner Nähe.

Die Treue hörte ihn bald athmen wie einen sanft Schlafenden, und entschlummerte selbst. Und jetzt, wo keine Menschenhand zu seiner Hülfe nahe und bereit war, kommt ihm die von Allen so lange gefürchtete Stunde.

Dem Kranken träumte mit vorzüglicher Lebhaftigkeit, die Chorschüler sängen außen vor seiner Thüre die schöne alte Hymne: „Harre des Herrn und sei unverzagt!" Da er diese Worte, die während seines ganzen Lebens ihm ein Lieblingsspruch, in der Krankheit sein Trost gewesen waren, singen hört, stimmt er im Schlafe freudig, seines körperlichen Zustandes unbewußt, mit jenem tiefen Basse, den er in gesunden Tagen zu singen gewöhnt war, ein: „Harre des Herrn, harre des Herrn!" Und siehe, durch die Erschütterung bricht das Geschwür auf. Der tiefe Baßgesang hatte aber in diesem nämlichen Augenblicke die Luftröhre so erweitert, daß die sonst in diesem Falle wohl unvermeidliche Gefahr der Erstickung glücklich vorüberging. Der Herr hatte ihm die Genesung im Schlafe gegeben; denn noch ehe der, durch den tiefen festen Schlaf und die darauf folgende Erschütterung betäubte Kranke recht zum vollen Bewußtsein erwacht war, hatte das Leiden, das ihm, vor menschlichen Augen, einen unvermeidlichen Tod drohete, aufgehört.

Der Kranke genaß nach dieser gefährlichen, entscheidenden Nacht schneller, als man vermuthen konnte. Er lebte noch lange Jahre seiner Gemeinde zur Erbauung und zum Segen, den Seinigen zum Trost. Sein Wahlspruch blieb durch's ganze Leben, in allen Anliegen und Leiden: „Harre des Herrn und sei unverzagt!"

———

114. Herr es ist von meinem Leben.

Zu Anfang des vorigen Jahrhunderts reiste eine kleine Gesellschaft von Studenten von Halle aus über Jena, wo sich noch einige daselbst Studirende ihnen anschlossen, und dann weiter durch den Thüringer Wald nach Franken. Unter der, aus acht rüstigen Jünglingen bestehenden Gesellschaft, (so erzählt Dr. Heinrich von Schubert in seinem Alten und Neuen) war auch der Großonkel meines Schwagers. Die Jünglinge übernachteten, nach kurzer Tagereise, in einem vor dem Eingange des Thüringer Waldes gelegenen Oertchen. In der Nacht und am andern Morgen regnete es heftig, erst gegen Mittag heiterte sich der Himmel auf; da rüsteten sich die jungen Reisenden zum Abmarsch. Als dies der Wirth, so wie der anwesende Stadt= schreiber des Oertchens sahen, redeten sie ihnen dringend zu, doch heute noch zu bleiben und lieber erst am andern Morgen recht früh aufzubrechen, denn in einem halben Tage könnten sie nur mit Mühe bis in die Mitte des Waldes kommen, in eine Gegend, wo zwar etliche Wirthshäuser stünden, welche aber mit Recht sehr verrufen und wegen mehrerer seither geschehener Mord= thaten in großem Verdacht wären.

Die jungen Leute, waren sämmtlich, nach damaliger Sitte, mit Seitengewehr versehen und dabei leichten, guten Muthes. Einer von ihnen war erst im vorigen Frühling von seiner Hei= math in Franken her durch den Wald gereist, und es war ihm nichts passirt, die acht Starken lachten daher der Bedenklichkeiten des guten Stadtschreibers und des Wirths und äußerten: sie hätten Eile, und was das Räubergesindel beträfe, so meinten sie, solle dies eher Ursache finden, sich vor ihnen zu fürchten, als sie vor ihm. Sie nahmen denn kurzen Abschied von den beiden ängstlichen Leuten und machten sich mit rüstigem Schritte auf den Weg, über die Höhen der Kalkberge hinauf nach dem waldbewachsenen Gebirge. Den mühseligen Gang, auf schlüpfri= gem Boden und durch den düstern Wald der hohen Tannen, kürzte der Gesang manches frohen Liedes und muntres Gespräch ab. Als gegen Abend die Schatten der Tannen immer dunkler wurden, sahen sie, beim Hinabsteigen in eine Thalschlucht das Wirthshaus vor sich, einsam, an einem über Granitgestein rau= schenden Bach gelegen.

Der Großoheim meines seligen Schwagers hat oft erzählt, ihm hätte geschaudert, da er in das Haus eingetreten sei und die beiden Wirthsleute, die so ganz besonders auf die Reisenden blickten, gesehen habe, besonders da der Hund, welchen einer der Reisegefährten bei sich hatte, nicht habe wollen über die Schwelle gehen, sondern winselnd und scheu vor der Thüre her= umgelaufen sei, bis ihn der Wirth mit den Worten: „das kleine Hündlein fürchtet sich vor unserm großen Hunde, der thut ihm nichts" auf den Arm genommen und hineingetragen habe. Wahr= scheinlich ging es den sieben andern jungen Starken auch nicht viel anders als dem Großoheim meines Schwagers. Sie waren

so ziemlich still, bis das Abendessen kam und hernach beim
Rauch des Tabacks und einem Glas Bier die Gespräche der ju=
gendlichen Redseligkeit wieder angesponnen wurden.

In der Mitte des Zimmers stand eine dicke, hölzerne
Säule, welche vom Boden bis zur Decke hinaufragte und diese
zu stützen schien. Um diese Säule herum ordnete jetzt die Haus=
magd das Nachtlager von Stroh für die jungen Reisenden so
an, daß die Kopfkissen, die man auf die Lehnen der umgestürz=
ten hölzernen Stühle gelegt hatte, an die Säule zu liegen ka=
men. Die jungen Leute wunderten sich über diese Einrichtung
ihres Nachtlagers und fragten nach der Ursache derselben; die
Hausmagd antwortete scherzend: „es geschehe deshalb, damit die
jungen Herrn mit Händen und Füßen hübsch weit und bequem
auseinander lägen, und bei Nacht keinen Streit anfangen könn=
ten. Die Jünglinge lachten, und ließen die Anordnung sich
gefallen.

Sie waren alle von dem schlechten Wege ziemlich ermüdet,
als daher in dem Wirthshause, wo außer ihnen heute kein ein=
ziger Gast übernachtete, alles still geworden war, beschlossen sie
sich zur Ruhe zu begeben. Vorher aber verriegelten sie die
Thüre und nahmen ihre guten Waffen zur Hand. Die Jüng=
linge der damaligen Zeit pflegten aber stets auf mehr als eine
Weise gewaffnet zu geben. Man schämte sich nicht, weder zu
Hause noch auf Reisen, des lauten, gemeinsamen Gebetes am
Morgen und bei Tische oder des Abends vor Schlafengehen, und
selbst die Fuhrleute jener Zeit sahe man niemals sich der er=
sehnten Ruhe überlassen, bevor sie nicht aus ihrem Reisegebet=
buche oder aus dem Gedächtnisse und Herzen ein christliches Ge=
bet gesprochen hatten. Unter jenen acht Jünglingen waren
überdies einige, welche die Lehren der damaligen ernsten Gottes=
gelehrten in Halle und in Jena nicht blos mit den Ohren, son=
dern mit den Herzen erfaßt hatten. Unsere Jünglinge beteten
daher mit einander das kindlich kräftige, herrliche Abendgebet
aus Arndts Paradiesgärtlein, das Gebet, das an Ernst und
Innigkeit nie von einem andern Abendgebet übertreffen worden
ist, und dann das gute alte Lied:

> Herr! es ist von meinem Leben
> Wiederum ein Tag dahin,
> Lehre mich nun Achtung geben,
> Ob ich fromm gewesen bin;

Zeige mir auch selber an,
So ich was nicht recht gethan:
Und hilf jetzt in allen Sachen
Guten Feierabend machen.

Der Großoheim erzählte: da der Vers gebetet worden sei:

Steure den gottlosen Leuten,
Die im Finstern Böses thun.
Sollte man gleich was bereiten,
Uns zu schaden, wenn wir ruhn;
So zerstöre du den Rath
Und verhindere die That,
Wend auch alles andre Schrecken,
Das der Satan kann erwecken.

da habe ihn ein Schauer, aber auch ein Gefühl des festen Vertrauens auf Gottes Schutz ergriffen.

So, mit den Waffen in der Hand und im Herzen, legten sich denn unsere acht Reisenden nieder. Aber einen unter ihnen ließ eine unerklärliche Angst nicht einschlafen. Ihm ging es, wie dem kleinen Hunde, den sie bei sich hatten, welcher auch, als sein Herr sich niederlegte, ein Gewinsel erhob und, obgleich er gestraft worden war, durchaus keine Ruhe hatte, sondern immer an der Seite seines Herrn herumlief und winselte. Endlich wurde die Unruhe bei dem jungen Reisenden so groß, daß er selber eilig vom Lager aufsprang und auch nicht abließ, seine andern sieben Gefährten zu rütteln und zu schütteln, bis er sie endlich bewogen hatte, von der Streu aufzustehen und, so sehr sie auch über diese Zudringlichkeit murrten, sie sich zu ihm an den Tisch setzten. Sie hatten sich ein Licht wieder angezündet, einige suchten sich durch den Rauch der von Neuem in Feuer gesetzten Tabackspfeife und durch das noch vom Abendessen zurückgebliebene Bier munter zu erhalten. Die Andern schliefen, mit dem Haupte auf den Tisch gelehnt. Da auf einmal geschah ein furchtbarer Schlag. Von der Decke war eine schwere Maschine, die vorher wie ein Kranz oben die Säule umgeben hatte, herabgestürzt und hatte die Lehnen der umgekehrten Stühle, auf denen vorhin die Köpfe der Reisenden ruheten, in Splitter zermalmt.

Die Reisenden sprangen erschrocken auf und stellten sich mit ihren gezückten Hirschfängern an die Thür hin, denn mit Recht erwarteten sie von hier herein eine Fortsetzung des versuch-

ten Mordanschlages. Sie hatten sich nicht geirrt. Man hörte
von der Treppe herunter Stimmen und eilige Fußtritte. Der
Riegel war so eingerichtet, daß man ihn von Außen zurückziehen konnte. Die Thür geht auf, der Wirth und noch zwei
Gesellen mit ihm treten ein in der Meinung, hier nur noch Leich-
name oder tödtlich Verwundete zu treffen. Die acht Jünglinge
empfangen aber die Mörder mit so kräftigen Streichen ihrer
Waffen, daß der eine zu Boden sinkt, die andern beiden verwundet sich zurückziehen.

Die jungen Kämpfer verrammeln nun, so gut es gehen
will, die Thür und erwarten in beständiger Furcht eines neuen
Angriffes den Morgen. Die Nacht geht aber ohne weiteren
Schrecken vorüber. Bei Tagesanbruch machen sich dann unsere
Reisenden eng an einander geschlossen und die Waffen in der
Rechten auf den Weg und die Furcht beflügelt so ihre Schritte,
daß sie schon vor 10 Uhr im nächsten Herzoglich Sächsisch-Mei-
ningischen Orte sind, wo sie den Vorfall den Gerichten anzeigen.

Der Dichter des Liedes ist Kaspar Neumann, der
als Prediger und Professor im Jahre 1715 in Breslau starb.

115. Helft mir Gottes Güte preisen.

Dies Lied dichtete Dr. Paul Eber seiner Tochter, oder
wie Andere wollen, seiner Gattin, welche beide Helena hießen,
und deren Namen, wenn man die ersten Buchstaben der Verse
zusammenliefet, in demselben enthalten ist, zum Neujahrsge-
schenke des Jahres 1548. Er preiset in diesem Gesange die
große Barmherzigkeit Gottes, welche in dem verflossenen Jahre
1547 der Stadt Wittenberg und dem ganzen Sachsenlande, ungeachtet, daß die Stadt von dem Kaiser Karl V. belagert und
eingenommen, das Land von kaiserlichen Truppen besetzt, der
fromme Churfürst Johann Friedrich gefangen weggeführt worden,
dennoch widerfahren war.

116.

Herr Jesu Christ, wahr'r Mensch und Gott,
Der du littst Marter, Angst und Spott,
Für mich am Kreuz auch endlich starbst,
Und mir dein's Vaters Huld erwarbst!
Ich bitt durch's bitter Leiden dein,
Du wollst mir Sünder gnädig sein.

Der Verfasser dieses Liedes ist Paul Eber. Dasselbe
wurde von dem Fürsten Joachim zu Anhalt so hoch gehalten,
daß er es nicht nur selbst täglich betete, sondern auch verordnete,
daß man es alle Sonntage nach der Predigt von der Kanzel
ablesen sollte, und die katholische Kirche schätzte dasselbe so sehr,
daß sie es dem Dechant zu Bautzen, Johann Leisentrit, zuschrieb,
und in mehrere Gesangbücher aufnahm.

Paul Eber wurde 1511 zu Kitzingen in Franken geboren; besuchte 1523 die Schule in Anspach und hatte das Unglück, als ihn sein älterer Bruder wegen einer Kränklichkeit von
Anspach nach Hause holte, einen Fall vom Pferde zu thun, wodurch seine Gesundheit auf immer zerrüttet ward. Es begegnete nämlich beiden Brüdern auf dem Wege ein Fleischer mit
einem Pferde; der ältere Bruder bittet denselben, doch zu erlauben, daß sein kranker Bruder eine Strecke Weges reiten dürfe;
der Fleischer willigt ein, und nachdem Eber das Pferd bestie-
gen hatte, geht dasselbe mit ihm durch, und wirft ihn herab, so
daß er mit dem einen Fuße im Steigbügel hängen blieb und
er also geschleift wird. Da beide Brüder aus Furcht dem Vater
diesen Unglücksfall verschwiegen, und die Kränklichkeit einem
Falle in der Herberge zuschrieben, so war die Folge davon, daß
der junge Eber im dreizehnten Jahre buckelicht wurde. Im
Jahre 1556 wurde er in Wittenberg Professor der hebräischen
Sprache und 1558 nach dem Tode Bugenhagen's Pastor und
Superintendent. Er starb 1569.

117. Herr Gott, dich loben wir.

Bei der Rückkehr des Churfürsten von Sachsen Johann
Friedrich, als er im Jahre 1552 aus seiner Gefangenschaft,

in welcher er wegen des Bekenntnisses des Evangeliums fünf Jahre verbleiben mußte, in Coburg ankam, gingen die Geistlichen, der Rath, die Schulen und die Bürgerschaft, wie auch Knaben und Jungfrauen dem frommen Fürsten entgegen. Als sie denselben erblickten, sangen sie:

Herr Gott! dich loben wir,
Herr Gott! wir danken dir!
Dich Gott Vater in Ewigkeit
Ehret die Welt sehr weit und breit;
Alle Engel im Himmelsheer
Und was da dienet deiner Ehr,
Auch Cherubim und Serarhim
Singen immer mit hoher Stimm:
Heilig ist unser Gott,
Heilig ist unser Gott,
Heilig ist unser Gott, der Herre Zebaoth!

Dadurch wurde der Churfürst so gerührt, daß er sich der Thränen nicht enthalten konnte und sagte zu dem bei ihm auf dem Wagen sitzenden Bischof zu Naumburg, Nicolaus von Amsdorf: „Was bin ich sterblicher und sündiger Mensch, daß mir solche Ehre widerfahren soll?" Worauf der Bischof ihm geantwortet: „Seine Fürstliche Gnaden sollen zufrieden sein, dies wäre, bei dieser irdischen Stadt, nur der Anfang, wenn Sie aber, und wir alle, dermaleinst zur Stadt Gottes und zur Stätte der Ewigkeit gelangten, würde es alles noch viel herrlicher und weit besser werden."

118.

Johann Fischer, Bischof zu Rochester in England, war beim König in Ungnade gefallen, weil er in die Verstoßung der Königin Katharina nicht willigen wollte. Man warf ihn ins Gefängniß und verurtheilte ihn, enthauptet zu werden. Als er nun am 25. Juni 1535 zur Gerichtsstätte geführt wurde, und er selbige von fern erblickte, warf er seinen Stab aus der Hand, an welchem er seines Alters wegen gegangen, und sprach: Ei wohl, ihr Füße, thut, was euch zukommt, ist doch die Reise nunmehr bis auf ein Weniges vollendet. Hierauf sang er mit aufgehobenen Händen: „Herr Gott, dich loben wir."

In der Kirchenordnung Carl's XI., König von Schweden, vom Jahre 1687 ist verordnet, daß Alle ohne Unterschied aufzustehn haben, so oft dieses Lied in der Kirche gesungen werde.

119.

Auf dem sächsischen Jagdschlosse Hubertsburg wurde am 15. Februar 1763 durch einen Friedensschluß der siebenjährige Krieg beendigt. Sieggekrönt kehrte Friedrich der Große zur Freude seiner Unterthanen in seine Staaten zurück. Die Berliner wollten ihn bei seiner Heimkehr festlich empfangen, aber er, der den Prunk nicht liebte, traf erst den 30. März spät Abends in seiner Hauptstadt ein und eilte bald darauf nach Charlottenburg. Hierher beschied er seine Sänger und Musiker und befahl, zu einer gewissen Stunde das Loblied:

Herr Gott! dich loben wir, u. s. w.

in der Schloßkirche anzustimmen. Man erbat sich Aufschub, um die von den Russen stark beschädigte Orgel wieder in brauchbaren Stand zu setzen, doch wollte der König die Aufführung sogleich haben, mit Hinweglassung der Orgel. Man gehorchte und glaubte, es werde der ganze Hofstaat erscheinen. Aber nein, der König kommt ganz allein, setzt sich nieder, winkt, und die Musik nimmt ihren Anfang. Und als nun mit durchdringender Kraft das Loblied ertönt, da sinkt der große Fürst auf seine Knie, Thränen rollen ihm über die Wangen, und er bringt dem allmächtigen Gott seinen stillen Dank für die überschwengliche Hülfe und Gnade in dem großen schweren Kampfe, der nun so herrlich und glücklich beendigt war. Kein Auge in der Kirche blieb trocken, und Jeder betete in der Stille mit, Gott lobend und dankend für seine Wunderthat und Gnade.

Ob Ambrosius, Bischof zu Mailand, gest. 397, Verfasser dieses Gesanges sei, ist nicht völlig entschieden, aber wahrscheinlich, und beruht auf vielen alten Zeugnissen. Einer alten Sage nach wurde dieses Lied von Ambrosius bei der Taufe des Augustinus, oder eigentlich von beiden, so verfertigt, daß beide, unverabredet, wie aus göttlicher Eingebung die Worte desselben abwechselnd vor der Gemeinde sangen.

120.

Herr! wie du willst, so schick's mit mir
Im Leben und im Sterben;
Zu dir allein steht mein Begier'
Laß mich, Herr! nicht verderben.
Erhalt mich nur in deiner Huld;
Sonst, wie du willst, gieb mir Geduld,
Dein Wille ist der beste.

Von Dr. Caspar Bienemann (Melissander), als er
noch Hofmeister und Erzieher der Kinder des Herzogs Johann
Wilhelm von Sachsen-Weimar war, im Jahre 1574 bei heran-
nahender Seuche gedichtet. Seine Schülerin, die Prinzessin
Maria (geb. 1571, gest. als Aebtissin zu Quedlinburg in Halle
auf einer Reise nach Dresden), lernte dieses Lied als Gebet von
ihrem Lehrer in ihrer zartesten Kindheit und erwählte sich später
aus Liebe dazu die ersten Worte: „Herr, wie du willt" (H. W.
D. W.) zu ihrem Wahlspruch, den sie in Stammbücher ein-
schrieb und auf Münzen prägen ließ. Gedruckt wurde das Lied
zum erstenmal im Jahre 1589. Diaconus Caspar Wezel brauchte
es als sein tägliches Morgen- und Abendgebet.

---

121. Herzlich lieb hab' ich doch, o Herr!

Der Vater des Oliger Pauli, ein nachmals berühmter
Arzt, befand sich einst in seinen Jugendjahren als besuchender
Freund am Sterbebette eines ansehnlichen Kaufmannes in Lübeck,
welcher bereits, als gänzlich hülflos, von allen Aerzten aufgegeben und verlassen war. Da begehrte der Sterbende, man solle
die Stadtmusikanten zu ihm kommen und sie vor ihm auf ihren
Instrumenten spielen lassen, damit er nun erführe, wie David
rühmet: Du hast meine Klage verwandelt in einen Reigen (Lobgesang). Seine Hausfrau aber und Freunde wollten dieses nicht
zulassen, weil sie fürchteten, es möge ihm einen üblen Nachruf
vor der Welt geben. Als er jedoch auf seiner Bitte bestand,
wurde ihm dieselbe mit Bewilligung seines Beichtvaters verstat-
tet, um so mehr, da er ja nur einen Reigen (Lobgesang) in

David's Weise begehrte. Da nun die Musikanten zu ihm in die Kammer gekommen waren, verlangte er, daß man ihm das Lied:

> Herzlich lieb hab' ich dich, o Herr!
> Ich bitte, sei von mir nicht fern
> Mit deiner Gnade Gaben!
> Die ganze Welt erfreut mich nicht,
> Nach Erd' und Himmel frag ich nicht,
> Wenn ich nur dich kann haben.
> Und wenn mir gleich mein Herz zerbricht,
> Bist du doch meine Zuversicht,
> Mein Heiland, der mich nicht verstößt,
> Der durch sein Blut mich hat erlöst.
> Herr Jesu Christ, mein Gott und Herr,
> Mein Gott und Herr!
> In Schanden laß mich nimmermehr!

vorsingen und dazu auf Instrumenten spielen sollte. Hierauf stimmten die Sänger und Musikanten den Gesang an, wobei der Sterbende, um der Andacht ungestört zu pflegen, sein Angesicht zur Wand kehrte. Als nun jene das Lied geendet hatten, fragte ihn seine Hausfrau, ob er noch Eins begehre? er aber war in dem Lobgesang verschieden. Ebenderselbe Arzt, der Vater des Oliger Pauli, ist auch dabei gewesen, da man am Sterbebette einer edeln frommen Jungfrau in dem Augenblicke, als dieselbe verschied, das Lied: Herzlich lieb hab' ich dich, o Herr! von zwei Stimmen singen hörte. Man hat den Gesang so deutlich Wort für Wort vernommen, als wären die Sänger im Zimmer; diese aber, die Sänger, hat Niemand gesehen, noch gefunden.

Der Mann, welcher dies herrliche Lied: Herzlich lieb hab' ich dich, o Herr! gedichtet hat, hieß Martin Schalling. Derselbe starb als Pfarrer in Nürnberg 1608. Gellert urtheilte von diesem Liede, es sei mehr werth, als ganze Bände neuerer Lieder, die kein Verdienst, als das einer glätteren Sprache haben. Dieses Urtheil ist durchaus wahr, obwohl auch die Sprache darin weit edler ist, als in vielen neueren. Dies Lied war Speners gewöhnliches Sonntags=Abendlied.

122.

Herr Jesu Christ, dich zu uns wend,
Dein'n heil'gen Geist du zu uns send;
Mit Hülf' und Gnad' er uns regier,
Und uns den Weg zur Wahrheit führ.

Dies Liedchen ist schon oft von Tausenden von Menschen beim Beginn einer festlichen Feier gesungen worden, und gewiß, viel Segen ist dadurch in die Christenherzen geflossen. Es war auch das erste Lied, welches in unserer neuen Kirche zu Rothenburg a. d. T. bei der Einweihung am 7. Januar 1844 angestimmt wurde.

Der Verfasser, Wilhelm II. Herzog zu Sachsen-Weimar, ein gar frommer Mann und tapferer Kämpfer (in dreißigjährigen Kriege) für die evangelische Kirche, dichtete dieses Lied im Jahre 1638, als ihn der Anblick eines Crucifixes in tiefe Rührung versetzt hatte. In der Schlacht am weißen Berge bei Prag riß ihm eine Stückkugel die Sturmhaube vom Haupte und in einer andern Schlacht, da Christian von Braunschweig die Niederlage erlitt, ging ihm eine Kugel durch den Leib, daß er als todt auf dem Platze liegen blieb und von Tilly gefangen wurde. In den Friedenszeiten erbaute er zu Weimar im Jahre 1658 die prächtige Schloßkirche, desgleichen auch die Wilhelmsburg. Nachdem er in Folge der Wunden, die er im Kampfe für die evangelische Sache erhalten hatte, namentlich an einem Schenkel langwierige und große Beschwerden ausgestanden hatte, starb er am 16. Mai 1662, betrauert von seinem ganzen Lande.

---

123. Herr Jesu Christ, du höchstes Gut.

Den vierten Vers dieses Liedes rühmt Avenarius, Superintendent zu Gera, als eine wirksame Arznei für betrübte Gewissen. So erzählt er einmal im Liederkatechismus, daß er einst als Archidiakonus von Schmalkalden im Jahre 1705 zu einem melancholischen Menschen gerufen worden sei, der sich die Einbildung machte, er könne keine Gnade bei Gott haben, weil er wissentlich eine schwere Sünde begangen. „Mit keinerlei Worten," so fährt er wörtlich zu erzählen fort, „ich mochte

brauchen, welche ich wollte, konnte ich ihn zu einem ruhi=
gen Gedanken bringen, bis ich ihm den vierten Vers zu be=
denken gab. Da fing er an, sich freudiger zu bezeigen und zu
fragen: „„Ob das wahr sei, was in diesem Liede stehe?""
Auf die Bestätigung davon, sagte er: „„Nun wohlan! an diese
Worte will ich mich halten, und soll sie mir kein Teufel aus dem
Herzen reißen."" Nach vielen Jahren noch bekannte er mir's
manchmal: sobald eine Anfechtung in seinem Herzen habe auf=
steigen wollen, habe er sich mit diesen Worten wohl zu helfen
gewußt! Zuletzt hat er sie sich auch zu seinem Leichentert aus."
Der erwähnte Vers lautet also:

> Aber dein heilsam Wort, das macht
> Mit seinem süßen Singen,
> Daß mir das Herze wieder lacht,
> Und fast beginnt zu springen,
> Dieweil es alle Gnad verheißt
> Denen, die mit zerknirschtem Geist,
> O Jesu, zu dir kommen.

Bartholomäus Ringwaldt, Pfarrer zu Langfeld
in der Neumark, hat dieses Lied im Jahre 1581 gedichtet.

---

124. Heut lebst du, heut bekehre dich.

Im Sommer 1852 wohnte in Berlin bei einem Schnei=
der ein Referendarius zur Miethe, der in seiner Juristerei wohl
tüchtig zu Hause sein mochte, und das zu Gerichtsitzen über
arme Sünder fleißig übte, nimmer aber daran denken mochte, daß
auch er ein armsündig Menschenkind sei, dem der Herr gesetzt
hat zu sterben, und danach das Gericht. Von Kirche und Got=
tesworte hielt er eben nichts, hatte wohl um beides seit seiner
Einsegnung sich gar nicht mehr gekümmert, wie es wohl leider
Gottes, jetzt bei Manchem gehen mag von den gelehrten Herren,
welche einst des Volkes Führer sein sollen.

Der Herr aber weiß auch solchen armen Seelen beizu=
kommen; kommen sie nicht zu Gottes Wort, so läßt er sein hei=
liges Wort zu ihnen kommen, und findet sich kein Pastor, auch
etwa kein christlicher Freund, der's ihnen zuträgt, so sucht er
sich selbst seine Boten aus, auch Kinder und Schulknaben müssen
dem lieben Herrn wohl je zuweilen zu solchem Werke dienen.

Heinrich, Erz. I.   10

Der liebe Herr Gott hieß unsern Referendarius einmal stillstehn in seinem weltlichen Treiben und Leben, seine Acten und Processe bei Seite legen, und aus dem Kaffeehause und der lustigen Gesellschaft daheimbleiben; und der Referendarius mußte gehorchen, mochte er wollen oder nicht. Er wurde krank, todtkrank; ein hitzig Nervenfieber hatte ihn ergriffen und schüttelte seine Glieder, die bald in Frost bebten, bald in Fieberhitze glühten. Sein Arzt — ein junger Freund des Patienten, der's mit Gott und seinem Worte etwa ebenso hielt als Jener, — sein Arzt besuchte ihn fleißig, und schüttelte endlich bedenklich den Kopf, vom Sterben aber sagte er ihm nichts, noch weniger davon, daß es für ihn Zeit sei, sein Herz und Haus zu bestellen. — Da es am Fenster, wo das Krankenbett stand, einen argen Zug gab, so hieß er das Bett wegrücken in die Ecke, dicht an die Thür, wo daneben der Schneider wohnte; dann befahl er dem Kranken nicht etwa dem lieben Herrn und seiner Gnade, sondern seinem Schicksal, bis aufs Wiedersehn; der liebe Herr ließ sich aber den Kranken befohlen sein.

In der Nebenstube hatte der Schneidermeister eben sein Knäblein scharf examinirt, ob er seine Lection zur Confirmandenstunde gelernt habe, und da es mit dem aufgegebenen Liede nicht gehen wollte, so wies er ihn streng an, zu lernen. Der Bursche mußte mit dem Gesangbuche in die Stubenecke treten, — es war dicht neben der Thür, wo unser Kranker lag, — und fing nun laut an zu lernen:

> Heut lebst du, heut bekehre dich,
> Ob morgen kommt, kanns ändern sich,
> Wer heut ist frisch, gesund und roth,
> Ist morgen krank, ja wohl gar todt.
> So du nun stirbest ohne Buß,
> Dein Leib und Seel dort brennen muß.

Immer und immer wiederholte er dieselben Zeilen, bis er den Vers endlich im Gedächtniß hatte. Der Kranke hatte Alles gehört und immer wieder gehört, und das Wort war ihm tief, tief in das Herz gegangen, was der Herr ihm hatte durch den Schulknaben verkündigen lassen.

Der Doctor kam wieder: „Nun, wie gehts, Brüderchen, wie gehts, was machst Du?" so redete er ihn an. Der Kranke blickte ihn mit weiten starren Augen an und öffnete seinen Mund

und sprach: „Heut lebst du, heut bekehre dich, eh' morgen
kommt, kanns ändern sich u. s. w." — Der Doctor meint, er
phantasiere, — die Kinder dieser Welt belieben es ja überhaupt
gern eine Phantasie, eine Schwärmerei zu heißen, wenn einer
einmal in sich geht, und mit Ernst an Gott, Gericht und Ewig=
keit denkt; — „Nicht doch, nicht doch," fuhr er fort, „laß das
doch, Brüderchen; ich frage ja nur, wie's Dir geht." Doch der
Kranke hob wieder und immer wieder an: „Heut lebst du, heut
bekehre dich" u. s. w. — Dem Doctor wurde ganz unheimlich,
es war ihm, als ob ein Ruf aus einer andern Welt auch an
seine Seele ginge; sein Haar sträubte sich, es ließ ihn nicht im
Krankenzimmer. Er geht heim, aber das Wort: „Heut lebst du,
heut bekehre dich," geht mit ihm, er wirds nicht los. Er geht
in Gesellschaft, in die Weinstube, an den Spieltisch, er will sich
zerstreuen, will auf andere Gedanken kommen, aber es will nim=
mer gehen; überall rufts ihm zu: „Heut lebst du, heut bekehre
dich." — Der Herr wird ihm zu mächtig; in seiner Seelenangst
geht er zum Pastor B. erzählt ihm, was ihm begegnet ist, läßt
sich demüthig den Gnadenrath Gottes vom Heil der Sünder in
Christo auslegen, und Gott, der ihm wunderbar das Herz auf=
gethan hat, führt auch sein Gnadenwort tief in dasselbe ein; er
kann glauben, er wird ein Christ. — Auch dem kranken Freunde
wird die Gnadenfrist noch verlängert, der Herr läßt ihn genesen,
nicht am Leibe allein, sondern auch an der Seele, und beide, die
noch vorm Jahre saßen, wo die Spötter sitzen, und leichtfertig
dem Tode und Gerichte entgegenlebten, beide preisen heut den
Herrn, ihren gekreuzigten Erlöser, daß er wunderbar sie mit sei=
ner Gnade heimgesucht und zu sich gezogen, und den Mund ei=
nes armen Schulknaben gebraucht habe, sie zu erwecken und wie
einen Brand aus dem Feuer zu retten.

Der oben angeführte Vers ist aus dem Liede: So wahr
ich lebe, spricht dein Gott :c. von Joh. Herrmann
über Hesek. 33, 11 gedichtet. Wie dieses Lied, im Anschluß an
das prophetische Wort, die Buße behandelt, so handelt ein älte=
res Lied, von Nicol. Hermann, das an dieselbe Bibelstelle sich
anschließt und ziemlich mit den Worten unseres Liedes beginnt,
von der Absolution d. i. Freisprechung; ich meine das Lied:
„So wahr ich leb', spricht Gott der Herr." Man sieht es die=
sem gleich an, daß es aus der Zeit der Reformation stammt.
Unser obiges Lied mag um hundert Jahre jünger sein.

10*

Joh. Herrmann, geb. 11. Oct. 1585, war ein Zög=
ling des frommen Valerius Herberger, Predigers in Fraustadt.
Ein Mann, der sich in seinem ganzen Leben keines völlig ge=
sunden Tags zu erinnern wußte, fromm und kerngediegen, durch
viel äußere und innere Trübsal geführt, in seinen Liedern ein
ächter, treuherziger Deutscher, gläubig und erfahrungsreich.
War Prediger in Köben, wurde aber durch den dreißigjährigen
Krieg von dort vertrieben, und starb in Lissa den 27. Februar
1647.

125. Heut lebst du, heut bekehre dich.

Ein ruchloser junger Mensch, der dem Saufen und Spie=
len ganz ergeben war, ward von einem christlichen Seelsorger
vorgefordert, und seines unchristlichen Lebens halber beweglich
und ernstlich erinnert. Es ward ihm insonderheit vorgehalten
die Ungewißheit des menschlichen Lebens, wie gefährlich es wäre,
auf Barmherzigkeit zu sündigen und seine Buße von einem Tage
zum andern zu verschieben, daß die Gnadenzeit endlich würde
verlaufen, daß auf die zeitliche Freude ewiges Leid erfolgen
würde, daß den Trunkenbolden würde Qual und Pein zu Theil
werden und dergleichen mehr. Zuletzt legte der Seelsorger dem
leichtsinnigen Jünglinge den Liedervers noch ans Herz;

> Heut lebst du, heut bekehre dich,
> Ob morgen kommt, kanns ändern sich.
> Wer heut ist frisch, gesund und roth,
> Ist morgen krank, ja wohl gar todt.
> So du nun stirbest ohne Buß,
> Dein Leib und Seel dort brennen muß.

Der Jüngling entrüstete sich hierüber sehr, und wiewohl
er sich, so gut er konnte, entschuldigte, ging er doch mit Unmuth
und mit einem heimlichen Haß von seinem treuen Seelsorger,
nahm sich auch vor, in die nächste Schenke zu gehen, seinen
Unmuth in einer fröhlichen Gesellschaft zu vertreiben, und die
Gedanken, so ihm der Priester gemacht, mit Wein und Bier zu
ersticken. Als er in die Schenke kommt, trifft er eine Gesell=
schaft an nach Wunsch, er beginnt frisch herum zu trinken, doch
will sich die gesuchte Freude nicht finden. Es hing eine kleine
Uhr in der Stube, die fing an zu schlagen; dabei kamen ihm

wider seinen Willen die Worte in den Sinn, welche ihm der
Prediger gesagt hatte:

>Heut lebst du, heut bekehre dich,
>Eh morgen kommt, kanns ändern sich u. s. w.

Und:

>Hin geht die Zeit, her kommt der Tod!
>O Mensch, bekehre dich zu Gott.

Seine Gesellschaft schmauchte Tabak, er wollte auch eine
Pfeife versuchen, es kamen ihm aber die Verdammten in den
Sinn. Dieses machte ihm das Haus zu enge und alle Lust
verdrießlich, darum riß er sich von der Gesellschaft los, eilte
zum Thore hinaus, in der Hoffnung, daß er im Felde einigermaßen sein Herz stillen und beruhigen wollte; aber umsonst.
Er ward an einem Wasser einen Menschen gewahr, der mit einer Angel Fische fing, und es fiel ihm ein: Pred. Sal. 9, 12.
Der Mensch weiß seine Zeit nicht, sondern wie die
Fische gefangen werden mit einem schädlichen Ha-
men, so werden auch die Menschen berückt zur bösen Zeit, wenn sie plötzlich über sie fällt. Er sahe
einen Baum stehen, und ihm däuchte, es wäre daran geschrieben:
Ein jeglicher Baum, der nicht gute Früchte brin-
get, wird abgehauen und ins Feuer geworfen.
Da konnte er sich der Thränen nicht enthalten, er schlug in sich
und nahm sich vor, dem Heiland zu folgen und mit seiner Hülfe
von Sünden abzulassen und ein neues Leben anzufangen. Er
benachrichtigte den Seelsorger davon, welcher sich herzlich über
den Entschluß freute. Das Leben des Jünglings bewies, daß
er kein leeres Versprechen gethan hatte.

------

126. Hier legt mein Sinn sich vor dich nieder.

Die evangelische Brüdergemeinde entstand aus Nachkommen der in ihrem Vaterlande verfolgten böhmischen oder mährischen Brüder, welche sich 1722, unter Begünstigung des Grafen
von Zinzendorf, auf dem Gebiete seines Ritterguts Berthelsdorf
in der Oberlausitz, an der Mittagsseite des Hutberges, anbauten.
Den 17. Juni 1722 fällten sie den ersten Baum zum Hause
ihrer Niederlassung, welche Herrnhut genannt wurde, zum

Zeichen, daß sie hier unter des Herrn Hut und zugleich auf
der Hut des Herrn stehen wollten. Unter dem mancherlei Volk,
das sich in Herrnhut sammelte, fehlte es denn im Anfange auch
nicht an Irrungen dieser und jener Art. Die aus Mähren aus=
gewanderten Brüder verlangten, daß man die Kirchenordnung
ihrer Vorfahren einführen sollte; und nach manchem Kampfe
vereinigte sich zuletzt die Gemeinde Herrnhuts, die aus etwa
300 Brüdern und Schwestern bestand, von denen die Hälfte
mährische Brüder waren, zu einer nach dem Muster der alten
Brüderordnung eingerichteten Gemeindeverfassung. Ein Geist
der Willigkeit und des Gebets war über die junge Gemeinde
ausgegossen, und Herrnhut war eine Hütte Gottes bei den Men=
schen; die Gläubigen empfingen Kräfte der zukünftigen Welt.
Am **13.** August 1727 begaben sie sich Vormittags in die Kirche
zu Berthelsdorf, um das heilige Abendmal zu genießen. Sie
standen zwar alle in großer Erwartung eines besonderen Segens
von dem Herrn, allein die Gnadenüberströmung, die sie nun erfuhren,
ging weit über Alles, was sie bitten und verstehen konnten.
Schon auf dem Wege zur Kirche faßten die Brüder einer den
andern herzlich an, und die an einander irre gewesen waren,
umarmten und verbanden sich zu brüderlicher Liebe. In der
Kirche, nach dem Gesange des Liedes: „Entbinde mich, mein
Gott, von allen meinen Leiden zc." confirmirte Pfarrer Rothe
zwei Personen. Darauf fiel die innigst bewegte Gemeinde auf
die Kniee und fing unter unzähligen Thränen an zu singen:

> Hier legt mein Sinn sich vor dich nieder,
> Mein Geist sucht dich, o Jesu! wieder:
> Laß dein erfreuend Angesicht
> Zu meiner Armuth sein gericht't.

> Schau her, ich fühle mein Verderben;
> Laß es in deinem Tode sterben;
> O möchte doch durch deine Pein
> Die Eigenlieb' ertödtet sein!

Man konnte aber kaum unterscheiden, ob gesungen oder
geweint wurde; und beides geschah mit einer solchen Anmuth,
daß der Prediger von Hennersdorf, der zum Administriren er=
sucht worden war, in Erstaunen gerieth. Unter dem Genusse
des heiligen Abendmahls wurde die Gemeinde mit Friede und
Freude in dem heiligen Geiste und mit herzlicher Liebe gegen=

einander so erfüllt, wie sie es bis dahin noch nie erfahren hatten. Noch jetzt feiert die Gemeinde alljährlich den 13. August um der Gnade willen, die ihren Vätern an diesem Tage verliehen ward, und Fremde, die daheim in ihren Kirchen nicht die rechte Seelenspeise finden, wandern gewöhnlich zu dieser Zeit nach der nächsten Gemeinde, um sich daselbst zu erbauen. Und gewiß, wer einen Hunger nah dem Brote des Lebens hat, geht nicht leer von dannen.

Der Verfasser des Liedes ist Dr. Christian Friedrich Richter geb. 1676. Er studirte Medicin und Theologie in Halle und ward praktischer Arzt am Waisenhause daselbst. In Gemeinschaft mit seinem Bruder verfertigte er die berühmten hallischen Arzeneien und Tincturen, namentlich die sogenannte essentia dulcis, welche zur Emporbringung des Waisenhauses in Halle so viel mitgewirkt haben. Er ist der Verfasser von 33 zum Theil köstlichen, durchaus aber gesalbten Liedern. Starb den 5. October 1711.

127. Ich bin ein Gast auf Erden.

In dem würtembergischen Pfarrdorfe Altburg bei Calw lebte der schon seit mehreren Jahren in den Ruhestand versetzte wohlbetagte Schulmeister Schulz in stiller Zurückgezogenheit. Da geschah es, daß er am ersten Maisonntag des Jahres 1852 auf die Bitte seines Amtsnachfolgers, der an diesem Tage der Confirmation eines nahen Anverwandten in Calw beiwohnte, die Geschäfte eines Organisten und Vorsängers beim Gottesdienste zu übernehmen hatte. Darauf freute er sich denn auch recht wie ein Kind, daß es ihm nach so langer Entbehrung einmal wieder vergönnt sein sollte, mitten unter der Gemeinde, die im äußern und innern Sonntagsschmuck sich versammelte, seine liebe alte Orgel zu regieren. Mit heller, kräftiger Stimme, die ihm bis in sein hohes Alter eigen war, begann er denn, als der freudig ersehnte Tag herangekommen war, mit der Gemeinde das für den Gottesdienst bestimmte Lied: „Ich bin ein Gast auf Erden." Aber siehe da, mitten im zweiten Vers, der ihn so stark und wahr an sein verflossenes, von Dornen so reich durchflochtenes Leben erinnerte, neigte der in die höchste Begeisterung und Wehmuth zugleich versetzte Mann

das Haupt auf's Choralbuch — und war verschieden. Selbiges
Lied hatte man auch bei der Beerdigung seines ihm vorange=
gangenen einzigen Bruders gesungen. So schied der alte treue
Lehrer im Hause Gottes, in welchem er so vielmal Handreichung
gethan, schnell und sanft von hinnen, und mit kurzem leichten
Schritt, das Lob Gottes auf den erblaßten Lippen, trat er hin=
über in die Hallen des Himmels, wo ihm nach seiner langen,
mühevollen Pilgerschaft, nach einem Leben voll Kampf und
Streit, geführt im Dienste des Herrn, der Friede Gottes blühte
und das Bürgerrecht bereitet war und wohin sich im Gefühl
der Fremdlingschaft auf Erden sein sehnsuchtsvoller Blick schon
längst im Glauben gerichtet hatte. In derselben Kirche hatte nicht
lange vorher sein vieljähriger Pfarrer einen ähnlichen Tod ge=
funden, indem er ebenfalls während des Gottesdienstes auf der
Kanzel vom Schlag getroffen wurde.

Der Dichter des erwähnten Liedes ist der bekannte Paul
Gerhardt. Es erschien im Jahre 1667.

---

128. Ich ruf zu dir, Herr Jesu Christ.

Es ist zweifelhaft und unwahrscheinlich, daß dieses Lied
Dr. Speratus, dem es zugeschrieben wird, sollte gedichtet ha=
ben, da es selbst in den ältesten Gesangbüchern ohne Namens=
angabe vorkommt. Einige vermuthen, es sei ursprünglich ein
von Johann Huß gedichtetes Lied, das Speratus blos über=
arbeitet habe. Im Jahre 1535 kommt es schon in Klugs Ge=
sangbuch vor.

Dieses Lied wurde am Morgen vor der Lützener Schlacht
(den 6. November 1632) von Gustav Adolph und seinem gan=
zen Heere auf den Knieen gesungen.

Er hatte schon vor Anbruch des Tages unter inbrünstigem
Gebet von seinem treuen Beichtvater Fabricius das heilige
Abendmahl empfangen. Ohne weiter etwas genossen zu haben,
bestieg er hierauf sein weißes Leibroß. Herzog Bernhard bat
ihn, eine Rüstung anzulegen. Er antwortete, daß diese ihm
seit seiner Verwundung bei Dirschau zu lästig sei und sagte:
„Gott ist mein Harnisch! Meine Stunde ist im Himmel ge=
schrieben; die Erde kann daran nichts ändern!" Da mehrere
seiner Freunde dennoch mit Bitten in ihn drangen, rief er:

„Ach lieben Leute, ach lieben Leute, was kränkt ihr mich doch
mit den Waffen! Ihr wißt ja, wie schwerfällig ich bin. Ich
bezeuge vor Gott, daß ich für seine Ehre, seine Liebe, theuer
erkaufte Gemeine und unsere Religion kämpfe. Hat mir nun
Gott mein Ende jetzt gesetzt, was ich fast vermuthe, so werden
keine Waffen helfen, wo nicht, so wird er mich wohl behüten!"
Dies ergebungsvolle Gottvertrauen machte ihn an diesem Tage
mehr denn je stark in dem Herrn und in der Macht seiner
Stärke, daß er, ungeachtet seiner fast zur bestimmtesten Ueberzeugung gewordenen Ahnung von dem nahe ihm bevorstehenden
Tode, dennoch wachend und betend in freudigem Muthe im
Voraus gewiß war, sein von gleichem Geiste erfülltes Heer
werde Widerstand thun zur bösen Stunde, Alles wohl ausrichten und das Feld behalten. Bekanntlich wurde die Schlacht gewonnen, aber der König verlor sein Leben.

<hr>

129.

Ich rief zum Herrn in meiner Noth:
Ach Gott, vernimm mein Weinen!
Da half mein Helfer mir vom Tod,
Und ließ mir Hülf' erscheinen.

Die Wahrheit dieses Liederverses erfuhr einmal Jacob
Häuser im engsten Sinne der Worte, da er in einer nahen
Todesgefahr war. Die Geschichte ward ihm für sein ganzes
Leben ein unvergeßlicher, felsenfester Beweis der Wahrheit:
daß Gott in Christo immer bei den Seinen sei, bis an der
Welt Ende.

Häuser kam auf einer seiner Handelsreisen spät Abends
in ein Wirthshaus, das mitten im waldigen Gebirge lag. Es
war damals, bei eben beendigtem Kriege, fast allgemein sehr
unsicher auf den Landstraßen, am meisten aber gerade in jener
Gegend, welche ein Sammelplatz von verdächtigem Gesindel und
Räuberbanden war. Häuser reiste in Gesellschaft von noch zwei
andern Männern, und so zu Dreien, am meisten im Vertrauen
auf Gottes Schutz und Beistand wollten sie es doch lieber wagen,
die Nacht in diesem freilich sehr unheimlich gelegenen Hause zu-
zubringen, als bei spätem Abende dem kalten Herbstregen mitten
im wüsten Walde entgegengehen. Ohnehin hatte sie der schlechte

Weg so aufgehalten und ermüdet, daß die Füße nicht mehr weiter wollten. Gleich beim Hineintreten in das Haus bemerkten unsere drei Reisenden, daß sie hier alle Ursache hätten, Schlimmes zu befürchten, und deshalb sehr auf ihrer Hut zu sein. Wo in einem Hause überall aus jeder Ecke und Stelle des Zimmers, sowie aus dem Anzuge, dem zerzausten Haar und schmutzigen Gesicht der Bewohner, solche wüste Unordnung, solche Unsauberkeit hervorblickt, da können diese Bewohner keine Christen sein; denn das Christenthum veredelt auch den äußeren Menschen, giebt ihm jenen wahren Schönheitssinn, welcher nicht blos an der Reinlichkeit des, wenn auch noch so dürftig bekleideten Leibes, sondern auch an der Sauberkeit und Ordnung der Wohnung und nächsten Umgebung es bemerkbar macht, daß hier ein Tempel Gottes sei. Wenn nun aber vollends gar aus jeder Miene mürrisches, gehässiges Wesen sichtbar wird, wenn fast jedes Wort, das der Mann zur Frau, diese zum Manne oder zu den Mägden sagt, von einer beleidigenden Härte zeugt, und mit Flüchen und Scheltreden untermischt ist: da erkennt der eintretende Christ bald, daß hier nicht blos keine Wohnstätte des Geistes Gottes, sondern vielmehr eine Wohnung des Geistes sei, welcher ein Mörder von Anfang genannt wird.

Und so war es in diesem Wirthshause, worin Häuser und seine beiden Gefährten die Nacht zubringen wollten. Mürrisch und mit der widerwärtigsten Grobheit bringt man ihnen in halbzerschlagenem ungesäubertem Gefäß das verlangte Getränk und etwas Brot, weiset ihnen einen Sitz am schmutzigen Tische in der Nähe der zerbrochenen Fenster an, auf Stühlen, in ihrer Form so gearbeitet, als hätten sie ebedem zu dem Hause eines Wohlhabenden gehört, jetzt aber so zerrissen und zerstört, als wollten sie an blutige Schlägereien erinnern, welche öfters, in ihrer Wuth, auch der leblosen Geräthe nicht verschonen.

Die müden Fußgänger begehren, daß man ihnen ein Schlafzimmer anweise. Man führt sie in eine Dachkammer, so verfallen, so unreinlich, als sei sie nicht zum Aufenthalt für lebende Menschen bestimmt. Da liegt Stroh, auf das mögen die Reisenden sich legen. Jetzt, da die drei allein sind, theilt Häuser den beiden Gefährten alle seine Besorgnisse mit, und befestigt mit ihrer Hülfe, so gut es gehen will, von innen die schlecht verwahrte Thür. Die beiden Gefährten meinen, hinter einer so fest verrammelten Thür sei jetzt Sicherheit genug, legen

sich ruhig auf das Lager von Stroh, und schlafen, müde wie
sie sind, fast augenblicklich ein. Jacob Häuser aber wendet An=
gesicht und Herz aus der Dunkelheit und Unsicherheit
zu dem, in welchem keine Finsterniß ist, zu Israels
Schutz und Trost. Um seine Bewahrung und Hülfe,
um seine gnadenreiche Aufsicht in dieser Nacht bittet er inbrün=
stig, unter seinem Schirm legt er sich endlich zu seinen beiden
Gefährten auf's Strohlager. Aber er kann nicht einschlafen,
und jede Neigung zum Schlafe vergeht ihm vollends, da er um
Mitternacht das Getümmel von neu ankommenden Gästen hört,
deren wüstes Geschrei und Toben beim Zechen des Branntweins
gar bald verräth, daß sie keine Reisenden sind, welche die Nacht
zur Ruhe gebrauchen, sondern Menschen, deren Thun und Trei=
ben mit der Finsterniß befreundet ist, welche daher erst bei Nacht
das Lager verlassen, wenn Andere es suchen. Es kommen
immer Mehrere, das Toben wird immer wilder. Da steht Ja=
cob, dem jetzt die Ueberzeugung immer fester wird, das sei keine
eingebildete, sondern wirkliche Gefahr, vom Lager wieder auf,
und knieet neben demselben hin. „Soll ich hier, so betet er,
von Mörderhänden sterben, so geschehe dein Wille. Ich habe
alle Schmerzen des Leibes mit meinen Sünden verdient. Sei
und bleibe du mir nur ein gnädiger Gott, und nimm meine
Seele mit Erbarmen an." Nachdem er sich so mit Leib und
Seele ganz in Gottes Willen ergeben, sich in Gottes treue Hand
gelegt und nun auf Alles gefaßt ist, wird, so erzählt er von
sich selber, sein Muth wie der Muth eines jungen Löwen. Hier
sind noch andere Leute zu retten außer dir, denkt er. „Auf,
ihr Männer! so ruft er seinen Reisegefährten zu, es ist jetzt
nicht Zeit zu schlafen, sondern zu wachen, die Angst und Ge=
fahr sind da." Die beiden fahren auf, und erkennen bald, daß
die Gefahr wirklich da sei. Aus dem untern Zimmer und der
Hausflur kommt die wüste Schaar zur Treppe hinauf und gerade
auf ihre Kammer zu. Der Wirth, den die rohe Stimme und
Rede kenntlich machte, will die Thür aufreißen, findet sie aber
von innen verrammelt. Mit furchtbarem Drohen und Fluchen
verlangt er, man solle aufthun; Häuser, mit fester, männlicher
Stimme, antwortet: für diese Nacht gehöre das Zimmer ihm
und seinen Gefährten, sie würden nicht eher aufthun, als am
Morgen. Da verdoppeln die von Außen ihre Anstrengungen,
die Thür aufzureißen; den Dreien aber stärkt Gott die Kräfte,

daß sie alle jene Mühe vereiteln. Endlich bricht der Wirth in unbändige Wuth aus, er schreit, man solle die Holzart bringen, da wolle er mit diesen armseligen Kerlen bald fertig werden. Nun war Menschenhülfe aus, denn schon hört man die Füße dessen, der die Art bringt, auf der Treppe. Jacob betet noch einmal seinen Gefährten das Gebet des Glaubens und des Helbenmuths, der nichts mehr will, als was Gott will, vor, das Gebet der gänzlichen, freudigen Ergebung in den Willen des Herrn, wobei das Menschliche im Menschen ganz zurücktritt, und das Göttliche, wunderbar und allmächtig, tritt statt seiner hervor: um Hülfe in der Noth.

Und diese Hülfe war schon vor der Thür. Die hellen Töne eines Posthorns und das Klatschen der Peitsche kündigen eine Extrapost an, welche sich von der Hauptstraße verirrt hat, und den von dem schlechten Wege ermüdeten Pferden hier einige Stunden Ruhe verschaffen will. Ein böses Gewissen ist leicht erschreckt. Der mit dem Beile kehrt schnell auf halber Treppe um, der laut tobende Wirth verstummt, spricht einige halblaute Worte zu seinen Gesellen, und geht dann auch hinunter. Das wilde Gesindel schleicht sich nach einiger Zeit dem Wirthe nach, zur Treppe hinab und zur Hinterthür hinaus. Die drei geängsteten Männer waren durch die Ankunft der wohlbewaffneten Fremden gerettet, und eilten mit Tagesgrauen zu dem verdächtigen Hause und Walde hinaus. Als sie im Freien waren, stimmten sie den obenstehenden Vers an: „Ich rief zum Herrn in meiner Noth."

Der Vers ist aus dem Liede: Sei Lob und Ehr dem höchsten Gut 2c., welches der Rechtsconsulent Joh. Jac. Schütz gedichtet hat. Er starb zu Frankfurt 1690. Das Lied erregte bei seinem Erscheinen im Jahre 1673 großes Aufsehen.

130. Ich sahe keinen Ausgang mehr.

Das Eis der Newa*) thaut in der Regel allmäblig auf, aber zuweilen geschieht es, daß der Strom unerwartet aufbaut,

---

*) Newa, ein fischreicher Fluß im Gouvernement St. Petersburg, ist eigentlich der Abfluß des Ladoga-See's, durchströmt in mehreren Armen die Hauptstadt Petersburg und ergießt sich in den kronstädtischen Meerbusen.

wobei nicht selten Unglücksfälle Statt finden. Im Jahre 1828 gegen Ende des Märzmonats, folgte auf einen Nordwind plötz: lich ein starker West, der mehrere Stunden hinter einander wehte. An diesem Tage ereignete sich folgender Vorfall. Eine Bäuerin, aus einem auf dem finnländischen Ufer liegenden Dorfe, wusch auf dem Eise in einer etwa sechs Fuß vom Ufer entfernten, offenen Stelle Zeug aus, da bewegt sich plötzlich die große Scholle, auf welcher sie sich befindet, die den Meerbusen bedeckende Eismasse theilt sich in tausend kleine und größere Stücken, die einander, von der Strömung getrieben, schieben und drängen. Auch die Scholle, welche das unglückliche Weib trägt, schwimmt fort. Schon entschwindet das Dach, unter welchem ihre Kinder sorglos spielen, dem thränenfeuchten Auge; kaum sieht sie noch den Kirchthurm. Sie schwimmt zwischen den Wol: ken und dem im gewaltigen Aufruhr befindlichen Meere: an Hülfe und Rettung ist nicht zu denken, und nichts bleibt der Armen übrig, als Gott im Himmel ihre Seele zu empfehlen. Jetzt drohet eine große Eisscholle die, auf welcher sie sich befin: det, zu zertrümmern, sie sieht den Tod vor Augen, aber die Größe der Gefahr drückt sie nicht nieder, sondern belebt ihren Muth. Entschlossen und kaltblütig springt sie geschickt auf die mächtigere Scholle, aber nur, um neuen Gefahren entgegen zu sehen. Doch für den Augenblick war sie gerettet, und so ver: zweifelt auch ihre Lage war, so hoffte sie doch immer noch das Land wieder zu erreichen, von welchem sie jede Minute weiter abgetrieben ward. Auf den Knieen bat sie Gott um Erlösung und Rettung mit folgendem Liederverse:

> Herr, hilf, mir ist von Herzen bang!
> Ach eil', wie bleibest du so lang?
> Ich quäle und durchängste mich,
> Und die Geduld verlieret sich.
> Ach, komm mit deiner Hülf' einher,
> Denn meine Hoffnung schwindet sehr!

Ihre Angst wird wo möglich noch gesteigert, als die Nacht hereinbricht, und fast bedauert sie, nicht bei Tage schon ein Opfer des empörten Elements geworden zu sein. Was wird ihr Mann sagen, der jetzt von der Arbeit heimkommt, wenn die Kinder seine Kniee umschlingen, und jammernd rufen: Va: ter! die Mutter ist nicht nach Hause gekommen! —

Vor Kälte und Hunger sinkt sie nieder und schließt die

Augen. Da hört sie einen Flintenschuß, sie sieht auf und sieht
sich der Küste nahe. Sie ruft, schreit, streckt die Arme aus,
schwingt ihren weißen Pelz in der Luft. Und am Ufer hört
man ihr Rufen, bemerkt sie und eilt zur Rettung herbei; sechs
kühne Männer springen furchtlos in eine Schaluppe*), bahnen
sich mit Mühe einen Weg bis zu der Scholle, werfen der Bäuerin
ein Brett zu, an welchem sie ein Tau befestigt haben; das ergreift sie mit fester Hand, und erreicht so das rettende Fahrzeug.
Nicht ohne große Gefahr gelingt es den Schiffern, die esthlän-
dische Küste zu erreichen; denn die Scholle war nach der linken
Seite hinüber getrieben worden, und hatte eine Strecke von beinahe sechs Meilen zurückgelegt. Ein Gutsbesitzer, dessen Wohnung unfern vom Meere liegt, hatte von seiner Terrasse herab
dem Eisgange zugesehen, und, obschon es Dämmerung war, die
Unglückliche bemerkt. Er nimmt sie, die, als sie an's Land tritt,
ohnmächtig und bewegungslos niedersinkt, gastlich auf. Als sie
wieder zu sich selbst kommt und die Augen aufschlägt, ist ihr erstes Wort eine Frage nach den Kindern, denn sie glaubt in
Finnland zu sein.

Noch acht Tage lang strömte das Eis auf dem Ladogasee
durch die Newa in den Meerbusen; als aber endlich der milde
Frühlingswind alle Massen weggetrieben hatte, ließ der Gutsbesitzer die Bäuerin wieder übersetzen. Mit Geschenken reichlich
begabt und freudetrunken fährt sie ab, und gelangt glücklich und
wohlbehalten an der finnländischen Küste an.

Von dort ab gewahren die Leute ein Fahrzeug, das, wie
sie meinen, nach Petersburg segelt. Das erste Schiff, welches
nach dem Eisgange wieder in See erscheint, wird immer mit
Jubel empfangen, und, als ein Verkünder der bessern Jahres-
zeit, freudig begrüßt. Alle Bauern laufen ans Meer, um ihm
Willkommen zuzurufen; auch die Bauern aus dem Dorfe, in
welchem diese Frau wohnte. Nur ihr Mann und ihre Kinder
blieben daheim. Die Schaluppe fährt an: da erhebt die Menge
ein Jubelgeschrei, und bald liegt die Frau in den Armen ihres
Mannes, und umklammert die Kinder. Sie wird mit Fragen
um ihre Rettung bestürmt; statt aller Antwort aber zeigt sie
auf den Himmel und auf die unerschrockenen Männer, welche,

---

*) Ein kleines leichtes Schiff.

als deſſen Werkzeuge, ſie aus der Gefahr erlöſt haben. Die aber
liebkoſ't man, ſegnet ſie, dankt ihnen und jeder will ſie unter
ſeinem gaſtlichen Dache beherbergen. Doch, wie von gleichen
Gefühlen und Empfindungen getrieben, und ohne Verabredung
gehen Alle nach der Kirche, danken dem Allmächtigen und Gnä=
digen für die wunderbare Rettung, und der Pope *) ſtimmt ei=
nen Geſang an. Und dann erſt wird die Bäuerin nach ihrem
Hauſe geleitet. Dort angelangt, bricht ſie in die Worte aus:

> Ich ſahe keinen Ausgang mehr;
> Ich weinte laut und klagte ſehr,
> Wo biſt du, Gott? wie ſchaueſt du
> Denn meinem Elend ſchweigend zu?

> Dann hörteſt du, o Herr, mein Flehn,
> Und eilteſt bald mir beizuſtehn!
> Du öffneteſt die Augen mir:
> Ich ſah die Hülf', drum dank' ich dir.

Die Bootsleute fanden, als ſie zurückfahren wollten, in
ihrem Boote Kuchen, getrocknete Früchte und andere Gegenſtände,
welche Küche und Keller der Bauern nur darbot; denn jeder
Einzelne hatte ihnen nach Kräften ſich dankbar und erkenntlich
beweiſen wollen.

---

131. Ich ſterbe täglich und mein Leben.

Ein leichtſinniger junger Menſch, der ſeine Jugendjahre
in Zerſtreuungen und eiteln Geſellſchaften durchlebte, kam ein=
mal um Mitternacht von einem Schmauſe nach Hauſe. Ehe er
ſich niederlegte, ſah er noch zum Fenſter hinaus, und hörte in
ſtiller Mitternacht, nicht weit von ſeinem Hauſe, eine liebliche
Stimme das Lied ſingen:

> Ich ſterbe täglich und mein Leben
> Eilt immerfort zum Grabe hin.
> Wer kann mir einen Bürgen geben,
> Ob ich noch morgen lebend bin?
> Die Zeit geht hin, der Tod kommt her,
> Ach, wer nur immer fertig wär!

---

*) Popen heißen die Geiſtlichen in der griechiſchen Kirche.

Der wichtige Inhalt dieses ernsten Sterbeliedes, die lieb=
liche Stimme der singenden Person, die stille Nacht, der ge=
stirnte Himmel — alles dies machte einen tiefen Eindruck auf
seine Seele und rührte ihn bis zu Thränen. Seine Jugendsün=
den, sein bisher geführter eitler Wandel, seine Sicherheit, sein Leicht=
sinn — dieses alles stellte sich ihm vor Augen; und Tod und Ewig=
kit wurden ihm wichtig. Er legte sich mit Gewissensbissen nie=
der, und faßte den festen Entschluß, seine vorigen Sündenwege
zu verlassen, und sich zu Gott zu wenden. Er fand Gnade —
aber nach einiger Zeit gewann er mit Demas die Welt wie=
der lieb.

Schade für den guten Jüngling, den der Herr zog, der
Anfangs folgte, und dann wieder auf seine vorigen Wege zurück=
wich! Fürwahr, es ist viel verscherzt, solche gute Rührungen
verscherzt zu haben. Dem Sünderfreund muß es recht wehe thun,
das abgewichene Herz nicht durch die Stimme der Liebe zu sich
ziehen zu können. Freilich hat seine Liebe noch stärker angrei=
fende Hülfsmittel den Verirrten auf den rechten Weg zu brin=
gen; er spart keine Mühe, das Verlorne zu suchen; aber wenn
alles nichts hilft — ach! dann muß der Sünder dem schreckli=
chen Gericht der Verstockung überlassen werden! Wehe dem, der
diesem anheimfällt! es ist nur noch ein Schritt zwischen ihm und
dem ewigen Verderben.

Der Dichter dieses Liedes ist Benj. Schmolk.

132.

Jehovah, hoher Gott von Macht und Stärke,
Wie groß ist doch dein Ruhm in aller Welt!
Wie wunderbar sind alle deine Werke,
Die deine Hand in weiser Ordnung hält!
Du bist allein der Herr der Ewigkeit,
Nur bist du würdig, daß dir Ehr' und Macht
Im Himmel und auf Erden werd gebracht;
Denn du allein bist die Vollkommenheit.

Der Verfasser dieses Liedes ist Carl Heinrich von
Bogatzky. Er erzählt in seinem Lebenslaufe, was ihm dazu
Veranlassung gegeben hat. Ich war einst, heißt es Seite 97,

ins schlesische Gebirge nach Schreibersdorf, eine Meile von Landshut, gereiset. Da ging ich eines Tages auf einen hohen Berg, und als ich mich umsehe, so sehe ich die weit vor mir liegenden, noch viel höheren Gebirge für Wolken an, als ich sie aber etwas genauer betrachtete, wurde ich gewahr, daß oben in der Höhe Bäume standen, daß es folglich keine Wolken, sondern hohe Berge sein müßten. Das gab mir einen ganz durchdringenden und lebendigen Eindruck von der großen Maje= stät, Herrlichkeit und Allmacht Gottes. Ich wurde über diesen Anblick von der Majestät Gottes aufs tiefste gebeugt, aber doch auch zum Glauben und kindlichen Vertrauen, und zum Lobe der Herrlichkeit Gottes so erweckt, daß ich gleich auf der Stelle meine Gedanken singen mußte. Sobald ich vom Berge wieder herab kam, schrieb ich dieses Lied nieder, in welchem eben alle die Gedanken enthalten sind, die ich auf dem Berge hatte.

------

133. Jehovah, dein Regieren macht.

Das ist das sogenannte „Krönungslied", das zum ersten Male bei der Krönungsfeier am 18. Januar 1701 in der Schloß= kirche zu Königsberg gesungen wurde, und am 18. Januar 1851, also nach 150 Jahren, bei der kirchlichen Feier des Krönungs= und Ordensfestes im Dome zu Berlin wieder gesungen ist. Si= mon Dach hat es keineswegs als „Krönungslied" gedichtet, man hat es nur wegen seines Anklanges an die damals statt= findende Feier dazu gemacht, und als solches benutzt.

Simon Dach wurde zu Memel, wo sein Vater Doll= metscher der lithauischen Sprache war, am 29. Juli 1605 geboren. Schon als Knabe zeigte er große Fähigkeiten, beson= ders auch in der Musik; die Geige war sein Lieblingsinstrument. Seine erste Anstellung erhielt er als Collaborator an der Kö= nigsberger Domschule. Im Jahre 1639 wurde er Professor der Poesie an der Universität zu Königsberg, weil er das Jahr zuvor den großen Churfürsten, der, im Krieg mit den Schwe= den, nach Königsberg gekommen war, mit einem Gedicht be= grüßt hatte.

Als mehrere seiner Freunde ihm in die Ewigkeit voran= gegangen waren, so ward ihm die Erde immer leerer und kah= ler. Er bereitete sich daher alles Ernstes auf ein seliges Ende,

Heinrich, Erz. I.   11

eingedenk der Flüchtigkeit unserer Tage. Er rief den vorange=
gangenen Lieben zu: „Freuet euch, ich komme bald!" Und
nach einem jahrelangen Krankenlager spannte ihn der Herr end=
lich aus dem Joch und führte ihn von dannen, am 15. April
1659, nachdem er ein Alter von 54 Jahren erreicht hatte.
Die Zeit seines Abscheidens hatte er mit großer Bestimmtheit
vorausgesagt. Er dichtete im Ganzen 150 geistliche Lieder.

---

134. Jesus nimmt die Sünder an.

In einem kleinen protestantischen Dorfe lebte ein junger
Mensch im Leichtsinne dahin, diente der Sünde, und führte auch
manche seiner Bekannten auf denselben Weg. Aber einer von
ihnen, welcher in der Furcht Gottes wandelte, sagte einmal zu
ihm, er möge doch bedenken, was sein endliches Schicksal sein
werde, wenn er fortführe, die Gnade Gottes, die er jetzt noch
erlangen könne, zu verachten, und auch an andern Schaden an=
zurichten. Diese Erinnerung erschütterte das Herz des Sünders
sehr tief; er äußerte sich aber gegen niemand, suchte auch nicht
bei Jesu Vergebung seiner Sünden, und gerieth endlich in einen
solchen schrecklichen Gemüthszustand, daß er an seinem Heile
verzweifelte, und eines Tages, da er sich in der Scheune allein
befand, den Versuch wagte, sich durch einen Schnitt in die
Kehle das Leben zu nehmen. Er wurde hernach bald in seinem
Blute liegend aber noch lebend gefunden, und als man voll
Bestürzung ihm Hülfe schaffen wollte, sagte er: „Laßt mich lie=
gen, ich habe nichts besseres verdient."

Nachdem ein aus der nächsten Stadt eiligst herbei gehol=
ter Arzt ihn verbunden und dabei geäußert hatte, daß er wenig
Hoffnung zur Erhaltung seines Lebens habe: so bat der junge
Mann, daß man seine Cameraden und Nachbarn herbeirufen
möchte, weil er ihnen etwas zu sagen wünsche. Es geschahe,
und er sagte zu ihnen: Ihr könnt nun an mir ein trauriges
Beispiel davon sehen, was für Folgen es hat, wenn man der
Sünde dient, meine Seele ist ewig verloren, der böse Feind,
von dem ich mich lange Zeit habe beherrschen lassen, hat jetzt
völlige Gewalt über mich, und lauert schon darauf, meine
Seele an den Ort der Qual zu bringen.

Auch der Prediger des Ortes wurde zu ihm geholt, er
wies aber seinen Zuspruch mit folgenden Worten zurück: „Ich
mag Ihre Worte nicht hören, Sie selbst müssen sich erst beleh=
ren, durch Ihre Aeußerungen und durch Ihren Wandel haben
Sie böse Beispiele aufgestellt; Ihren Confirmanden und andern
Ihrer Kirchkinder haben Sie eingeredet, daß das Tanzen und
andere weltliche Lustbarkeiten unschuldige Vergnügen seien; und
eben dadurch ist der Grund zu meinem Unglück gelegt worden."
Von einem Grade zum andern stiegen auf seiner Seite
die Ausbrüche der Verzweiflung, und eben so stieg das Ent=
setzen auf Seiten der Umstehenden. Kaum konnte man Leute
finden, die Muth genug hatten, über Nacht bei ihm zu wachen.
Nach einigen Tagen fühlte sich eben der junge gottselige Mann,
durch dessen Erinnerung der Sünder zuerst erschüttert worden
war, aufgeregt, den noch tiefer Gefallenen zu besuchen; ehe er
aber zu ihm ging, fiel er nieder und bat den Heiland unter
vielen Thränen, daß er ihm die Gnade schenken wolle, dem Un=
glücklichen ein Wort des Trostes zu bringen, das in seiner
Seele hafte. Als er hinkam, sagte jener, du kommst zu spät,
mein Freund; als dieser entgegnete, ein Freund komme nie zu
spät; so fuhr er fort: „ja es ist doch zu spät, hätte ich deine
Ermahnungen früher befolgt, so könnte ich so glücklich sein, wie
du, nun bin ich verloren, der böse Feind hält mich und kein
Mensch kann mir helfen." — Allerdings, antwortete jener, ist
kein Mensch in der ganzen Welt zu finden, der dir helfen kann,
aber ich kenne, so gewiß als du mich hier vor dir siehst, einen
Heiland, der für uns alle todt war und ist lebendig von Ewig=
keit zu Ewigkeit. Er hat die Schlüssel der Hölle und des Todes,
vor ihm muß der Teufel, müssen alle bösen Geister weichen, er
allein kann deine Seele retten, er will und wird sie retten, wenn du
dich mit Gebet zu ihm wendest, und ihn um Begnadigung anrufest.
Der Unglückliche wurde hierdurch heilsam gerührt, sagte
aber, er könne nicht beten, auch nicht ein Wort. So will ich,
fuhr jener fort, für dich zum Heiland beten, und dir zeigen, wie
du selbst beten sollst. Hierauf kniete er bei dem Lager des Jüng=
lings nieder und that ein lautes, inbrünstiges Gebet zu Jesu,
der sich selbst für die Sünden der ganzen Welt aufgeopfert hat,
und empfahl seiner Gnade die Seele dieses Sünders. Nach
diesem langte er ein Gesangbuch aus der Tasche und las nach=
stehendes Lied vor:

11*

Jesus nimmt die Sünder an.
Saget doch dies Trostwort Allen,
Welche von der rechten Bahn
Auf verkehrten Weg verfallen.
Hier ist, was sie retten kann:
Jesus nimmt die Sünder an!

Keiner Gnade sind wir werth;
Doch hat er in seinem Worte
Eidlich sich dazu erklärt;
Sehet nur, die Gnadenpforte
Ist hier völlig aufgethan:
Jesus nimmt die Sünder an.

Wenn ein Schaf verloren ist,
Suchet es ein treuer Hirte;
Jesus, der uns nie vergißt,
Suchet treulich das Verirrte,
Daß es nicht verderben kann:
Jesus nimmt die Sünder an.

Kommet Alle, kommet her,
Kommet, ihr betrübten Sünder;
Jesus rufet euch, und er
Macht aus Sündern Gottes Kinder.
Glaubt es doch und denkt daran:
Jesus nimmt die Sünder an. u. s. w.

Der Jüngling hatte aufmerksam zugehört und sagte sodann: ich bin dir von Herzen dankbar, denn nun habe ich, besonders durch das schöne Lied, Freudigkeit bekommen, und fühle, daß ich zu Jesu um Begnadigung flehen kann. Bete auch in der Stille für mich, und besuche mich morgen wieder. — Er konnte diesen Besuch seines Freundes nicht erwarten, sondern ließ ihn frühmorgens zu sich rufen, und sagte zu ihm: „In dieser Nacht hat der barmherzige Heiland sich mir als mein Versöhner offenbart und mir alle meine Missethat vergeben. Ich fühle mich jetzt unbeschreiblich glücklich, alle Schreckbilder, die mir vor der Seele standen, sind verschwunden."

Hierauf ließ er seine Nachbarn und alle, die er beleidigt oder verführt hatte, herbeiholen, bat sie herzlich um Vergebung, befahl ihnen mit Ernst und außerordentlichem Nachdruck, daß sie ihre Bekehrung ja nicht aufschieben möchten und schloß mit den Worten: „Es ist euch bekannt, was für ein Leben ich armer,

verdammungswürdiger Mensch geführt habe und wie tief ich zu=
letzt gefallen bin; aber der Heiland hat mich nach seiner großen
Barmherzigkeit aus dem ewigen Verderben, wie einen Brand
aus dem Feuer gerissen; bald werde ich zu ihm kommen und ihn
ewig dafür preisen, daß er mich begnadigt hat, wie ein verur=
theilter Uebelthäter auf dem Richtplatze begnadigt wird."

Wenige Tage nachher ging er selig aus der Zeit und seine
letzten Aeußerungen hinterließen bei Vielen einen tiefen und ge=
segneten Eindruck.

Das schöne Lied ist um das Jahr 1718 von Erdmann
Neumeister gedichtet worden. Er wurde geboren in Uechteritz,
bei Weißenfels den 2. Mai 1671, eines Schulmeisters Sohn,
und starb als Pastor in Hamburg den 18. August 1756. Er
dichtete gegen 700 Lieder.

---

135. Jesus meine Zuversicht.

Als Bartholomäus Ziegenbalg, der Erstling
unter den evangelischen Missionaren, der in Ostindien das
Evangelium im größten Segen verkündete und das neue Testa=
ment in die malabarische Sprache übersetzte, zu Tranquebar am
23. Februar 1719 im Sterben lag, riefen ihm seine Freunde,
die um sein Bett her standen, noch zu: „Ich habe einen guten
Kampf gekämpft u. s. w." Darauf bezeugte er ihnen: „Ach ja!
ich will diesen Kampf mit Christo aushalten, auf daß ich eine
so herrliche Krone erhalte." Hierauf begehrte er, sie möchten ihm
das Lied singen: „Jesus, meine Zuversicht." Das tha=
ten sie denn auch und spielten dazu auf dem Klavier. Der Ster=
bende aber, dem diese Worte einen himmlischen Glanz über die
Nacht des Todes verbreiteten, deutete ihnen an, es werde ihm
so hell vor den Augen, als ob ihm die Sonne ins Gesicht
schiene, und bald darauf entschlief er unter dem Thränengebet,
der Seinigen.

---

136. Jesus, meine Zuversicht.

Dieses schöne Osterlied, das an sehr vielen Orten auch
als stehendes Begräbnißlied gebraucht und dann gesungen wird

wenn man mit der Leiche auf dem Wege zu ihrer letzten Ruhe=
stätte ist, wurde von der Gemahlin des Churfürsten Friedrich
Wilhelm des Großen von Brandenburg, Luise Henriette,
im Jahre 1649 gedichtet, als sie ihr erstes und damals einziges
Kind durch den Tod verloren hatte. Sie ließ dieses Lied jedes
Mal am Osterfeste singen und stärkte und tröstete sich daran.
Aber nicht blos der Churfürstin, sondern auch vielen Tausend
Anderen ist dies Kleinod in dem heiligen Gesang der evangeli=
schen Kirche ein reicher Trost geworden und wird Tausenden ein
solcher noch werden, denn aus dem Liede leuchtet jene tapfere,
freudige Gesinnung aus der ersten Zeit der Kirchenverbesserung
wieder hervor, welcher der Tod ein Weg zum Leben war.

Professor Hengstenberg in Berlin erzählt, daß in der
schaurigen Berliner Nacht vom 18. zum 19. März 1848 mitten
durch das Gewehrfeuer, durch den Donner der Geschütze, durch
das wilde Geschrei des Aufruhrs ernst und feierlich und bis ins
Innerste der fragenden Seele hinein, das Glockenspiel an einem
der Thürme den Choral des Liedes gespielt habe:

> Jesus, meine Zuversicht
> Und mein Heiland ist im Leben!
> Dieses weiß ich, sollt ich nicht
> Darum mich zufrieden geben?
> Was die lange Todesnacht
> Mir auch für Gedanken macht!

Welch eine seltsame Stimme des Trostes und der War=
nung aus dem Munde einer frommen Landesmutter mußten jetzt
die Berliner in jener Nacht voll Sturm, voll Angst und Ver=
führung in diesem Osterliede vernehmen, das einst die fromme
Churfürstin wohl in demselben Schlosse, das jetzt von schreck=
lichem Kampfe umbrüllt war, aus frommem Herzen dem Herrn
zugesungen hatte!

Luise Henriette vermählte sich am 7. Dezember 1646,
erst 19 Jahr alt, mit Churfürst Friedrich Wilhelm dem
Großen von Brandenburg. Dieselbe war eine geistvolle, hoch=
gebildete und gottselige Frau. Ueberall, wohin sie auf ihren
Reisen kam, ließ sie es sich von Herzen angelegen sein, das
Elend ihres Volkes, das in Folge der Kriegszeiten hereingebro=
chen war, zu lindern und der Landwirthschaft und den Gewer=
ben aufzuhelfen. Keinen Tag ließ sie unbenützt verstreichen und
theilte ihre ganze Zeit in Uebungen der Andacht, bei denen sie

auf's strengste sich selbst prüfte und richtete, und in die Berathung hülfsbedürftiger Menschen. Wenn die Prediger in der
ganzen Umgegend eine Wöchnerin fragten: „mit welchem Namen
soll ich das Kind taufen?" so war meist die freudige Antwort:
„Luise;" so sehr war ihr Name bald der Lieblingsname des
Volks geworden und ihr Bildniß hing bis noch vor 30 und 40
Jahren selbst in den Häusern der geringsten Bürger. Dankbar
und demüthig vor Gott nahm sie solche Ehre und Liebe von
ihrem Volke hin und ließ sich durch ihren hohen Glücksstand nur
zu immer lebendigerem Preis Gottes und zu herzlicherem Vertrauen auf ihn erweden. Im Jahre 1653 veranstaltete sie die
Herausgabe eines evangelischen Gesangbuches. Sie ertheilte ihrem
Gemahle, dem Churfürsten Friedrich Wilhelm, selbst in den ver-
worrensten Staatssachen, oft Rathschläge, wie sie kaum die erfahrensten Minister zu geben wußten. Leider starb sie schon 1667
in einem Alter von 40 Jahren. Der Churfürst vermißte sie
sehr. Oft, wenn er aus der Versammlung seines geheimen Ra-
thes voll Ungewißheit und Unruhe in sein Zimmer zurückkam,
blieb er lange in tiefen Gedanken starr vor ihrem Bildnisse stehen,
und brach wehmüthig in die Worte aus: O Luise, Luise! wie
sehr vermisse ich deinen Rath.

137. Jesus, meine Zuversicht.

Eine 70jährige treue Christin lag auf ihrem Sterbebette.
Freunden, welche bei ihrem Heimgang gegenwärtig waren, gab
sie sterbend die Ermahnung: „Bleibt doch eurem Jesu treu, es
mag euch gehen, wie es will. Wachset in der Gnade und Erkenntniß Jesu Christi; strebet nach der Liebe. Ich hab es erfahren, daß man es schon hier gut bei ihm hat." Mit heller
Stimme stimmte sie mit den Anwesenden das herrliche Lied an:
„Jesus, meine Zuversicht und mein Heiland ist im Leben," und
schlummerte ohne einige Todesfurcht sanft unter dem Gesange in
die Ewigkeit hinüber.

138. In allen meinen Thaten.

Eine Mutter mehrerer unversorgter Kinder, die mit ihnen
in der alleräußersten Dürftigkeit schmachtete, ging einst, von ih-

rem dreizehnjährigen Sohne begleitet, nach S., um für diesen
und ihre andern Söhne wo möglich irgend ein Unterkommen zu
finden. Alles ihr Mühen und Bitten aber war fruchtlos. Auf
dem Rückwege lagerten sich Mutter und Sohn, Beide von Hun=
ger, Angst und Thränen bis zur Ohnmacht ermattet, unter einem
Baume; dann fielen sie auf ihre Kniee, schluchzend und laut zu
Gott um Hülfe schreiend. Plötzlich glaubten Beide sehr vernehm=
lich das Lied: In allen meinen Thaten ꝛc. von einem
ganzen Chor singen zu hören. Der Sohn glaubt unter den
vielen singenden Stimmen die seines verstorbenen Vaters deut=
lich und unterscheidend zu erkennen.

Sie waren eben nach Hause gekehrt, als ein Kaufmann
aus Berlin, der hier Holz einkaufte, den Knaben erblickte, ihn
starr ansah und ihn fragte: ob er Lust habe, mit ihm nach
Berlin zu reisen und dort die Kaufmannschaft bei ihm zu ler=
nen? Mutter und Sohn erstaunten und nahmen das Anerbie=
ten dankbar an; und der Erfolg zeigte, daß es dem Knaben bei
seinem Lehrherrn sehr gut ging. Der Kaufmann war kaum mit
dem Knaben abgereist, als ein reicher kinderloser Bauer aus der
Altmark zu der Mutter kam, welche jetzt ihren zweiten eilfjähri=
gen Sohn bei sich hatte. Der Bauer fragte die Mutter: ob sie
einwilligen würde, wenn er den Knaben an Kindesstatt anneh=
men und in Allem als ein leibliches Kind versorgen wollte?
Man kann denken, mit welchen Gefühlen des Erstaunens und
zugleich des Dankes die Mutter ihr Ja aussprach. Der Antrag
wurde sogleich ausgeführt. Solche Erfahrungen dienen zur Auf=
richtung in Stunden, wo das verzagte Herz an dem Können
oder Wollen der göttlichen Allmacht und Liebe zu zweifeln
versucht wird!

139.

In allen meinen Thaten
Laß ich den Höchsten rathen,
Der Alles kann und hat;
Er muß zu allen Dingen,
Soll's anders wohl gelingen,
Selbst geben guten Rath und That.

Der Verfasser dieses Liedes ist Paul Flemming. Er
wurde geboren 1609 zu Hartenstein im Schönburgischen, besuchte

die Fürstenschule zu Meißen und studirte in Leipzig Medicin. Um den Kriegsdrangsalen auszuweichen, ging er 1633 nach Holstein, wo gerade der Herzog Friedrich eine Gesandtschaft an den russischen Czaar Michael Feodorowitsch, seinen Schwager, abgehen ließ, um für eine später an den Schah von Persien abzuordnende Gesandtschaft freien Durchzug nachzusuchen. Flemming suchte und erhielt die Stelle eines Hofjunkers und Truchseß beim Gesandten und reiste den 22. October 1633 mit demselben von Gottorf ab. Zu dieser langen, damals noch gar gefahrvollen Reise stärkte und bereitete er sich im Herrn durch das obige Lied. Es ist das einzige Lied, welches er gedichtet hat. Das Original hat fünfzehn Verse, wovon die, welche sich ganz besonders auf das Reisevorhaben Flemming's beziehen, in den meisten kirchlichen Gesangbüchern weggelassen sind. Die Gesandtschaft traf am 6. April 1635 wieder in Gottorf ein, um noch in demselben Jahre wieder nach Jspahan abzugehen. Auch den zweiten Zug begleitete Flemming in seiner frühern Stellung. Sie kamen nach zweimaligem Schiffbruch und vielen andern Fährlichkeiten am 3. August 1637 in Jspahan an, wo sie bis 21. December verweilten. Flemming traf am 1. August 1639 wieder in Gottorf ein. Er gedachte nun sich als Arzt in Hamburg niederzulassen und erwarb sich deshalb zu Leyden mit großem Ruhme die medicinische Doktorwürde, aber kaum war er nach Hamburg zurückgekehrt, als ihn in seinem einunddreißigsten Jahre am 2. April 1640 ein früher Tod abrief.

Von einem frommen Herzoge wird berichtet, daß, so oft derselbe eine Reise angetreten, er dieses Lied bei dem öffentlichen Gottesdienste habe singen lassen. Er hat sich auch stets des göttlichen Schutzes und des göttlichen Segens zu erfreuen gehabt. — Im Jahre 1851 am ersten Pfingsttage ist dem Dichter dieses Liedes zu Hartenstein eine eiserne mit goldner Inschrift versehene Gedenktafel errichtet worden.

---

140. Kyrie eleison.

Als vor Jahren der Kaiser Heinrich II. wider die Ungarn Krieg führte, befahl er seinen Soldaten, sie sollten die Schilde alle oben zusammenhalten, dazu mit heller Stimme Kyrie eleison

170

singen, und also getrost und frisch in die Feinde setzen. Da=
durch wurden jene dermaßen geschreckt, daß sie nichts ausrichten
konnten und schleunigst flohen.

---

141. Keinen hat Gott verlassen.

So hast du wohl schon manchmal gesungen, lieber Leser,
und das Herz ist dir dabei weit geworden im Glauben, daß du
in Wahrheit sagen konntest: „Gott ist unsre Zuversicht
und Stärke, eine Hülfe in den großen Nöthen, die
uns getroffen haben." Ps. 46, 2. Ja, es ist im Leben
gar oft der Fall: Wenn die Noth am größten ist, ist auch Got=
tes Hülfe am nächsten. Daß wir nur immer fest glaubten dem
Worte unsers treuen Gottes und ließen uns nicht wankend ma=
chen durch keinerlei Einrede; dann müßten uns auch in der
Theurung die Raben speisen, wie den Propheten Elias, die un=
sichern Meereswogen müßten uns zu festen und gewissen Steigen
werden, daß wir auf ihnen wandeln könnten wie Petrus, und
auch aus der Gluth des feurigen Ofens würden wir unversehrt
herausgehen wie Sadrach, Mesach und Abed=Nego. Die heilige
Schrift ist voll von solchen Zeugnissen des allmächtigen und
gnadenreichen Gottes, der sein Volk schirmt und errettet und
seine Gläubigen behütet. Und im Leben eines jeden Christen
kehren sie wieder. Daß wir nur immer darauf merkten und
unsern Glauben dadurch stärkten. Aus meinen Jugendjahren
erinnere ich mich, von einer alten frommen Frau folgende Ge=
schichte gehört zu haben.

Ein Mann gerieth mit seiner Familie durch sein Trinken
und Spielen in große Schulden. Die brave und rechtschaffene
Frau hatte oft dem Manne Vorstellungen gemacht, wie sie und
ihre Kindlein in die kümmerlichsten Umstände gerathen müßten,
aber alles war vergebens. Endlich starb der Mann und die
Gläubiger, um sich zu befriedigen, ließen Alles verkaufen. Als
alles Hausgeräthe versteigert war, war eine noch ziemlich neue
Wiege übrig, in der ein schlafendes Kindlein lag, das nicht die
Noth und den Jammer der Mutter kannte. Die harten Gläu=
biger ließen auch diese Wiege verkaufen. Da fing die Mutter
laut an zu weinen, als sie das schlafende Kind herausnehmen
mußte; doch faßte sie sich und betete laut:

Keinen hat Gott verlassen,
Der ihm vertraut allzeit;
Und ob ihn gleich viel hassen,
Geschieht ihm doch kein Leid.
Gott will die Seinen schützen,
Zuletzt erheben hoch,
Und geben, was da nützet,
Hier zeitlich und auch dort.

Allein ich's Gott heimstelle,
Er mach's, wie's ihm gefällt u. s. w.

Der liebe Gott ließ die Frau in ihrem Vertrauen nicht
zu Schanden werden. Ein frommer und dabei arbeitsamer Mann
heirathete sie und von nun verlebte sie recht frohe und glückliche
Tage. Ihre zeitlichen Umstände verbesserten sich mit jedem Jahre,
so daß der Wohlstand jedem sichtbar war, der das Haus betrat.
Sie vergaß aber ihre traurige und kummervolle Lage nicht, in
der sie bei dem vorigen Manne gewesen war, und sang daher
noch oft das Lied: Keinen hat Gott verlassen ꝛc. aber
nicht mit traurigem, sondern mit fröhlichem Herzen.

Die Anfangsbuchstaben in den Versen dieses Liedes enthalten den Namen „Katharina" — zur Erinnerung an die
beiden Frauen des Dichters, denen er in Pietät ein unvergängliches Denkmal setzen wollte. Es war Andreas Keßler,
starb als General-Superintendent in Coburg 1643 den 15. Mai,
achtundvierzig Jahre alt. Wir besitzen nur ein einziges Lied
von ihm, dieses sein „Katharinen"-Lied.

— —

142. Komm' an, o Buch, du warst sein Hort.

In der Schlacht bei Kappel (1531 den 11. October) fiel
der edle Reformator der Schweiz, Ulrich Zwingli. Aber
nur Wenige kennen das volle Maaß von Sorgen, welches seine
Wittwe jetzt zu leeren hatte. Außer ihrem theuern Gatten verlor sie nämlich in dieser Schlacht einen Sohn, einen Schwager,
einen Bruder, einen Schwiegersohn, und ein anderer Schwiegersohn wurde tödtlich verwundet. In diesem großen, ja beinahe
unvergleichlichen Jammer ergoß die herrlich tiefsfühlende Frau
die Qual ihres Herzens in einem rührenden Trauerliede, aus
dem wir den letzten Vers mittheilen, in welchem sie sich, nach

dem sie ihre Sehnsucht nach Wiedervereinigung mit Zwingli ge=
schildert hat, mit diesen Worten an die Bibel wendet:

> Komm du, o Buch, du warst sein Hort,
> Sein Trost in allem Uebel.
> Ward er verfolgt mit That und Wort,
> So griff er nach der Bibel,
> Fand Hülf' bei ihr. —
> Herr, zeig' auch mir
> Die Hülf' in Jesu Namen!
> Gieb Muth und Stärk'
> Zum schweren Werk'
> Dem schwachen Weibe! Amen.

---

143. Keinem andern sag ich zu.

Der alte selige Prälat Bengel († 1752) sagt einmal:
„Ein Kind Gottes wird nicht gar incognito absegeln." Ist doch
sein Kind Jesus auch nicht so abgesegelt, sondern hat mit den
Seinigen und seinem Vater viel von seinem bevorstehenden Lei=
den und Sterben gesprochen. Gerade die letzten Stunden der
Kinder Gottes sind gewöhnlich die allerersten und schönsten ihres
Lebens, von dem Glanze der ewigen Herrlichkeit stark beschienen.
Da wird es erst recht an ihnen erfüllt: „Ihr seid das Licht der
Welt." „Es mag die Stadt, die auf einem Berge liegt, nicht
verborgen sein."

Ein adeliges Fräulein, welches den Herrn recht lieb
hatte, kam auf das Sterbebette. Als sie eines Tages das hei=
lige Abendmahl genossen hatte, kam Nachmittags ihr jüngster
Bruder zu ihr, welchem sie erzählte, was Gott an ihr gethan,
und wie sie dem lieben Gott herzlich danke, daß er ihr diese
Krankheit zugeschickt, sie wolle diese Krankheit nicht um die ganze
Welt hingeben; es sei zwar eine ansteckende Krankheit, aber sie
wünsche, daß doch Viele auf eine solche Weise angesteckt werden
möchten, nämlich so, wie sie, sich von Herzen zu Gott zu be=
kehren. Sie habe es aber auch nun erfahren, das Christenthum
sei gar nicht so schwer, wie auch sie es sich ehemals eingebildet
hätte, es gehöre ja dazu nur: „Rein ab und Christo an, so
ist die Sach' gethan!" „O," sagte sie, „lieber Bruder, fang
es doch auch einmal recht an, es wird dich gewiß nicht gereuen."

Um ihn desto mehr zu überzeugen, begehrte sie, daß das ganze Lied gesungen würde: „Es ist nicht schwer, ein Christ zu sein." Nach Beendigung desselben redete sie noch manches davon.

Sonntag, den 31. October war sie ganz ruhig, betete und lobte Gott, hörte aufmerksam zu, als die Predigt gelesen wurde, und verlangte nach der Predigt, daß das Lied gesungen würde: „Fahre fort mit Liebesschlägen." Den Abend befand sie sich sehr schwach, wie es denn auch ihr letzter Abend war. Doch konnte sie noch über eine halbe Stunde im Gebet anhalten und sich gänzlich ihrem Heilande ergeben. Nach dem Gebete fiel sie in einen Schlummer, in welchem sie stille lag bis gegen Morgen um 3 Uhr, wo sie erwachte, und mit heller Stimme anfing, das Lied zu singen: „Hallelujah! Lob, Preis und Ehr!" Zuletzt sang sie noch aus: „Jesu, komm doch selbst zu mir" den 6. und 7. Vers:

> Keinem Andern sag ich zu,
> Daß ich ihm mein Herz aufthu;
> Dich alleine laß ich ein,
> Dich alleine nenn ich mein.
>
> Dich alleine, Gottes Sohn,
> Heiß ich meine Kron und Lohn;
> Du für mich verwundtes Lamm
> Bist allein mein Bräutigam.

Dieses waren ihre letzten Worte, denn dann wurde sie stille, fiel wieder in einen sanften Schlummer, bis sie früh gegen sieben Uhr ganz entschlief, den 1. November 1728, in einem Alter von beinahe 18 Jahren.

Das Lied: Jesu, komm doch selbst zu mir 2c. ist von Dr. Johann Scheffler (Angelus) um das Jahr 1657 gedichtet worden. Er war im Jahre 1624 in Breslau von lutherischen Eltern geboren, studirte die Medicin und ging 1653 zur katholischen Kirche über. Er trat nun als Arzt in die Dienste des Kaisers Ferdinand III. und gewann in der katholischen Kirche solch Ansehen, daß er bald Rath des Bischofs zu Breslau wurde und die Priesterweihe empfing. Gegen das Ende seines Lebens zog er sich in ein Jesuitenkloster zurück und starb darin, 53 Jahr alt, am 9. Juli 1677.

144.

Kommt her zu mir! spricht Gottes Sohn,
All', die ihr seid beschweret nun,
Mit Sünden hart beladen.
Ihr Jungen, Alten, Frau und Mann!
Ich will euch geben, was ich kann
Will heilen euern Schaden.

Ein frommer Alter, da er dies Lied singen hörte, konnte
sich der Thränen nicht enthalten; er sagte zu seinen Kindern:
„Liebe Kinder, welche selige Zeit habt ihr doch erlebt, wenn
meine Eltern diese Worte vor ihrem Ende gehört hätten, wie
wäre ihr Herz so freudig geworden."

Zu Vers 6 und 7 dieses Liedes macht Heinrich Schwarz
in seinem Memento mori die Bemerkung: „Diese Worte werden
oft gesungen, aber wenig bedacht, wiewohl sie werth wären, daß
sie die Herren in ihre Wappen, die Soldaten in ihre Fahnen,
die Studenten in ihr Stammbuch, die Krämer in ihren Kauf=
laden, die Handwerksleute in ihre Werkstatt und jeder Christ in
sein Herz, wo es möglich wäre, mit goldenen Buchstaben schreiben
ließe, damit sie ja Keinem aus seinem Gedächtniß kommen, son=
dern alle Tage als eine Erinnerung so nöthig, als täglich Brot
möchten betrachtet und zu wahrer Gottesfurcht und sonderlich zu
einem seligen Sterbestündlein, wohl und nützlich angewendet
werden.

---

145. Komm, heiliger Geist.

Leonhard Kaiser ist von redlichen Eltern zu Raab
in Baiern geboren, hat jederzeit ein ehrbares, frommes Leben
geführt, und ward als ein Priester bei Jedermann lieb und
werth gehalten. Als er aber zu Waßenkirchen Vicar war bei
sieben Jahren, zeigte er dem Volke die Wahrheit des Evange=
liums. Darüber ward ihm sein Pfarrherr ungünstig, als käme
durch ihn die Pfarre in Abnehmen an Geld. Er wurde deshalb
im Jahre 1529 verklagt, an das Landgericht überantwortet und
gen Scherding geführt. Darauf nimmt Kaiser mitten auf dem
Markte Abschied von seiner Freundschaft und tröstet sie, denn
keiner war unter ihnen, der gewollt, daß er von der Wahrheit

sollte lassen. Solches Alles geschah, die Freunde zu erschrecken; denn darnach bindet man ihn, und führt ihn wieder auf das Schloß in das Gefängniß, wo er mehrere Wochen gelegen. Da binden sie ihn mit Ketten auf ein Pferd und führen ihn also durch die Stadt; sein Gemüth aber ist unerschrocken und er grüßet alle Leute. Unter dem Thore nehmen seine Freunde von ihm Abschied. Man brachte ihn an den Ort bei dem Galgen, wo der Scheiterhaufen bereitet war. Da stand viel Volks, und er hob an und sprach: Es ist nun die Ernte; bittet den Hausvater, daß er Schnitter in seine Ernte schicke. Dann setzte man ihn auf einen Wagen, und die Henker fuhren mit ihm. Darnach sagte er: Ich vergebe meinen Peinigern von Herzen; derohalben wolle mir Gott auch vergeben; habe ich einen Menschen beleidigt, der verzeihe mir auch. Betet für mich. Alsdann wird Kaiser schnell entkleidet und hinauf auf den Scheiterhaufen gebunden. Da bat er das Volk, daß man sollte singen: „Komm, heiliger Geist!" Und die ganze Menge stimmte an:

> Komm, heiliger Geist,
> Herre Gott!
> Erfüll' mit deiner Gnaden Gut
> Deiner Gläubigen Herz, Muth und Sinn,
> Dein' brünst'ge Lieb entzünd in ihnen.
> O Herr, durch deines Lichtes Glanz
> Zum Glauben du versammelt hast
> Das Volk aus aller Welt Zungen;
> Das sei dir, Herr, zu Lob gesungen.
> Hallelujah! Hallelujah!

Als das Feuer angezündet wurde, rief er laut: Jesus ich bin dein, mach mich selig. Nach diesem sind ihm Hände und Füße und der Kopf abgebrannt. Der Henker legte mehr Holz an das Feuer und verbrannte auf einer Stange den Körper zu Pulver.

---

146. Kinder! dieser Stein ist Zeuge.

Johann Christian Storr war Prediger an der Stiftskirche zu Stuttgart in Würtemberg. Derselbe brachte einst bei der Confirmation bei den Kindern und bei der Gemeinde einen tiefen Eindruck hervor, der sich lange erhalten haben soll.

Er wandte sich nämlich an die vor dem Altare versammelten Kinder, auf den Taufstein blickend, mit dem Verse:

Kinder! dieser Stein ist Zeuge
Zwischen mir und zwischen euch.
Daß sich euer Herz nicht neige
Zu dem Feind und seinem Reich.
Sollt' ich eins verloren sehn,
Ach wie nahe würd' mir's gehn;
Nicht verloren, nicht verloren,
Lieber neu aus Gott geboren.

Gar manchem Kinde ist jene Stunde nicht nur unvergeß= lich geworden, sondern es ist ein unentreißbarer Segen gewesen, den es aus seiner Confirmation dazu empfing.

------

147. Laß die Nacht auch meiner Sünden.

Zu Hamburg hatte im Jahre 1685 ein begüterter Jude einen Schneidergesellen im Hause sitzen, der ihm einige Kleider ausbessern mußte. Als nun dieser Mensch seine bekannten christ= lichen Lieder zu singen pflegte, that der Herr des Juden Toch= ter, einer Jungfrau von achtzehn Jahren, das Herz auf, daß sie darauf Acht hatte, was gesungen ward. Da er nun einst das Morgenlied: „Gott des Himmels und der Erde," gesungen, und auf die Worte des dritten Verses kam:

Laß die Nacht auch meiner Sünden,
Herr, wie diese Nacht, vergehn;
O Herr Jesu, laß mich finden
Deine Wunden offen stehn,
Da alleine Hülf' und Rath
Ist für meine Missethat.

da wurde sie dermaßen gerührt, daß sie ein heftiges Verlangen empfand, diesen Jesum und seine Wunden kennen zu lernen, weshalb sie den Sänger bat, er möchte sie zu einem christlichen Lehrer führen, der sie in der Erkenntniß des Herrn Jesu unter= richten könne. Dies geschah zu ihrer Seele höchstem Vergnügen also, daß sie nach einiger Zeit den Heiland der Welt und den Preis des Volks Israel mit Freudigkeit und großer Gewißheit bekannt, und, alles Bemühens ihres Vaters und ihrer Familie ungeachtet, ihm und seiner Gemeinde durch die heilige Taufe einverleibt wurde.

Heinrich Alberti, Organist zu Königsberg, hat dieses Lied im Jahre 1643 gedichtet. Es verbreitete sich bald und wurde auch in die portugiesische und malabarische Sprache übersetzt.

---

148. Laßt mich in der Ruh.

Der alte Fürst von Dessau in Halle hatte unter andern bekannten Eigenthümlichkeiten auch die, daß er seinen Soldaten, wenn sie eine Person zu heirathen wünschten, oft mit Gewalt dazu behülflich war. Ein Soldat seines Regiments verliebte sich in die Tochter eines Schneiders in Halle, welche mit ihren Eltern von Herzen Gott fürchtete. Als der Fürst dies erfuhr, ließ er den Eltern des Mädchens sagen, er werde an einem bestimmten Tage den Feldprediger in ihr Haus schicken, um im Beisein eines Unteroffiziers den Soldaten mit seiner Braut zu copuliren. Eltern und Tochter, welche den Fürsten kannten, wurden darüber äußerst betreten; setzten aber auf den Herrn ihr Vertrauen, daß er diesen Rath zu nichte zu machen wissen werde. Die Tochter warf sich in ihrer Kammer auf's Angesicht, und empfahl sich mit vielen Thränen ihrem allmächtigen Herrn, voll Zuversicht, daß er sie erretten könne und werde. An dem bestimmten Tage erschien der Soldat, von dem Feldprediger und einem Unteroffiziere begleitet. Sie fragten sogleich nach der Tochter. Es hieß: sie sei in der Kammer. Man öffnete diese; und man fand das Mädchen kniend an einem Lehnstuhle mit dem Kopfe auf demselben liegend, und unter ihren Händen das aufgeschlagene Hallische Gesangbuch. In der Meinung, daß sie vielleicht über dem Beten eingeschlafen sei, versuchte man sie aufzuwecken. Der Versuch war vergeblich; denn man ward bald mit Erstaunen gewahr, daß sie durch einen sanften Tod aller Noth und Gefahr entrissen war. Ihre rechte Hand lag auf dem Verse:

> Laßt mich in der Ruh,
> Fragt nicht, was ich thu;

Ich bin durch den Vorhang gangen,
Meinen Jesum zu umfangen.
Laßt mich in der Ruh,
Fragt nicht, was ich thu!

Der Anfang des Liedes heißt: „O du süße Lust." Der
Dichter ist Gottfried Arnold, welcher im Jahre 1714 als
Prediger in Perleberg starb.

---

149. Laß mir, wann meine Augen brechen.

Der fromme Prediger in Basel Carl Ulrich Stückel-
berger hielt am 14. Januar 1816 das heilige Abendmahl mit
seiner Gemeine, predigte auch Nachmittags noch mit vieler Munterkeit, aber dies war seine letzte öffentliche Amtsverrichtung.
Er erkrankte in derselben Nacht, indem sich Vorboten der Brust-
wassersucht zeigten; sein eigentliches Krankenlager hat jedoch nur
sieben Tage gedauert. Geschmückt war seine Lampe, umgürtet
seine Lenden, und in der frohen Hoffnung einer seligen Unsterb-
lichkeit wartete er auf seinen Herrn. Bis an's Ende blieb er
sich gegenwärtig, betete wenige Augenblicke vor seinem Ver-
scheiden:

Laß mir, wann meine Augen brechen,
Herr, deinen Frieden fühlbar sein;
Komm, deinen Trost mir zuzusprechen,
Und segne mein' Gebeine ein!

Dann stand sein Odem stille, und er ging sanft ein zu seines
Herrn Freude.

---

150. Liebster Jesu, laß mich nicht.

Im Jahre 1814 starb der erste Stadtschullehrer in B.
Er hatte bei seiner 42jährigen Amtsführung die große Pflicht
eines Schullehrers, die Kinder ihrem Schöpfer und Erlöser zu-
zuweisen, unausgesetzt vor Augen, und bewies hierin die größte
Treue, den unermüdetsten Eifer und die äußerste Anstrengung.
Noch fünf Tage vor seinem Ende sagte er zu seiner Schwester-
tochter, die ihm zur Wartung gegeben war: „Sie solle seinen

Schulkindern sagen, daß er sie alle vor Gottes Throne wieder zu finden hoffe — daß er sie alle segne, und ihnen, als ein Vermächtniß von ihm, hinterlasse, daß sie alle das Lied: „Mein Heiland nimmt die Sünder an ꝛc." auswendig lernen sollen.

Am letzten Tage seines Lebens, wo er schon ganz schwach war, betete er noch einigemal mit solcher Kraft und Salbung, daß alle Umstehenden bis zu Thränen gerührt wurden. Sein eigentlicher Todeskampf währte nur eine Stunde, wo ein Steckfluß seinen Tod beschleunigte. Unter dem ihm vorgelesenen schönen Liede: Liebster Jesu, laß mich nicht, wenn es kommt zum Scheiden! u. s. w. entschwand sein Geist dieser irdischen Hülle, und eilte zu dem von ihm so treu und innig geliebten Heiland Jesu Christo; gerade bei den Worten:

> Wenn mein Ohr gleich nichts mehr hört,
> Hörst du doch mein Aechzen,

entschlief er. Während des Todeskampfes schien er einen Vorgeschmack vor der auf ihn wartenden Seligkeit gehabt zu haben, denn ein freudiges Lächeln schwebte noch auf seinem entseelten Gesichte.

---

151. Laß deinen Knecht nunmehr.

Frankreich ist reich an Blutzeugen Christi; ja wenn Deutschland von Frankreich allerlei Schändliches, Unglauben, Empörung, Luxus, Moden u. s. w. gelernt hat, so können wir Deutsche von jenen edeln Glaubensmännern und Zeugen lernen, wie wir unserm Herrn und Heiland Treue bis in den Tod beweisen und wie wir vor der Welt durch einen ernsten Wandel und durch einen heiligen Eifer unsern Glauben bezeugen sollen. Unstreitig hat jenes Land eine größere Anzahl wahrer Bekenner aufzuweisen, als die meisten Gegenden, wo Gottes Wort Wurzel faßte. Ich führe nur einige an.

Maria Rousseau, ein Goldschmiedsgeselle, Gilles le Court, ein Student, und Philipp Parmenrier, ein Gerbergeselle in Paris; diese drei Wahrheitszeugen wurden im Jahre 1559 durch einen Verräther der Obrigkeit angezeigt und überantwortet. So oft nämlich die Päpstler ihre Feste hielten, hatten die armen

12*

Protestanten den Gebrauch, daß sie zusammen kamen und sich mit einander in Gott freuten mit Psalmensingen und Beten. Solches konnte der Teufel nicht leiden; darum erweckte er einen Verrä= ther, der sich anstellte, als ob er auch ihre Versammlungen be= suchen wollte. Und da er zugelassen worden, zeigte er dem Commissar die Stunde an, in welcher sie Betens halber zusam= men kamen. Also sind diese nebst sieben oder acht andern vom Commissar während dem Gebet angegriffen und ins Gefängniß gesetzt worden. Darauf ist man in ihre Häuser gelaufen und hat ihnen ihre Güter genommen, gleich als wenn sie mit dem Gebet eine große Uebelthat begangen hätten, da man vornehm= lich verbotene Bücher, wie sie es nannten, gefunden hat, näm= lich Bibeln und das neue Testament in französischer Sprache.

Als die Märtyrer bei der erkannten Wahrheit beharrten, und sich unumwunden zu der reformirten Kirche bekannten, ver= dammte sie der Criminal = Lieutenant zum Feuer, und ihre Güter wurden dem Könige zugesprochen. Dieses Urtheil wurde vom Parlament, an welches sie appellirten, bestätigt, und, als sie zum Tode abgeführt wurden, sangen sie unterwegs mit heller Stimme, bis sie an den Pfahl gebunden wurden. Da sie sahen, daß das Feuer angezündet wurde, sangen sie den Lobgesang Simeons:

> Laß deinen Knecht nunmehr
> In deinem Fried', o Herr,
> Zu dir hinüberfahren.

So fuhren diese drei hinüber ins himmlische Zion, und setzten ihren Jubelgesang in der Herrlichkeit fort, im Verein mit den Seligen und Auserwählten.

> Ach, was ist der Heil'gen Tod?
> Nur ein Ende aller Noth,
> Und nach überstand'ner Pein
> Wahrer Freude näher sein.

---

152. Laßt uns ihm ein Hallelujah singen.

In den Kriegsjahren des französischen Kaiserreichs hatte sich ein Häuflein von Missionaren der evangelischen Brüderge=

meinde in London zusammengefunden. Französische Kaper*) beun-
ruhigten das Meer und ohne den Schutz der englischen Kriegs-
schiffe konnten die Missionare nicht nach ihren verschiedenen Sta-
tionen zurückkehren. Erst nach langem Warten begaben sie sich
nach Gravesand, wo eine große Anzahl von Kriegsschiffen harrte.
Endlich kam dieser Convoi**) in der Themse an, und sogleich
machten sich nahe an 60 Schiffe segelfertig, und der günstige
Wind trieb sie dem Canal zu. Wer beschreibt den Anblick einer
Flotte, welche mit vollen Segeln ausläuft! Es ist, als wenn
ein jedes Fahrzeug zum lebendigen Wesen würde, als wenn die
schwellenden Segel Athem einzögen und ausströmten!

Diese Flotte war nach Süd-Amerika bestimmt, nur eins
dieser Schiffe, Britannia genannt, sollte nach St. Thomas segeln
und konnte die Begleitung der Flotte nur bis Madeira benutzen,
indem sodann die Britannia westlich segeln mußte. Nicht ohne
Bangigkeit trennte sich dieses Schiff von der großen Masse; denn
obgleich auf dem offenen Meere nichts zu fürchten war, so hatte
man genug von den verwegenen französischen Kapern gehört,
welche in der Gegend der Antillen umherschwärmten.

Auf der Britannia befanden sich zwei Missionare mit
ihren Frauen. Ihr freundliches, demüthiges Wesen hatte ihnen
die Zuneigung des Capitäns gewonnen, und er unterredete sich
gern mit ihnen. Sehr oft, wenn sich das Gespräch auf Heils-
wahrheiten lenkte, rief er aus: „Wie glücklich wäre ich, wenn
ich solchen Glauben haben könnte; aber mit mir ist es etwas
anderes, wie mit euch, ich habe nicht viel Zeit über solche
Dinge nachzudenken; euer Beruf aber bringt es mit sich, euer
ganzes Leben dieser Erkenntniß zu widmen!" Man machte ihm
deutlich, daß jeder Mensch diesen Beruf habe, daß aber die meisten Menschen darüber in einem bedauernswürdigen Irrthume
blieben, weil sie meinten, daß man sich diese Erkenntniß gele-
gentlich verschaffen könne, während der Glaube an Christum den
Gekreuzigten ein Geschenk Gottes sei, um welches man täglich
auf das Angelegentlichste bitten müsse.

Ihre Reise ging auf das Glücklichste von Statten. Die
Azoren lagen schon längst hinter ihnen. Die Bermudas-Inseln

---

*) Kaper, ein (bevollmächtigter) See-Freibeuter oder Raub-
schiffer.
   **) Convoi, (sprich Kongbwoah) Geleit, Begleitung, Be-
deckung.

lagen zu ihrer Rechten. An einem Morgen ganz früh bemerkte der Capitän zu seinem Erstaunen ein Segel am Horizont. Auch der Steuermann nahm das Fernrohr zur Hand. Beide sahen unverwandt nach der Gegend hin. Die Schiffsmannschaft ward aufmerksam. Der Capitän flüsterte dem Steuermanne zu: „John, es ist eine stattliche Brigg, aber ich erkenne keine Flagge!" „Sir" — erwiderte der Steuermann, „eben wird eine blutrothe Flagge aufgezogen — es ist das Raubschiff der rothe Ja= kobiner — die Britannia ist verloren — der Seeräuber hat uns bemerkt, er setzt alle Segel auf — bei seinem günstigen Winde haben wir ihn in einigen Stunden an der Seite!"

Die ganze Schiffsmannschaft war aufmerksam auf jenen kleinen Punkt am Horizont geworden. Bange Besorgnisse wa= ren auf allen Gesichtern zu lesen; der brave Capitän wollte ihnen keine Gelegenheit geben, über ihre Lage nachzudenken. Er theilte jetzt seine Befehle aus, und eine rastlose Thätigkeit begann auf allen Punkten des Schiffes. Die Britannia suchte nach Süden hin zu steuern; aber kaum merkte der Kaper ihre Absicht, so steuerte er eben dahin. An Widerstand war nicht zu denken, obgleich alle Vertheidigungsmittel hervorgesucht wurden. Der Capitän ließ seine ganze Mannschaft, etwa 13 Personen, auf das Verdeck kommen, und redete sie also an: Dort seht ihr den rothen Jakobiner, hier ist Euer Schiff, auf dessen Rettung kommt es jetzt an. Ich wiederhole Euch Nelson's Wort: England er= wartet, daß jeder Britte seine Schuldigkeit thut und somit Gott befohlen! Zu den Missionaren, die sich auch auf dem Verdeck eingefunden hatten, sagte er: Meine Freunde, begeben Sie sich in Ihre Cajüte, um uns hier nicht hinderlich zu sein, und beten Sie für uns!

Ohne diese Aufforderung war es ihnen schon so gewesen. Sie begaben sich daher in ihr Kämmerlein zurück, um es zur Bet= Capelle zu machen. Hier fiel dieses kleine Gemeinlein auf die Kniee nieder und betete zu dem Herrn aller Herren, dem Könige aller Könige, welchem alle Gewalt gegeben ist im Him= mel und auf Erden, daß Er das Schiff in Seinen heiligen Schutz nehmen wolle.

Dabei bekamen Alle eine solche Gebetsfreudigkeit, daß sie sich gelobten, im Gebet zu bleiben, es sei nun zum Leben oder zum Tode, wie es des Herrn heiliger Wille sein möge. In= brünstige Gebete wurden zu dem Herrn emporgesendet.

Mittlerweile war der Pirat*) immmer näher gekommen und umkreisete die Britannia wie ein Raubvogel, der seine Beute umschwebt, um mit einemmal auf sie loszustürzen. Die Britannia ihrerseits bot alle ihre Kräfte auf, um südlich zu entkommen. Auf die Aufforderung des Piraten antwortete sie nicht. Da, mit einemmal, öffnete der Pirat seine Schießlöcher und gab unter dem hohnlachenden Hurrah=Geschrei seiner zahlreichen Mannschaft der Britannia die volle Lage. Die Wirkung war fürchterlich. Unten im Schiff waren die Betenden auf ihr Angesicht niedergefallen und beteten immer dringender.

Auf dem Verdeck erwartete man mit Angst und Zagen die zweite Lage des sich wendenden Raubschiffes; sie erfolgte mit erschütterndem Donner, doch folgte keine neue Zerstörung. Der Pirat, seiner Beute gewiß, ließ jetzt die Enterhaken auslegen. Das Schicksal der Britannia mußte sich in einigen Minuten entscheiden. Da auf einmal ward das Schiff wie von einem Wirbelwind ergriffen. Ein Sturmwind sauste daher und schwellte die wenigen unbeschädigten Segel der Britannia an. Der Pirat gab immer neue Lagen. Er schien sie in den Grund bohren zu wollen. Der Donner seines Geschützes krachte fürchterlich daher. Dichter Pulverdampf umhüllte das Schiff, man konnte kaum die nächsten Gegenstände erkennen. Ein Jeder glaubte daher den Piraten Herr des Schiffes, und dennoch war der Feind noch nicht am Bord. Eine wunderbare Bewegung bemächtigte sich des Schiffes. Es drehte sich eine Zeitlang im Kreise umher. Es war, als wäre die Mannschaft nicht mehr Herr desselben, sondern es wäre in der Gewalt der Wogen des brausenden Meeres. Die Elemente hatten sich in den Streit mit dem Piraten hineingemischt. Das Schiff ward förmlich nach Süden hingeschlendert.

In diesem Augenblicke hörte man in der Entfernung einige Kanonenschüsse. Man denke sich das Erstaunen der Mannschaft der Britannia, als sie den Kaper in weiter Entfernung von sich erblickten, der ihnen wie zum Abschiedsgruß eine Salve nachsendete. Er hatte die Blutfahne niedergelassen und steuerte nach Westen zu. Alle Beobachtungen gaben kund, daß er die Verfolgung aufgegeben habe; weswegen aber, war Allen unbegreiflich.

---

*) Seeräuber.

Jetzt begab sich der Capitän in die Cajüte, wo die betende Familie noch auf den Knieen lag. Er rief ihnen zu: Gedankt sei Gott, der Euer Gebet erhöret hat! Wir sind gerettet! Er knieete neben ihnen nieder. Mit Freudenthränen in den Augen fingen die Brüder und Schwestern an zu singen:

> Laßt uns ihm ein Hallelujah singen,
> Mächtiglich sind wir errettet!
> Laßt uns ihm uns selbst ein Opfer bringen,
> Das ihm sei geheiliget!
> Ja, dein Herz, stets allen Sündern offen,
> Höret uns, wenn wir im Glauben hoffen!
> Herr, wir sind dein Eigenthum!
> Dank sei dir und Preis und Ruhm!

Sie gingen darauf Alle auf das Verdeck, wo die Schiffs=mannschaft ihrer harrte. Der Kaper ward nur noch in weiter Ferne gesehen.

Alle warfen sich auf die Kniee nieder und der Aelteste der Brüder dankte dem Herrn in einem herzhinnehmenden Gebet, wie es ihm wieder gefallen habe, die Seinigen zu Land und See zu behüten und seine Wunder erfahren zu lassen. Zugleich ermahnte er die ganze Schiffsmannschaft, daß sie dem Herrn, der sie errettet habe, nun auch ihr Herz schenken und nicht so gleichgültig dahin leben möchten, denn auch sie wären das theuer erworbene Eigenthum des Herrn Jesu Christi.

Dieses Gebet machte eine erfreuliche Wirkung. Die Matrosen reichten dem Bruder die Hand und baten um seine Fürbitte und sein Andenken vor Gott. — Als sie nach einigen Tagen glücklich in St. Thomas ankamen, umarmte der Capitän die Missionare und sagte zu ihnen: „Euer Gebet hat uns errettet — betet ferner für mich und die Meinigen."

Man kann sich denken, mit welchen Empfindungen des Dankes die lieben Missionare von ihren Geschwistern auf St. Thomas empfangen wurden. Bei der Erzählung der überstandenen Gefahr stieg die Verwunderung über ihre seltsame und unbegreifliche Errettung. Diese Geschichte war ihnen ein köstlicher Beweis der Gebetserhörung, indem der Herr diejenigen nicht verläßt, die sich ihm auf Leben und Tod ergeben haben.

Jahre waren seitdem vergangen. Der Friede war der Welt wieder geschenkt worden, aber die vier Missionare konnten nicht umhin, den Tag dieser ihrer wunderbaren Errettung als einen ganz besonderen Gedenktag zu feiern.

Als sie einst eben deswegen beisammen waren, läßt sich ein Herr bei ihnen melden, welcher ihre Bekanntschaft machen wolle. Es tritt ein hoher, stattlicher Mann bei ihnen ein. Er ist Allen unbekannt; aber trotz eines sehr markirten Gesichts haben seine Züge jene unnachahmliche Freundlichkeit, in denen sich die Strahlen eines Lichts abspiegeln, welches herrlich und offenbar vom Reiche Gottes her scheint und doch so Vielen verborgen ist.

Man fragt ihn, wen man das Vergnügen habe, bei sich zu sehen. Er antwortet: „Erlauben Sie mir vorher eine Frage: Kamen Sie vor fünf Jahren mit der englischen Brigg Britannia hier an?" Als man sie bejahete, fuhr er fort: „Ward nicht Ihr Schiff von einem Kaper angegriffen?" „Ja, allerdings, und was fragen Sie?" Weil ich selbst der Kaper=Capitän bin, der Sie angriff: Alle sehen ihn verwundert an. Die wunderbare Errettung Ihres Schiffes hat auch mich aus den Ketten des Teufels errettet. Hören Sie, wie das zuging:

In stolzem Muthe sah ich Ihre kleine Brigg für meine gute Beute an. Schon ließ ich die Enterhaken auswerfen, als auf einmal Ihr Schiff eine Bewegung bekam, welche die Leute mit den Enterhaken in's Meer schleuderte. Ich ließ neue Leute herantreten, aber alle Mühe war vergeblich, das Schiff zu entern. Jetzt wollte ich das Schiff in den Grund schießen, aber es geschah das Unerhörte, alle Lagen gingen zu sehr unter das Wasser, und als sich der Pulverdampf durch den Sturmwind, der sich plötzlich erhob, verzogen hatte, sahen wir es weit von uns entfernt, mit einer Schnelligkeit südwärts segeln, wie ich noch nie ein Schiff gesehen habe. In dem genauen Hinblicken sah ich das Schiff mit so vielen Segeln bedeckt, daß ich sie kaum zählen konnte. Es kam mir deutlich so vor, als wenn ein Heer von Engeln dem Schiffe voranflöge, während meine stolze Kriegsbrigg mit Dämonen umringt war, die sich an das Steuerruder anhängten. Da ließ ich den Befehl geben, westwärts zu steuern, und bald war ich aus dem Gesichtskreis der Britannia.

Ein stummes Erstaunen hatte mich und meine ganze Schiffsmannschaft befallen. Eine höhere Macht hatte jenes Schiff meiner Gewalt entzogen, ich konnte nicht begreifen, wie das zugegangen und gerieth darüber in eine wunderbare Unruhe. Mit

der größten Neugier erkundigte ich mich, wen die Britannia an
Bord gehabt, und die wörtliche Antwort des Capitäns war ge=
wesen: die Missionare der Brüdergemeinde von St. Thomas,
deren Gebet das Schiff bei einem Ueberfall des rothen Jacobiners
gerettet hatte."

Dieser Bericht wirkte auf mich mit wunderbarer Gewalt.
Jene Missionare waren im Dienste des Herrn des Lichtes, ich im
Dienst des Fürsten der Finsterniß! Von der Stunde an trach=
tete ich darnach, diese Leute kennen zu lernen. Es ließ mir
keine Ruhe, weder Tag noch Nacht. Ich verkaufte meine Brigg
in St. Domingo und begab mich nach Nord=Amerika. In New=
York besuchte ich eine Kapelle, welche mir besonders anempfohlen
worden war. Dort hörte ich eine Predigt über die Worte:
Schaffet, daß ihr selig werdet mit Furcht und Zittern. Diese
Predigt deckte mir mein ganzes Sünden=Elend auf, gab mir
aber die liebreiche Anweisung, nicht zu verzagen, sondern mitten
in meinen Sünden gerade zu dem Freund der Sünder hinzutre=
ten, unter Seinem Kreuze um Vergebung meiner Sünden und
um ein neues Herz zu bitten, weil Christus auch meine Sün=
den durch Seinen blutigen Kreuzestod getilgt hat. Nach der
Predigt besuchte ich den Prediger und entdeckte ihm meinen See=
lenzustand. Er wiederholte mir auf das Liebreichste, was er in
seiner Rede ausgesprochen, und gab mir den Rath, so lange zu
dem gekreuzigten Herrn Jesu zu beten, bis ich Frieden gefun=
den haben würde. Das that ich denn auch von ganzem Herzen.
Ich schrie so lange, bis ich unter dem Kreuze meines Herrn
Vergebung erhielt. Jetzt begab ich mich zu meinem lieben Pre=
diger, und wie groß war meine Freude, als ich erfuhr, daß er
Prediger der mährischen Brüdergemeinde sei. Ich gewann ihn
und die Gemeinde immer lieber und bin durch des Heilandes
Gnade und Barmherzigkeit aus einem Kaper=Capitän ein armer
Sünder geworden, der den Herrn täglich lobt und preiset, daß
Er mich wie einen Brand aus dem Feuer errettet hat. Es ge=
hörte immer zu meinen liebsten Wünschen, Euch, liebe Brüder
und Schwestern, diese Bekehrung selbst zu erzählen und mit
Euch den Herrn preisen zu können, der so Großes an mir ge=
than hat."

Welche Weihe dieser Gedenktag der lieben Missionare
durch diese Erzählung erhielt, läßt sich eher fühlen als beschrei=
ben. Derselbe Mann, der noch vor fünf Jahren ihnen gegen=

über dem Reiche des Satans diente, kniete jetzt mit ihnen
nieder, um dem Gekreuzigten den Schwur der ewigen Treue ab-
zulegen, und stand mit dem Bundeswort auf: „Wir wollen
beim Kreuze bleiben!"

---

153. Lebe, wie du, wenn du stirbst.

Ein Maurermeister, der ein ernster, christlicher Mann war,
hatte einst ein bedeutendes Gebäude aufzuführen, wobei er eine
große Anzahl Gesellen beschäftigen mußte. Diese Gesellen waren größtentheils rohe Menschen, welche eine große Bravour an
den Tag zu legen meinten, wenn sie recht schwören, fluchen und
trinken könnten. Dies kränkte den Meister tief, und er sann
auf ein Mittel, wie er der Rohheit seiner Arbeiter wehren könnte.
Da kam er denn auf den Gedanken, in der Nähe des Bauplatzes
an einem Baume eine Tafel zu befestigen und auf dieselbe mit
großen Buchstaben die Worte Gellert's schreiben zu lassen:

> Lebe, wie du, wenn du stirbst,
> Wünschen wirst gelebt zu haben!

Und er hatte die große Freude, daß dieses Wort auch
auf die rohen Gemüther seiner Gesellen nicht ohne Einfluß blieb;
es ging einer nach dem andern in sich, und legte das Schwören,
Fluchen und Sausen ab. — Der Anfang dieses Gellert'schen
Liedes lautet: Meine Lebenszeit verstreicht.

154.

> Lobe den Herren, den mächtigen König der Ehren,
> Meine geliebte Seele! das ist mein Begehren.
> Kommet zu Hauf',
> Psalter und Harfe wach' auf!
> Lasset die Musicam hören.

Joachim Neander, reformirter Prediger zu Bremen,
hat dieses Lied um das Jahr 1680 gedichtet. Die Melodie,
die ganz dem Inhalte des Liedes entspricht und aufs Schönste
mit ihm harmonirt, ist vom Verfasser selbst componirt. Sie
wird von dem bekannten schönen Glockenspiele auf dem Thurme
der Garnisonkirche zu Potsdam allstündlich mit Wiederholung

gespielt, zuerst in einfacher Weise, darauf in volleren Tönen. Vielleicht hängt es damit zusammen, daß Friedrich Wilhelm III. diesen Gesang besonders liebte.

155.

In Frankfurt an der Oder lebte im vorigen Jahrhunderte ein sehr frommer Schullehrer, Namens H ä n s e l. Lange hatte dieser treue Diener des Herrn seinem Amte mit aller Treue vorgestanden und sehnte sich nach seiner Auflösung, welche auch im Jahre 1760 erfolgte. Während er nämlich zu seiner Erbauung das schöne Lied sang: „Lobe den Herren, den mächtigen König der Ehren" wurde er von einem Schlagflusse getroffen und war auf der Stelle todt.

---

156. Lobe den Herren, o meine Seele.

Schlipalius, Freitagsprediger zum heiligen Kreuz in Dresden vom Jahre 1741—1764, steht durch seine Frömmigkeit und gottselige Schriften jetzt noch in Sachsen in gesegnetem Andenken. Dieser treue Diener des Herrn wurde auf seinem Sterbebette durch den Genuß des heiligen Abendmahls so gestärkt, ermuntert und erquickt, daß er mit lauter und fröhlicher Stimme sein altes Lieblingslied sang, und die größte Freude aussprach, Gott nun bald vollkommen loben zu dürfen. Willst du, lieber Leser, dies schöne Lied kennen lernen? Es lautet also:

> Lobe den Herren, o meine Seele!
> Ich will ihn loben bis in Tod,
> Weil ich noch Stunden auf Erden zähle,
> Will ich lobsingen meinem Gott.
> Der Leib und Seel gegeben hat,
> Werde gepriesen früh und spat!
> Halleluja, Halleluja! u. s. w.

Wohl dem, der so fest im Glauben geworden ist, daß er lobend und dankend die arme Welt verlassen kann!

Der Verfasser des Liedes ist Dr. Johann Daniel Herrnschmidt, geboren in Bopfingen 1675. Derselbe war Francke's Freund und Adjunct in Halle, nachher Prediger in

Bopfingen, dann Superintendent und Consistorialrath von Nas=
sau = Idstein, zuletzt Dr. Theol. und Pastor in Glaucha bei Halle,
wo er am 3. Februar 1723 starb.

157.

Mein Gott, du weißt am allerbesten
Das, was mir gut und nützlich sei;
Du kannst allein mein Heil befesten,
Weg mit dem eigenen Gebäu!
Gieb, Herr, daß ich auf dich nur bau,
Und dir mit ganzem Herzen trau.

Der Verfasser dieses Liedes ist Lic. Israel Clauder. Der=
selbe wurde 1693 Magister in Leipzig; 1694 erhielt er die
Aufsicht über den zu Gießen studirenden mittlern Sohn des
Dr. Spener, ging mit demselben nach Berlin und von da 1696
nach Liefland; auf der Reise dahin überfiel sie im August auf
der Ostsee ein heftiger Sturm, während desselben dichtete er, da
er in der Nacht nicht schlafen konnte, das oben angeführte Lied.
Nachdem der junge Spener zu Lindenhof unweit Riga gestorben
war, kehrte er nach Deutschland zurück und starb als Superin=
tendent, Consistorialrath und Pastor zu Bielefeld im Jahre 1721.

158.

Mein Herz, gieb dich zufrieden,
Und bleibe ganz geschieden
Von Sorge, Furcht und Gram; ·
Die Noth, die dich jetzt drücket,
Hat Gott dir zugeschicket;
Sei still, wie Jesus, Gottes Lamm!

Der Verfasser dieses Liedes ist Johann Anastasius
Freylinghausen. Dieser Mann litt viel an Zahnschmer=
zen und unter solchen hat er das schöne Lied gedichtet. Er
wurde im Jahre 1696 Francken's Gehülfe in Halle, nachher sein
Schwiegersohn, nach dessen Tode im Jahre 1727 sein Nachfolger
im Pastorat zu St. Ulrich und im Directorat des Waisenhau=

ses. Um Francken im Predigtamte und bei seinen ausgedehnten Waisenhausarbeiten zu unterstützen, entsagte er zwanzig Jahre lang allen noch so schönen Aussichten auf genügende Versorgung, und arbeitete an der Seite seines Freundes, ohne einen Kreuzer Gehalt zu beziehen.

Unter die Männer, welche sich vorzugsweise um den evangelischen Kirchengesang verdient gemacht, gehört auch Freyling=hausen. Seine Liedersammlungen zeichneten sich vor den sämmtlichen bis dahin herausgekommenen Gesangbüchern sehr vortheilhaft aus und enthielten namentlich viele Lieder, welche das durch Spener neu erweckte christliche Leben in der evange= lischen Kirche erzeugt hatten. Er gab zunächst eine große Sammlung heraus, welche über 1500 Lieder enthielt. Er starb 1739.

---

159. Mein Heiland nimmt die Sünder an.

Vor mehreren Jahren lebte in Schlesien ein adeliger Landrath in einer so tiefen sittlichen Versunkenheit, daß der Ge= danke an Gott, Tod und Ewigkeit ganz aus seiner Seele gewi= chen war. Er hielt nichts von öffentlicher und häuslicher Got= tesverehrung. Seine Absicht ging dahin, auch seine Kinder, zwei liebenswürdige Mädchen von neun und sieben Jahren, ohne Un= terricht in göttlichen Dingen, und besonders ohne Anleitung im Gebet, welches er gänzlich verwarf und für kindisch erklärte, auf= wachsen zu lassen. Seine in der Gottesfurcht erzogene Gattin weinte darüber oft im Verborgenen. Sie benutzte die oftmaligen Reisen des Vaters, ihren Kindern etwas von der Liebe Gottes in Christo zu erzählen, und ihren zarten Seelen den Namen Je= sus lieb und theuer zu machen. Der Herr belohnte ihre Mut= tertreue so sichtbar, daß Jeder, der die Gesinnungen des Vaters kannte, über die gelegentlichen Erklärungen der Kinder erstaunte. Der Vater suchte zwar, wann und wie er konnte, das wieder niederzureißen, was die christliche Muttersorgfalt aufgebaut hatte, allein er sah zu seinem größten Verdruß, daß er seinen Zweck nicht erreichte. Er ergab sich endlich darein, in der Hoffnung, daß er einst den reifer gewordenen Kindern seine, wie er meinte, vernünftigeren Begriffe werde beibringen können.

Eines Tages fuhr er mit seinen Kindern zu einem Ver=

wandten in der Nachbarschaft. Auf dem Rückwege, in später,
finsterer Nacht, warf der Wagen um. Die Kinder blieben un-
beschädigt, der Vater aber brach einen Arm und verletzte sich
sehr gefährlich am Kopfe. Vor Schmerz und Schrecken schrie er:
O Jesus, erbarme dich! — Das siebenjährige Kind, voll Angst
und Thränen, sprach: Siehst du, Vater, nun rufst du doch den
Herrn Jesus an, den du nicht leiden kannst! Er wird dir gewiß helfen. Aber habe ihn doch lieb! — Der Vater antwortete
nichts, aber die kindliche Ermahnung prägte sich tief in seine
Seele. Nach seiner Rückkehr ließ er unverzüglich den Wundarzt
holen. Dieser zuckte die Achseln und ließ dem Kranken die Gefahr merken. Die Kur des zerbrochenen Armes gelang, aber die
Verletzung am Kopfe machte dem Arzte viele Mühe, und dem
Kranken lang anhaltende Schmerzen. Während seiner Krankheit
sah er sein Töchterchen immer mit besonderer Zärtlichkeit an,
und konnte, so oft es ihn besuchte, der Thränen sich nicht enthalten. Einmal küßte er das Kind mit nassen Augen und fragte
es: Mein liebes Kind, hast du denn den Herrn Jesus lieb?

Kind. Ja, Väterchen, ich habe ihn sehr lieb.

Vater. Warum denn?

Kind. Er hat ja die Menschen und besonders die Kinder
so lieb.

Vater. Woher weißt du das?

Kind. Eine Frau, die manchmal zur Mutter kommt,
wenn du verreist bist, hat uns oft von dem Herrn Jesus erzählt, und aus einem Buche von ihm vorgelesen.

Vater. Die Frau hat dir wohl gesagt, daß du zu ihm
beten sollst?

Kind. Ja, das hat sie.

Vater. Betest du zu ihm?

Kind. Ja, ich thue es, Vater, alle Tage.

Vater. Was betest du denn?

Kind. Daß er mir und dir und der Mutter und meiner
Schwester und allen Menschen recht gnädig sein und Alle besser
machen möge. Die Mutter hat schon ein recht gutes Herz bekommen.

Der Vater küßte das Kind und hieß es wieder zur Schwester gehen. Er dachte jetzt darüber nach: „Du hast noch nie
für dein Kind gebetet; du lachst über das Beten. Und das
Kind betet für seinen Vater, und fühlt sich so selig dabei! Und

das Kind mußte seinem Vater eine Strafpredigerin sein! Mein
Gott, willst du mich vielleicht durch das Kind zu dir rufen!
Ach, ich bin den Weg der Ruchlosen gegangen! Aber kannst
du, so vergieb mir, und bekehre mich, barmherziger Gott!

Da der Arzt den Zustand des Kranken immer noch für
gefährlich erklärte, so fühlte dieser zum ersten Male eine quälende
Angst bei dem Gedanken an Tod und Gericht. Vormals hatte
er sich geäußert: „Furcht vor dem Tode beweise eine weibische
Feigherzigkeit; Furcht vor dem Gerichte zeuge von einem bösen
Gewissen. Ein Mann müsse ein Mann sein, und als ein rechtschaffener Mann Gott und Menschen getrost unter die Augen
treten können." — Nicht so redete er jetzt. Ohne Worte sprachen
seine Mienen und Geberden eine geheime, sein Inneres zerna-
gende Angst aus.

Seine Gattin, die ihn mit zärtlicher Sorgfalt pflegte und
bediente, wagte es, so deutlich sie auch in seiner Seele zu lesen
glaubte, nicht, ihn zu fragen; sie betete nur still und unablässig
für ihn. Die Kinder, besonders das muntere, engelfreundliche
siebenjährige Mädchen, besuchten den kranken Vater oft, und er-
heiterten ihn durch ihre kindlichen Fragen und Antworten. Das
Kind kam eines Vormittags zum Vater gelaufen. Väterchen,
sagte es, ich habe von dir geträumt.

Was denn, liebes Kind?

Was recht Schönes. Höre nur, Väterchen, mir träumte,
du gingst mit mir in der großen Gartenallee spazieren. Auf
einmal, beinahe schon am Ende der Allee fielst du um und
warst schon ganz todt. Ich schrie überlaut, aber Niemand hörte
es, es war gerade kein Mensch im Garten. Ich schrie immer
lauter: Ach lieber, liebster Gott, liebster Herr Jesus, hilf meinem Vater. Auf einmal sah ich einen erstaunlich freundlichen,
sehr schönen Mann kommen, sein Gesicht und sein goldenes
Kleid, das er an hatte, glänzte unbegreiflich hell, viel heller als
deine goldene Taschenuhr. Er nahm mich bei der Hand, küßte
mich und sagte: Mein Kind, weine nicht, ich werde deinem
Vater helfen. Fasse du ihn jetzt bei der Hand, da wird er auf-
wachen und wieder aufstehen. Ich nahm gleich deine Hand, und
in dem Augenblicke machtest du die Augen auf und warst wieder
lebendig und ganz gesund. O Väterchen, du glaubst nicht, wie
ich mich da gefreut habe. Du wirst gewiß wieder gesund wer-

den, weil ich so schön von dir geträumt habe, und weil der
Herr Jesus dich so lieb hat.

Der Vater weinte vor Freuden über das liebe Kind.
Gott segne dich, du Engelskind, sagte er, indem er es an sein
Herz drückte, wenn mich Gott gesund macht, so thut er es aus
Liebe zu dir. Er behielt und bewahrte die Worte des Kindes.
Er fand so viel Lehrreiches, Bestrafendes in dem Traume, daß
sein Gemüth sich fortwährend damit beschäftigte. Nach einigen
Tagen ließ er seinen Dorfprediger, dessen Besuch er bis jetzt im-
mer abgelehnt hatte, zu sich bitten. „Herr Pastor," redete er
ihn an, „ich fühle zum ersten Male ein Bedürfniß, mich mit
Ihnen zu unterhalten. Ich bin, wie Sie sehen, krank, und wie
die Aerzte glauben, sehr bedenklich krank. Ich fühle selbst in
meinem Körper ein Etwas, das mir meine Gefahr anzeigt. Ich
fühle aber auch in meinem Gemüthe ganz andere Empfindungen,
als in meinen gesunden Tagen. Damals lachte ich über die
Furcht vor Tod und Ewigkeit. Ach! ich weiß jetzt, was diese
Furcht ist. Ich habe nie beten wollen. Ach! wenn ich jetzt nur
beten könnte! Aber was würde mir auch das Gebet nunmehr
nützen! Würde es Gott nicht für Spott von mir ansehen, da
ich es vormals als unnütz und als Schwachheit verlacht habe?
Beten Sie doch für mich, lieber Pastor; auf Ihr frommes Gebet
wird Gott hören."

Verlegen, aber durch die Rede des Kranken dennoch etwas
aufgemuntert, erwiederte der Prediger: „Gnädiger Herr! Ob
unserer Sünden noch so viel wären, bei Gott ist viel mehr
Gnade. Erkennen Sie Ihr Spotten über das Gebet für Sünde?
O, beten Sie jetzt zum ersten Male, daß Ihnen diese Sünde
vergeben werde!" Der Prediger fiel auf die Knie und that ein
kunstloses, aber inbrünstiges Gebet, ein und mehrere Male von
seinen und des Kranken Thränen unterbrochen. Darauf zog er
sein Gesangbuch aus der Tasche und las langsam und andachts-
voll das Lied:

>Mein Heiland nimmt die Sünder an,
>Die unter ihrer Last der Sünden
>Kein Mensch, kein Engel trösten kann,
>Die nirgend Ruh' und Rettung finden,
>In ihrer tiefen Seelennoth.
>Wenn das Gesetz Verdammniß droht,
>Wenn sie verklaget das Gewissen,

Heinrich, Erz. I.   13

Und sie der Gnade Kraft vermissen,
Sehn sie die Freistatt aufgethan:
Mein Heiland nimmt die Sünder an!

Sein überschwenglich liebend Herz
Trieb ihn von seinem Thron zur Erden.
Ihn drang der Sünder Weh und Schmerz,
An ihrer Statt ein Fluch zu werden;
Er senkte sich in ihre Noth
Und litt für sie den bittern Tod.
Nun, da er hat sein eigen Leben
Für sie zur Lösung hingegeben,
Und für die Welt genug gethan,
So heißt's: er nimmt die Sünder an!

Nun nimmt er auf in seinen Schooß
Die bangen und verzagten Seelen;
Er spricht sie von dem Urtheil los
Und endet bald ihr ängstlich Quälen;
Es wird ihr ganzes Sündenheer,
Wie in ein unergründlich Meer,
Durch sein Verdienst hinabgesenket.
Sein Geist wird ihnen dann geschenket
Zum Führer auf der Gnadenbahn:
Mein Heiland nimmt die Sünder an!

So bringt er sie dem Vater hin
Auf seinen treuen Hirtenarmen;
Das neiget dann den Vatersinn
Zu lauter herzlichem Erbarmen.
Er nimmt sie an an Kindes Statt,
Und Alles, was er ist und hat,
Wird ihnen eigen übergeben,
Die Pforte zu dem ew'gen Leben
Wird ihnen fröhlich aufgethan.
Mein Heiland nimmt die Sünder an!

O solltest du sein Herze sehen,
Wie sich's nach armen Sündern sehnet,
Wenn sie noch in der Irre gehen,
Und wenn ihr Auge vor ihm thränet!
Er streckt die Hand nach Zöllnern aus,
Er scheut nicht ihr verachtet Haus!
Den reuevollen Magdalenen
Stillt er so mild' die heißen Thränen,
Gedenkt nicht, was sie sonst gethan.
Mein Heiland nimmt die Sünder an! u. s. w.

Der Kranke zerfloß in bittere Thränen. Er faßte die Hand des Predigers, drückte sie und bat ihn um recht baldigen Wiederbesuch. Am nächsten Vormittage ließ dieser sich anmelden. „Laßt den lieben Mann gleich herein," rief der Kranke zur Verwunderung des Bedienten. Er bewillkommte den Prediger mit freundlichem Blicke. „Lieber, guter Pastor!" redete er ihn an, „Sie sind ein wahrer Seelsorger, daß Sie mich nicht verlassen, wie Sie wohl hätten thun können. Diese Nacht ist viel in mir vorgegangen; ich sehe jetzt meinen Irrweg und den Abgrund ein, an dem ich gestanden bin. Ich habe es gewagt, mich an den Sünderheiland, den Ihr Lied so lieblich beschreibt, zu wenden; und es war mir ganz so, als spräche eine Stimme in meinem Innern: Stehe auf, deine Sünden sind dir vergeben; bald darauf aber war es einige Male, als spräche eine andere Stimme in mir: Du täuschest dich! Gott ist viel zu weit von dir, als daß er dich hören könnte. Bei dieser letzten Stimme fühlte ich jedesmal einen Schauer. Sagen Sie, liebster Herr Pastor, was soll ich dabei thun?"

Der Prediger sagte:

Und ob dein Herz spräch' lauter Nein,
Sein Wort laß dir gewisser sein!

Jesus Christus hat Keinen, der zu ihm kam, getäuscht, noch zugelassen, daß er sich selbst getäuscht hätte. — Und sein Lieblingsjünger sagt: So uns unser Herz verdammt, so ist Gott noch größer als unser Herz. Hören Sie auf ihn, nicht auf Ihr Herz! Er ist derselbe gestern und heute und in Ewigkeit. Keiner ist je zu Schanden geworden, der auf ihn vertrauet und auf seine Güte gehofft hat!

Ich danke Ihnen tausend Mal, sprach der Kranke, ich glaube und fühle, daß Ihre Worte Wahrheit sind.

Nach einer schmerzvollen, schlaflosen Nacht empfing er den ihn wieder besuchenden Prediger mit wehmüthiger Freundlichkeit. Er lag eine Minute still und that dann an den Prediger in einem feierlichen, ernsten Tone die Frage: Darf ich das heilige Abendmahl genießen? Dürfen Sie es mir reichen?

Der Prediger. Ja, ich darf; es ist gerade für Sie verordnet.

Der Kranke. O Gott Lob! Reichen Sie, lieber Herr

13*

Pastor, mir und meiner lieben, frommen Frau das heilige Abendmahl morgen Vormittag! Meine Sehnsucht darnach ist groß!

Der Prediger erschien zu der bestimmten Zeit und reichte
beiden das Mahl des Herrn nach einem rührenden Gebete und
einer kurzen Anrede, unter einem, wie er selbst bezeugte, unaussprechlichen Gefühle der Gegenwart des Herrn.

Von diesem Tage an war die gründliche Veränderung des
Kranken Allen und Jedem sichtbar. Seine fromme Gattin fühlte
sich selbst vor Freude und Dank gegen Gott neu belebt und wie
verjüngt.

Die liebe Tochter sprach eines Tages zum Vater: „Väterchen, du siehst jetzt so heiter und vergnügt aus. Nicht wahr,
du hast den Herrn Jesus jetzt auch lieb, und du wirst wieder
gesund? Der Vater weinte, umarmte das Kind und sagte: „Ja,
mein Herzenskind, ich habe ihn sehr lieb, und ich glaube, er
wird mich dieses Mal wieder gesund machen, — da wollen wir,
die Mutter und du und ich, ihn um die Wette lieb haben.“
Das Kind lief vor Freude weg und erzählte der Mutter, was
der Vater gesagt hatte.

Der Kranke nahm in der Besserung über Erwarten des
Arztes, obwohl langsam, zu, und konnte nach sechs Wochen
ohne schmerzende Empfindung an seiner Kopfwunde in dem Garten spazieren gehen. Nach drei Wochen genas er völlig. Seine
Bekehrung bewies sich als Wahrheit. Seine Lieblingsbeschäfti-
gung war von da an Gebet und Unterhaltung mit seiner Gattin von der unaussprechlichen Liebe Gottes in Christo Jesu.
Der Umgang und die Predigten seines Pastors waren ihm jetzt
Bedürfniß und Segen. Das jüngste Töchterchen sah er nie anders als mit einer Art von besonderer Achtung an, und ihre
Gesellschaft war Erquickung und Erheiterung nach seinen oft verdrießlichen und mißstimmenden Landrathsgeschäften. Sein Haus
war jetzt ein Haus des Friedens, ein Bethaus, dem Herrn und
seinem Dienste geweiht. Die heilige Schrift, das Gesangbuch
und andere ächt evangelische Bücher waren seine tägliche Lese-
bibliothek. Die beiden Kinder wuchsen dem Herrn zum Preise
heran. Sie beide, an christlich gesinnte Gutsbesitzer verheirathet,
wurden glückliche Gattinnen, zärtliche Mütter und Wohlthäterin-
nen der Armen und Waisen. Der Vater starb im Jahre 1809
als ein demüthiger, glaubensvoller Christ, seine Hoffnung des
ewigen Lebens allein auf das vollgültige Versöhnungsopfer Jesu

Chrifti gründend, und feiner Kindesannahme bei dem Bater gewiß.

Das erwähnte Lied ift gedichtet von dem frommen Lehr als Hofmeifter der Fürftin von Anhalt=Köthen; er war nicht lange zuvor durch des Herrn Gnade vom eitlen Weltfinn zur Liebe Jefu Chrifti bekehrt worden, wobei er oft und viel auf den Knieen um die Gnade Gottes rang und Tag und Nacht nach ihr thränete.

Im Jahre 1733 erfchien das Lied zum erften Male in den Köthen'fchen Liedern und wurde fogleich mit dem allgemein= ften Beifall aufgenommen. Ein Gelehrter, der dadurch nach= drücklich erweckt wurde, ließ es mit einem wohl abgefaßten deut= fchen Gedichte befonders abdrucken.

Schon am 2. Mai 1739 fang es der churbrandenburgifche Stallmeifter Moriß Chriftian von Schweiniß wenige Stunden vor feiner feligen Auflöfung mit großer Freude feines Herzens. Man hat Nachrichten aus Oftindien und Amerika, Dänemark und Litthauen, fo wie aus andern Orten, daß es zehn Jahr nach feinem Erfcheinen fchon in verfchiedene fremde Sprachen, auch in die Damulifche überfeßt worden ift, fo daß ein Freund davon fchreiben fonnte:

„Das ungemeine Lied: Mein Heiland nimmt die Sünder!
Singt man in Oft und Weft den armen Kindern für,
Und alfo wiffen es auch überall die Kinder."

Lehr ftarb fchon den 26. Januar 1744 erft vierunddrei= ßig Jahre alt.

160. Meinen Jefum laß ich nicht.

Es waren ihrer drei mit einander eins geworden, eine Zeitfchrift herauszugeben, in welcher bewiefen werden follte, daß es mit der Bibel nichts fei, und daß das Chriftenthum in un= fere Zeit nicht mehr paffe und fich auch in die Länge nicht mehr halten fönne; und das follte in diefer Zeitfchrift fo haar= klein bewiefen werden, daß jeder vernünftige Menfch es einfehen müßte. Damit fie aber die Sache vorher reiflich befprechen und ins Reine bringen fönnten, hatten die drei fich nach D. zufam= mengeftellt, denn fie wohnten an verfchiedenen Orten entfernt von einander.

Der beste Kopf unter ihnen, der Doctor der Philosophie
G., hatte sich etwas früher auf den Weg gemacht als die An=
dern, weil er unterwegs noch allerlei Kunstsammlungen und
Kunstwerke besehen wollte, denn davon war er ein großer Freund
und ein Kenner. Als er nun in L., wo er Samstags Abends
angekommen, und wo er sich eben der Kunstwerke wegen etliche
Tage aufhalten will, Sonntag Morgens zum Fenster hinaussieht,
sieht er da zwar viele Leute in die Kirche gegenüber gehen, aber
was will er in der Kirche! Doch das sollte er nur meinen, er
will in der Kirche mehr, als er weiß. Denn zufällig erfährt er,
daß das gerade die Kirche sei, in der das schöne, berühmte Al=
tarbild zu sehen ist, um deßwillen er hauptsächlich auch nach L.
gegangen. Darum zieht er sich an, und wie er merkt, daß die
Predigt, die ihn nur gelangweilt hätte, vorüber sei, eilt er so=
gleich hinüber. Bis die Leute hinausgehen, sieht er sich die
Säulen und steinernen Schnörkel und Männlein an und kommt
so, die Hände auf dem Rücken, den Kopf in die Höhe und die
Augen bald links bald rechts, immer näher gegen den Altar.
Auf einmal spielt die Orgel wieder, und er merkt zu seinem
Verdrusse, — daß noch Abendmahl gehalten wird. Doch faßte
er sich wieder und denkt: Ei, das gehört ja gerade zum schönen
Altarbild, das Abendmahl halten ist auch etwas Malerisches und
der Orgelton etwas Feierliches, da hab ich nur um so mehr
Genuß. Denn die Kunstjäger sind gar närrische Kameraden.
So geht er also frei auf den Altar los, stellt sich ihm gerade
gegenüber und besieht das Altarbild, während die Andern in
Andacht zum Tische des Herrn treten. Das Altarbild ist zu
schön, er ist ganz darein versunken. Da dringen ihm auf ein=
mal die feierlichen Worte: „Nehmet hin und esset, das
ist der wahre Leib eures Herrn und Heilandes,
Jesu Christi, für alle eure Sünde in den Tod ge=
geben! Das stärke und erhalte euch zum ewigen
Leben!" — die dringen ihm in Ohr und Herz, daß er die
Augen von dem Bilde weg auf die heilige Handlung wenden
muß, und es ist ihm, als wenn der gebückte Greis, selbst wie
verklärt von der Freundlichkeit des Herrn, dessen ganze Liebe
und Seligkeit seinen geliebten Beichtkindern im Genusse des hei=
.igen Mahles zuwendete. Dabei wird das Lied gesungen:

> Meinen Jesum laß ich nicht:
> Weil er sich für mich gegeben,

So erfordert meine Pflicht,
Kettenweis an ihm zu kleben,
Er ist meines Lebens Licht:
Meinen Jesum laß ich nicht.

Jesum laß ich ewig nicht,
Weil ich soll auf Erden leben;
Ihm hab ich voll Zuversicht,
Was ich bin und hab' ergeben:
Alles ist auf ihn gericht:
Meinen Jesum laß ich nicht.

Das Lied ist dem Doktor wohl bekannt. Er hat's in seiner Jugend gelernt, es wird ihm weh und wohl dabei zu Muthe, das herrliche Lied nimmt ihm das Herz so ein, daß er dann und wann mit einstimmen, daß er zuletzt ganz mitsingen muß. Und wie nun der letzte Vers kommt:

Dich, o Jesu, halt ich fest,
Und von dir soll mich nichts scheiden;
Wehe dem, der dich verläßt,
Er beraubt sich ew'ger Freuden!
Selig, wer von Herzen spricht:
Meinen Jesum laß ich nicht!

da dringen ihm die Worte: „Wehe dem, der dich verläßt!" wie ein Pfeil in sein erweichtes Herz, er zittert und bebt, und die Thränen laufen ihm herab. „Wehe dem, der dich verläßt!" klingt's immer wieder in seinem Herzen. In sich gekehrt und niedergebeugt verläßt er die Kirche. Unterwegs drängen sich ihm immer die Worte in den Sinn und auf die Zunge: „Saul, Saul, was verfolgst du mich!" so daß sie fast laut herausmüssen. Als er wieder auf seinem Zimmer ist, kommt ihm ein Spruch nach dem andern (denn er weiß die Schrift:) „Heute, so ihr meine Stimme höret, so verstocket eure Herzen nicht! — Kommet her zu mir alle, die ihr mühselig und beladen seid, ich will euch erquicken! — Dadurch wird sein Herz wieder ruhiger und es kommt ihm eine Ahnung von dem Frieden Gottes, von dem er sich vorher nie eine Vorstellung machen konnte. Aber nun kann er sich nicht mehr helfen, er muß eine Bibel haben; — er klingelt und begehrt von dem Wirthe eine Bibel. Mit Heißhunger liest er in dem Buche, das er früher nur angesehen hatte, um daran zu meistern und zu kritteln.

Darum iſt's ihm auch, als ob er jetzt erſt zum erſten Male darin läſe, es iſt alles neu! Und immer und immer muß er die Worte wieder leſen: „Siehe, ich ſtehe vor der Thür und klopfe an. So Jemand meine Stimme hören wird und die Thür aufthun, zu dem werde ich eingehen und das Abendmahl mit ihm halten und er mit mir!

Da widerſteht er nicht länger und wirft ſich nieder und ruft voll Freudigkeit und Seligkeit aus: „Ja, Herr, du großer Heiland der Welt, ich will deine Stimme hören!" Und während er betet, erfüllt Gottes Friede ſein Herz und er verſteht das Wort von dieſem Frieden, der höher iſt, denn aller Menſchen Vernunft.

Aus der Zuſammenkunſt zu D. und aus der Zeitſchrift, die das Chriſtenthum abthun ſollte, iſt aber nun nichts geworden, weil ihr Klügſter ein Narr, d. h. weiſe und aus einem Saulus ein Paulus geworden war.

---

161. Meinen Jeſum laß ich nicht.

Ein berühmter und um die Kirche hochverdienter Lehrer, der ſelbſt ein hochbegabter Dichter vieler lieblicher Lieder iſt, nennt dieſes Lied einen ſeelenſüßen Pſalm, den viele hundert Kinder Gottes tauſend Mal tauſend ſich zur Freude und dem Teufel zum Leide abgeſungen. Gelegenheit zur Verfertigung dieſes Liedes gab der Churfürſt von Sachſen, Johann Georg der Erſte, der 1656 ſtarb. Als derſelbe bei ſeinem herannahenden Ende von dem Oberhofprediger Dr. Weller gefragt wurde: Gedenken Ew. Fürſtl. Durchlaucht auch jetzt noch an das Lied, womit Sie ſich im Leben ſo oft getröſtet haben: „Von Gott will ich nicht laſſen, denn er läßt nicht von mir," ſo gab der fromme Fürſt zur Antwort: Glaubet mir nur ſicherlich, meinen Jeſum laß ich nicht! Ueber dieſe Glaubensworte ſeines ſterbenden Landesvaters dichtete nun, wahrſcheinlich noch im Jahre 1656, ſpäteſtens im Jahre 1658, der Zittauer Rector M. Chriſtian Keymann dieſes Lied, in welchem jedes Anfangswort jeden Verſes ein Theil jenes Glaubensſpruches: „Meinen Jeſum laß ich nicht" iſt, womit auch das Lied beginnt und ſchließt. Keymann lebte in der Trübsalszeit des dreißigjährigen Krieges und starb 1662. In seiner letzten Schulstunde kurz vor seinem Tode dittirte er den Schülern noch folgenden Vers:

Ade, ihr Gäste dieser Erden,
Ich geb' euch vor, ihr folget mir!
Was ich jetzt bin, muß Jeder werden,
Es gilt mir heute, morgen dir.
Ade! das möcht't ihr heute von mir erben:
Die größte Kunst ist, selig sterben.

---

162. Meinen Jesum laß ich nicht.

Ein preußischer Steuerrath Theodor Göthe, aus Wiehe bei Artern gebürtig, hat im Jahre 1853 seine Theilnahme an den Feldzügen von 1809—1813 als sächsischer Husar beschrieben, und darin kommt folgende kleine Geschichte vor. Auf dem entsetzlichen Rückzuge aus Rußland Anno 1812, wo der Verfasser im jämmerlichsten Zustande in Polen ankam und sich von da, obgleich krank und matt und in elenden Lumpen, glücklich in seine Heimath schleppte, lag er auf der Streu in einer polnischen Bauerhütte, als er plötzlich neben sich mit lauter, kräftiger Stimme das Lied anstimmen hörte: „Meinen Jesum laß ich nicht." Es war sein Kamerad, ebenfalls Husar; er sang das Lied bis zu Ende, dann that er die Augen zu und — war todt. Viele, sagt Göthe, hatten damals beten gelernt, und die es schon gekonnt, denen wäre es ein großer, ja der einzige Trost gewesen.

---

163. Mir mangelt zwar sehr viel.

Ein heuchlerischer Großsprecher, der in Gesellschaft von seinen guten Werken immer viel Rühmens machte, hatte einmal im Beichtstuhle seine Beichte froh und frei ohne alle Merkzeichen der Reue herausgepoltert. Nachdem der Beichtvater sich Mühe gegeben hatte, in ihm mittelst des göttlichen Wortes das reuige Bewußtsein seiner Sünde zu wecken, absolvirte er ihn endlich mit dem siebenten Verse aus dem Liede: „Wo soll ich fliehen hin."

Mir mangelt zwar sehr vi█,
Doch was ich haben will,
Ist Alles mir zu Gute
Erlangt mit deinem Blute,
Damit ich überwinde
Tod, Teufel, Höll' und Sünde.

Passender konnte dieser Vers nicht benutzt werden.

164.

Mir nach, spricht Christus, unser Held,
Mir nach, ihr Christen alle!
Verleugnet euch, verlaßt die Welt,
Folgt meinem Ruf und Schalle!
Nehmt auf euch Kreuz und Ungemach,
Und folget meinem Wandel nach.

Das schöne Lied rührt von einem abgefallenen schlesischen Protestanten her, der katholisch wurde und 1677 im Kloster starb. Er hieß ursprünglich Joh. Scheffler, nannte sich aber auch lateinisch Angelus Silesius. Er ist der Verfasser von 205 Liedern, die er meistens noch als Protestant verfaßte. Erdmann Neumeister sagt von ihm: Seien seine Lieder woher sie wollen, so sind Sie eine unverwelkliche Zierde der Kirche Jesu Christi.

An einem gewissen Orte lebte ein Regimentspfeifer, wel=cher ein wüstes und wildes Leben führte. Einmal spielte er den Bauern auf einem Tanze auf. Aber mitten im Spielen schoß ihm plötzlich der Gedanke in's Herz: Du bist verdammt! Vor Angst wußte er nicht zu bleiben. Und da er mit seinem Kameraden nach Hause ging, rieth ihm einer, er sollte zu dem Häuflein der Gläubigen gehen, welche damals in der Stadt zu=sammen kamen, um sich zu erbauen. Er verfluchte aber diese Leute, und wollte nichts von ihnen hören. Als er nach Hause kam, und seiner Frau seine Noth klagte, gab ihm diese densel=ben Rath. Er entschloß sich also hinzugehen, aber mit Furcht und Zittern. Bei seinem Eintritte wurde gerade das Lied zum Singen vorgesagt: Mir nach, spricht Christus, unser Held zc. Der Anfang des Liedes: Mir nach zc. tönte lange in seinem Herzen fort und er konnte diese Worte nicht wieder vergessen. Er besuchte die Versammlung öfter. Die Gläubiger nahmen sich seiner an und er wurde ein glücklicher und seliger Mensch, der dem Herrn zur Freude wandelte.

165.

Mit tief empfund'nem Sehnen,
Blick' ich hinauf zu dir!
O Vater! nimm die Thränen
Zum Opfer an von mir.
Die Sündengreuel steigen
Zum Himmel fürchterlich,
Und deine Kinder neigen
Gebeugt zum Staube sich.

So wie vor alten Zeiten,
Die erste Menschenschaar,
Im Taumel wilder Freuden
Und Lust versunken war,
So sind auch wir versunken;
Den Taumelbecher hat
Europa ausgetrunken,
Und wird doch nimmer satt.

Man aß und trank und freite,
Und fragte dann nach nichts.
Es lachten diese Leute
Des drohenden Gerichts.
Ganz unerwartet hüllte
Die Luft in Dunkel sich,
Und schwarzer Donner brüllte
Von Ferne fürchterlich.

Das war schon oft geschehen,
Man schmauste sicher fort,
Des Sturmwinds heulend Wehen,
Erschüttrung hier und dort,
Das waren lauter Sachen
Der wirkenden Natur,
Des kann der Starke lachen,
Der Feige fürchtet nur.

Die Arche Noahs blicken
Sie jetzt noch spottend an,
Die Wolkenberge rücken
Indessen schnell heran.

In unerhörten Güssen
Stürzt ab ein Wolkenmeer,
Man sieht an See und Flüssen
Nun keine Grenzen mehr.

Das hat noch nichts zu sagen,
Man flieht, man rettet sich.
Denn seht in wenig Tagen
Verläuft das Wasser sich.
Allein es nimmt kein Ende,
Schon jedes Thal ist See,
Sie spült am Berggelände,
Nun hört man Angst und Weh.

Man flieht auf Berg und Hügel,
Man klimmt an Bäumen auf.
Das girrende Geflügel,
Das Wild in vollem Lauf,
Und Löwen, Tiger, Schlangen,
Gesell'n zu Menschen sich.
Es tönt die Luft vom bangen
Geheule fürchterlich.

Die letzten Seufzer steigen
Zu dir, o Gott! empor.
Und nun herrscht tiefes Schweigen,
Die Sonne bricht hervor.
Die Arche Noahs schwebet
Auf dieser wilden Fluth,
Ein Hoffnungsstrahl belebet
Den fast gesunknen Muth.

Merkt auf, ihr Zeitgenossen!
Noch weilt die Gnadenfrist.
Bald ist die Zeit verflossen,
Wo noch Erbarmen ist.
Eilt, fallt ihm in die Ruthe,
Dem hocherzürnten Gott,
Und treibt mit Christi Blute
Und Tod nicht ferner Spott.

Ach Vater! Vater schone!
Erbarm dich unser doch
In Jesu deinem Sohne;
Es giebt doch viele noch,

Die so wie Noah lieben
Von ganzem Herzen dich;
Und Millionen üben
In Lieb' und Demuth sich.

Ein adeliger Herr war mit seiner Familie in tiefen Welt=
sinn versunken, denn eine Freude und ein Lustgelag folgte dem
andern. Ein gläubiger Prediger war zwar im Orte, der auch
seine Pflichten mit apostolischem Sinne verrichtete, aber die
adelige Herrschaft fragte nichts nach ihm und kam nur des Jah=
res höchstens zwei Mal zur Kirche. So war das Leben viele
Jahre fortgegangen, bis endlich der Herr erkrankte und zwar
bedenklich. Anfänglich suchte er alle ernste Gedanken an Tod
und Ewigkeit zu verscheuchen, indessen wollte es doch damit
nicht so leicht gehen. Er fing an religiöse Bücher zu lesen und
bekam eines Tages auch eine christliche Zeitschrift in die Hand,
in welcher das oben angeführte Lied mit der Ueberschrift: die
Sündfluth, abgedruckt war. Es machte einen gewaltigen
Eindruck auf ihn, er las und las es immer wieder, und gestand
endlich dem herbeigerufenen Prediger, daß sein bisheriges Leben
ein wahres Sündenleben gewesen sei, doch solle es nun besser
werden. Die Veränderung seines Sinnes schien auch auf seinen
kranken Körper heilsam einzuwirken, denn nach Verlauf von
zehn Wochen war er völlig gesund. Sein Versprechen hielt er
redlich. Er fing nun an mit den Seinigen die Kirche fleißiger
zu besuchen und hielt sogar mit seinem ganzen Hause Morgen=
und Abendandachten, in denen er vier Wochen hinter einander
zum Schlusse jedes Mal das obige Lied vorlas.

Lieber Leser! Bist du Hausvater oder Hausmutter, so sei
mir erlaubt, bei dieser Gelegenheit ein Wörtlein über den Haus=
gottesdienst zu sagen. Von unsern frommen Vorfahren ist es
bekannt, daß bei ihnen, bei den Vornehmen wie bei den Gerin=
gen, in den Palästen wie in den Hütten, häusliche Andachten
allgemein üblich waren. Jetzt ist es anders geworden, aber ist
es auch besser geworden? Jetzt kann man ganze Gemeinden
durchwandern, ohne eine Spur von häuslichem Gottesdienst zu
finden. Wie ist es denn in unsern Häusern?

Lieber Leser! nur an das Beispiel eines Mannes laß mich
dich erinnern, der uns mit Recht so theuer und lieb ist, den
wir mit Recht den unsern nennen — ich meine unsern Luther.

Obwohl er täglich drei Stunden zu seiner besondern Andacht nahm, so hielt er doch täglich mit den Seinigen häuslichen Gottesdienst. Das that Luther! und was thun wir? Was hilft es uns, daß wir Luthers Namen mit Bewundrung nennen, wenn Luthers Sinn und Geist uns nicht belebt? Was hilft es uns, wenn wir uns rühmen, Glieder der evangelischen Kirche zu sein, wenn das Evangelium in unsern Familien bei der häuslichen Andacht nie gebraucht wird? Was hilft es uns, wenn wir uns Christen nennen und uns in unsern Häusern nie in Christi Namen versammeln?

Darum wollen wir dem Beispiele unserer frommen Vorfahren folgen, wollen wir würdige Glieder der evangelischen Kirche, wollen wir Christi Jünger sein — dann laßt uns auch sprechen: **Ich und mein Haus wollen dem Herrn dienen.**

O gewiß! die Zeit, die wir täglich zum häuslichen Gottesdienst verwenden, wird einen reichen Segen für die Ewigkeit bringen, gewiß, dafür werden uns unsre Kinder noch am Throne Gottes danken, — mehr danken, als für die irdischen Schätze, die wir ihnen mit Mühe sammelten. Nun, lieber Leser, beherzige recht oft nachstehenden Liedervers:

> Bist du ein Herr, dem andre dienen,
> So sei ihr Beispiel, sei es stets!
> Und feire täglich gern mit ihnen
> Die sel'ge Stunde des Gebets.
> Nie schäme dich des Heils der Seelen,
> Die Gottes Gnade dir vertraut,
> Kein Knecht des Hauses müsse fehlen,
> Er ist ein Christ und wird erbaut!

---

166. Meine Schuld kann mich nicht drücken.

Carl Heinrich von Bogatzky, geboren 1690 in Niederschlesien, studirte zuerst in Jena und Halle die Rechtswissenschaft, widmete sich aber daselbst von 1716 bis 1718 der Theologie. Er erzählt in seinem Lebenslaufe, wie ihm einst ein Liedervers recht zum Segen geworden sei. Es war der zweite Weihnachtsfeiertag im Jahre 1715, als in der Kirche zu Glaucha bei Halle das Lied gesungen wurde: „Fröhlich soll mein Herze springen." Da war es, erzählt Bogatzky, der Vers:

Meine Schuld kann mich nicht drücken,
Denn du hast
Meine Last
All' auf deinem Rücken.
Meiner Sünden dunkle Flecken
Deckst du zu;
Du, nur du
Kannst sie recht bedecken.

wo mir der hohe Artikel von der Rechtfertigung zum ersten Male recht aufgeschlossen und tröstlich war, da ich glaubte, daß, ob ich gleich in mir ganz unrein, befleckt und verdammt wäre, ich doch in Christo ganz vollkommen rein, und also getrost sein könnte.

Bogatzky hat viele erbauliche Schriften geschrieben, und war ein durch Frömmigkeit, Demuth und Liebe ausgezeichneter Mann. Auch hat er ein Gesangbuch herausgegeben. Er starb in Halle den 15. Juni 1774 im 84. Lebensjahre.

167. Mit Fried' und Freud' ich fahr' dahin.

Als einst König Christian III. in Dänemark tödtlich darnieder lag, erschien ihm ein Engel im Schlafe, der sprach: Christian, so du noch etwas vor deinem Ende bestellen und in deinem Reiche nach dir befehlen willst, so thue es bei Zeiten, denn nach acht Tagen wird dich Gott aus deinem irdischen in sein himmlisches Reich versetzen; mit dem neuen Jahre wird es besser werden, da wirst du in ein neues Leben treten. Dieser englischen Todtenbotschaft freute sich der fromme König die heilige Weihnacht über von Herzen, und da der Neujahrstag anbrach, schickte er sich getrost zum Tode, empfing das heilige Abendmahl, nahm von den Seinigen gute Nacht, und begehrte von seinem Beichtvater und Hofgesinde, sie sollten ihm Grablieder singen. Da sie nicht wollten, sprach er: Ich will singen und ihr müßt mit singen, daß man wird sagen, der König von Dänemark hat ihm selbst zu Grabe gesungen; stimmte darauf an mit heller und fröhlicher Stimme: Mit Fried' und Freud' ich fahr dahin. Ferner: Mitten wir im Leben sind. Und zuletzt: Nun laßt uns den Leib begraben. Er entschlief noch denselben Tag, nämlich am Neujahrstage 1559 sanft in dem Herrn.

Wer so stirbt, dem singen die Schüler mit Wahrheit nach:

Sein Jammer, Trübsal und Elend,
Ist kommen zu einem seligen End,
Er hat getragen Christi Joch,
Ist gestorben und lebt doch noch.

168.

Graf Wilhelm von Schwarzburg sagte bei herannahendem Lebensende: Ich will mit Freuden sterben, darum helfet mir alle singen: „Mit Fried und Freud ich fahr dahin" und starb darauf fröhlich und selig 1598, seines Alters 64 Jahre.

169. Mit Fried' und Freud' ich fahr' dahin.

In der großen Ueberschwemmung in der Gegend bei Weimar am 29. Mai 1613 hatten sich in Lehnstett siebenund-zwanzig Personen auf einen Boden gerettet, wo sie bei der im-mer mehr anwachsenden Wasserfluth ihren nahen Tod vor Augen hatten. In ihrer Todesangst stimmten sie das Lied an:

Mit Fried und Freud ich fahr dahin
Ists Gottes Wille,
Getrost ist mir mein Herz und Sinn,
Sanft und stille,
Wie Gott mir verheißen hat;
Der Tod ist mein Schlaf worden.

Der Herr erbarmte sich ihrer, indem das Wasser sie nicht er-reichte und sie gerettet wurden.

170.

Jene achtzig treuen Bekenner, welche unter der Regierung des Kaisers Valens auf einem Schiffe lebendig verbrannt worden, hatten in einer solchen Zeit gelebt, in welcher der herrschende Wahn der Irrlehrer Jesum Christum nicht mehr als Gott aus Gott geboren, sondern nur noch als ein Geschöpf Gottes betrachten wollte, welches freilich vor allen andern Geschöpfen mit hohen Kräften und Vorzügen ausgerüstet gewesen sei. Wäre aber Christus nicht selber Gott, so könnte er auch nicht Heiland und Seligmacher der Welt sein, mein Geschrei und Gebet zu ihm wäre vergeblich, der Christenglaube eitel und thöricht. Denn wenn Christus nur ein Geschöpf ist, wie irgend ein Engel oder Mensch, für den haben die Engel in der Christnacht nicht mitgesungen: und den Menschen ein Wohlgefallen, für den ist Christus nicht als Tilger der Sünde am Kreuz gestorben, nicht auferstanden. Darum ließ sich das Häuflein der damaligen Bekenner weder durch das Gebot und die Drohungen des Kaisers Valens, noch durch die Schrecknisse des Todes davon abhalten, Jesum Christum als Gottes eingebornen Sohn, ihren Herrn und Seligmacher zu bekennen. Und sie blieben hierbei so beständig und freudig, daß jene achtzig, als nun das Schiff, worauf sie gefangen saßen, in Flammen aufging, mit lauter Stimme den Lob- und Schwanengesang des alten Simeon anstimmten: Herr nun lässest du deine Diener in Frieden fahren, denn unsre Augen haben deinen Heiland gesehen. Das oben angeführte schöne alte Lied von Luther ist eigentlich nur eine Verdeutschung und weitere Ausführung des Dankgebetes des alten Simeon (Luc. 2, 29—32.)

Die Zuschauer am Hafen, wohin das brennende Schiff getrieben ward, hörten den Gesang, sahen die Freudigkeit der achtzig Bekenner und viele von ihnen staunten darüber, denn eine solche Freudigkeit hatten sie noch niemals mitten in ihrem Wohlleben empfunden, als diese Männer in den Schmerzen der heißen Flammen und im Anblick des nahen Todes fühlten.

---

171. Mit Fried' und Freud' ich fahr dahin.

Die Geschichte, welche ich hier erzählen will, hat sich im Jahre 1534 zugetragen. Sie versetzt uns nach Westphalen hin. Hier vor allen hatte die Reformation die Gemüther in die lebhafteste Bewegung versetzt. Wie fast überall, so traten auch hier die Bürger der Städte, welche an den lutherischen Liedern und

Heinrich, Erz. I 14

den Predigten lutherischer Prädikanten, die hie und da auftraten, immer mehr Gefallen fanden, mit den Stadtobrigkeiten, Rittern und Fürsten, welche dagegen die alte Ordnung der Dinge auf= recht erhalten wollten, in Kampf, und es kam nicht selten zu blutigen Auftritten. In Soest unter andern hatten die Raths= herrn einen Gerber, Namens Schlachtorp, der ein Wortfüh= rer der evangelischen Parthei war, mit noch mehreren Genossen unter einem geringen Vorwande verhaften und zum Tode verur= theilen lassen, denn sie wollten jener Parthei einmal zeigen, daß sie noch Herren wären. Der Tag der Hinrichtung wurde festge= setzt; unter einem großen Zulauf des Volks gingen die Verur= theilten zur Richtstätte. Hier betheuerte Schlachtorp, daß er al= lein um der Religion willen sterben müsse, stimmte das Lied an:

„Mit Fried' und Freud' ich fahr dahin"

und die ganze Menge fiel ein, aber es wagte noch keiner, dem Unglücklichen beizustehen. Der Henker fragte die Deliquenten, wer zuerst sterben wolle. Gleich forderte Schlachtorp diese Ehre für sich; Unglück oder Glück aber wollte, daß der Scharf= richter nicht den Hals traf, sondern nur den Rücken, so daß der Stuhl umschlug. Schon wollte man diesen zum zweiten Schlage wieder aufrichten; da erhielt der Verwundete seine Besinnung wieder, entriß dem Henker das Schwert, das er so lange festhielt, bis er die Stricke an den Händen mit den Zähnen aufgemacht hatte, und schlug damit so wüthend um sich, daß der Henker ihm nicht ankommen konnte. Da wurde das Mitgefühl des Volkes laut, die Rathsherren geboten den Henkern abzustehen und im Triumphe führte das Volk den Geretteten, der das eroberte Schwert in den Händen hielt, nach Hause. Schlachtorp starb zwar in Folge der erhaltenen furchtbaren Wunde bald darauf, aber nie war ein Leichenbegängniß gesehen, wie das seinige, und der katholisch=gesinnte Rath mußte die Stadt verlassen und der neue führte die evangelische Ordnung vollends ein.

172.

Mitten wir im Leben sind
Von dem Tod umfangen;
Wer ist, der uns Hülfe thu',
Daß wir Gnad' erlangen?
Das bist du, Herr, alleine!
Uns reuet uns're Missethat.

Luther hat dieses Lied aus dem Lateinischen überarbeitet. Des lateinischen Liedes Verfasser ist der Mönch Notker Labeo zu St. Gallen (gest. 1022). Ueber eine tiefe Schlucht am Martinstobel bei St. Gallen ward eine Brücke gebaut. Notker sah zu, und sah die Gefahr der Bauleute, dabei in den Abgrund zu stürzen. Der Anblick ergriff ihn so, daß er das genannte schöne Lied zu Ehren des Retters aus allen Abgründen dichtete.

Als die Schmerzen in der letzten Krankheit des Christoph Haugwitz, auf Alt=Seidenberg, sehr groß wurden, betete er: Ach Herr, wie so lange. Hierauf sprach sein Beichtvater zu ihm: Der Herr wird kommen und nicht ausbleiben; er, als ein erfah= rener Kriegsmann, wisse ja wohl, wie es pflege herzugehen, wenn man auf der Wache stehe; ob es gleich hagelt oder schneiet, so dürfe der Krieger nicht eher seinen Posten verlassen, bis er von seinem Feldherrn abgerufen werde, so solle er sich denn auch in Geduld fassen. Indem er durch diese Zusprache beruhigt ward, seufzte er mit den Worten des oben erwähnten Liedes: **Heiliger Herre Gott, heiliger starker Gott, heili= ger barmherziger Heiland, du ewiger Gott! laß mich nicht versinken in der bittern Todesnoth.**

173.

Als sich die Stedinger (Einwohner des Stedinger Landes, eines kleinen fruchtbaren Landes an der Weser in der Grafschaft Oldenburg) im Jahre 1203 wider die Grafen zu Oldenburg, wegen der ihnen gesetzten unbescheidenen Voigte empörten, wurde auf geschehener Kreuzpredigt ein Heereszug gegen sie unternommen, wo sie 1234 durch eine Schlacht bei Oelnesch zum Gehorsam ge= bracht wurden. Bei dieser Schlacht standen die Geistlichen von ferne, und sangen lateinisch: Mitten wir im Leben sind.

174.

Ein armer Nürnberger Bürgerssohn, meines Wissens eine vaterlose Waise von früher Kindheit an, hatte sich aus be= sonderer Neigung dem Schullehrerstande bestimmt. In der da=

14*

maligen freien Reichsstadt Nürnberg gab es aber bei der großen
Zahl der Schüler, welche, durch die Wohlthätigkeit der reichen
Stiftungen angelockt und erhalten, die sogenannten lateinischen
Schulen besuchten, eine Menge solcher, welche dem Studiren, das
ihnen so leicht gemacht war, Geschmack abgewannen, und die
sich meist dem geistlichen oder doch dem Schullehrerstande widme=
ten. Daher war die Zahl der Candidaten und der Bewerber
um jedes kleine Pfarr = oder Schulmeisteramt so groß, daß gar
Viele von ihnen mit schon ergrauendem Haar noch ohne Amt
und Versorgung herumgingen, welche sich dann den nöthigen
Lebensunterhalt mühsam durch Privatunterricht oder Correkturen
verdienen mußten. Auch unser armer junger Schullehrer hatte
lange genug ein solches spärliches Brod der Sorgen und der
Thränen gegessen, und es schien für ihn fast unabsehlich weit
hinaus gar keine Hoffnung und Aussicht auf eine Verbesserung
seiner Lage, als er unversehens veranlaßt wurde, sich um eine
Schullehrerstelle in Franken zu melden. Die Stelle war aber
gut und einträglich, ein Haufen von Bewerbern um dieselbe
hatte sich eingefunden. Da unser armer Schullehrer diesen Hau=
fen sahe, wäre er gern zurückgetreten, um sich die Kränkung
einer abermaligen Versagung seines Gesuches zu ersparen, er
beschloß aber zuletzt dennoch, in Gottes Namen die Prüfung ab=
zuwarten und auszuhalten. Nun fing zwar schon damals hie
und da der Unsinn an, daß manche jüngere Schullehrer den
ihnen zur Zucht und Lehre anvertrauten Kindern, statt gesunder
Seelennahrung aus Gottes Wort und Schrift, allerhand unnützes
und eitles Flitterwerk vorbrachten und auch unter den Bewerbern
um jene gute Stelle gab es viele nach der neuen Mode gebildete
Lehramtscandidaten, welche recht gut zu sagen wußten, auf wel=
chem Grund und Boden Tobolsk oder Dudley lägen, wohin
aber ein Bauernkind aus Franken sein Lebtag nicht kommt,
welche aber, wenn man sie gefragt hätte, auf welchem Grunde
unsere Hoffnung und unser Trost, so wie all' unser Heil in Zeit
und Ewigkeit beruhe, bei der Prüfung sehr schlecht bestanden
wären. Viele waren, welche sogar den Wieland gelesen, und
manches Modeliedlein auswendig wußten mit seiner Melodie;
Gottes hochtheures Wort hatten sie aber wenig oder fast nicht
gelesen und von guten, alten Kirchenliedern war ihnen kaum
ein einziges im Sinn und Gedächtniß. Jener vornehme Herr
aber, welcher bei der Besetzung der Stelle das Hauptwort zu

reden hatte, war noch ein solcher altmodischer und altgläubiger, daß er dafur hielt, ein Schulmeister auf dem Lande solle außer dem Lesen, Schreiben und Rechnen, den Kindern vor allen Dingen und zuerst sowie zuletzt Gottes werthes theures Wort und Evangelium, so wie einen Schatz der besten christlichen Lieder kennen lehren und einprägen, damit sie frühzeitig einen festen Grund des Glaubens und der Hoffnung, eine Schutzwehr gegen die Versuchung zur Sünde und einen Trost in Noth und Tod ins Herz bekämen. Dazu verlangte er nun, daß der Schullehrer selber in der Kenntniß der heiligen Schrift wohl begründet, und mit dem besten Schatz der evangelischen Kernlieder gut bekannt sei. Da fiel nun freilich die Prüfung ganz anders aus, als der größere Theil der Candidaten sich's gedacht hatte. Gerade die Aufgeblasensten und Hochmüthigsten, die sich auf ihr neumodisches Wissen am meisten zu gut thaten, wußten die vorgelegten Fragen am schlechtesten zu beantworten; die von ihnen verachteten, altmodischen Schullehrer am besten. Unser armer Nürnberger war, zu seinem zeitlichen wie ewigen Glück, noch von einer solchen Art und Bildung, wie man es hier verlangte. Schon bei den mündlichen Fragen zeigte er sich als einen der besten. Doch war die Entscheidung über seinen Vorzug vor allen andern Mitbewerbern noch zweifelhaft, bis man jetzt sie alle zum Singen einiger der besten Kernlieder aufforderte. Es ward ihnen auferlegt, das Lied von Luther: „Mitten wir im Leben sind" zu singen. Davon konnte kein einziger der neumodisch-gebildeten jungen Männer auch nur einen Ton hervorbringen, keiner wußte auch nur, wie die zweite Zeile des Liedes heiße. Aber auch die wenigen besser Unterrichteten strauchelten und stockten beim Absingen der schweren Melodie. Unser Nürnberger aber, der dieses schöne ernste Lied gar oft gesungen hatte, sang dasselbe auch jetzt ohne allen Anstoß vollkommen richtig ab. Dies entschied für ihn, und er bekam die Stelle, und konnte nun nach so manchen Jahren, die er in Hunger und Kummer hingebracht hatte, fröhlich mit David rühmen:

„Er weidet mich auf einer grünen Aue, und führet mich zum frischen Wasser." Pf. 23, 2.

———

175.

Mich haſt du auf Adlers Flügeln
Oft getragen väterlich,
In den Thälern, auf den Hügeln
Wunderbar errettet mich,
Wenn ſchien alles zu zerrinnen,
Ward doch deine Hülf' ich innen.

Dieſer Vers iſt aus dem Liede: „Womit ſoll ich dich wohl loben." Der ſelige Bogatzky betete denſelben, als er eine beſondere Erfahrung der göttlichen Hülfe gemacht hatte. Er erzählt in ſeiner Lebensbeſchreibung S. 118 Folgendes.

Ich fuhr einſt mit noch einer Perſon in einer offenen Chaiſe. Als wir durch das Thor des Gaſthoſes fuhren, ſchlug der Wind mit Gewalt den Thorſchwengel um, und der ging zwiſchen mir und der Perſon mitten durch. Wäre er nur etliche Finger breit zur Rechten oder Linken umgeſchlagen, ſo wäre einer von uns beiden ums Leben gekommen.

Der Dichter des Liedes iſt: Ludwig Andreas Gotter, Hof= und Aſſiſtenzrath in Gotha. Er ſtarb den 19. Sept. 1735.

---

176. Nach dem Sturme fahren wir.

Um die Zeit der Aequinoctien 1778 gab es eines Tages einen ſtarken Sturmwind. Die älteſten Schiffsleute an der Oſt=ſee konnten ſich kaum auf ein ähnliches Wetter an dieſen Küſten beſinnen. Es war ein kläglicher und herzzerreißender Anblick! Koffer, Trümmer von Schiffen, Tonnen, Ballen und Waaren trieben unter und durch einander, mitten unter den Planken ei-nes geſcheiterten Schiffs auch ein männlicher Leichnam. Weinende Schiffsweiber mit ihren Kindern umringten ihn ſogleich, um zu ſehen, ob es ein Bekannter, Vater, Freund oder Bruder von ihnen wäre: aber in den von Schaum, Moos und Meergras verſtellten Geſichtszügen hielt es ſchwer, eine Aehnlichkeit zu ent=decken, oder die entdeckte weiter zu verfolgen. So traurig be-ſchäftiget, erſcholl plötzlich ein Geſang aus dem Meere. Drei nackende Schiffsmänner ſaßen in einem Boote, und ruderten mit beigelegtem Segel dem Ufer zu. Aus dem gräßlichen Tumult der vergangenen Nacht gerettet, brachten ſie dem Herrn, mitten unter Sturmwind, Blitzen und Leichen, ein fröhliches Lied zur Morgengabe. Hier ist es:

> Nach dem Sturme fahren wir
> Sicher durch die Wellen,
> Lassen, großer Schöpfer, dir
> Unsern Dank erschallen.
> Loben dich mit Herz und Mund,
> Loben dich zu jeder Stund'.
> Christ, Kyrie!
> Komm zu uns auf die See!
>
> Einst in meiner letzten Noth
> Laß mich nicht versinken;
> Soll ich von dem bittern Tod
> Well' auf Welle trinken,
> Reiche mir dann liebentbrannt,
> Herr, Herr, deine Gnadenhand!
> Christ, Kyrie!
> Komm zu uns auf die See!

Die nähere Geschichte dieses Liedes ist folgende:

Drei Matrosen, Peter aus dem frischen Haff, Classen aus Amsterdam und Vandersmissen aus Haarburg, verloren im Sturme der vergangenen Nacht, wie ihr Schiff, so ihre gesammten Habseligkeiten; kaum noch, daß sie selbst ihr Leben in einem kleinen Boote nothdürftig davon brachten. Als sie nun in demselben traurig da saßen; begab es sich, daß der Wind immer heftiger strich, und das Boot sich gänzlich auf die eine Seite legte. Da erschracken sie alle, am meisten aber Peter aus dem frischen Haff. Dieser nahm das Wort und sprach: „O Herr, hilf! Nun werden wir wohl verloren sein, wenn wir noch um einige Faden näher an die Brandung gerathen!" Hierauf nahm er das Gesangbuch zur Hand, und wollte nicht weiter handthieren; desselbengleichen auch Classen aus Amsterdam. Dieser versicherte: nun gehe ihm erst über den Spruch in der Bibel: „Der du machest deine Engel zu Winden und deine Diener zu Feuerflammen," das rechte Licht auf; von Steuer und Ruder wollte auch er nichts mehr wissen, sondern ein andächtiges Vaterunser beten. Somit zog er seinen Hut ab, Peter und Vandersmissen ebenfalls, und so beteten alle drei. Als sie aber an die Bitte kamen: „sondern erlöse uns von dem Uebel," sagte Vandersmissen: „Halt, Brüder, da fällt mir was

ein! Eins thun und das Andere nicht lassen. Legt das Ge=
sangbuch aus der Hand! Beten ist gut Ding; wir sollen aber
nicht bloß in den Himmel, sondern in unsere eigenen Hände
schauen, die Gott ja nicht umsonst dahier an unserm Leibe er=
schaffen hat. Der Wind ist conträr; aber was geht uns das
an, wenn uns nur unser Herr Gott seine Gunst schenkt! Vor
Feuer, Wasser und Luft fürchte ich mich just nicht; sie sind nur
eine Creatur, wie ich. So mächtig sie daher auch ihre Riesen=
faust ballen und auf unser kleines Schiff losschlagen: so sind
das doch Alles nur eitle Drohungen. Alle Haare auf unserm
Haupte sind gezählet, und so können sie uns nichts anhaben,
wenn es nicht Gottes ausdrücklicher Wille und Geheiß ist."
Als der allenthalben mannhafte und dennoch fromme Wander=
smissen dieses Wort gesagt hatte, zog er sein Wamms aus, und
sein Hemde dazu, zerriß es, nahm eine Packnadel, und flickte sich
daraus ein Segeltuch zusammen. Sogleich folgten auch die An=
dern seinem Beispiele, und in weniger als einer Viertelstunde
flatterten drei Segel, an ein Paar Stangen aufgezogen. Seht,
das waren die drei Schiffsleute, die nackend im Boote da saßen,
und ihr „Christ, Kyrie, komm zu uns auf die See" aus dem
offenen Meere erschallen ließen.

---

177. Nehmen sie uns den Leib.

Bevor in Oesterreich das Toleranz=Edict vom 13. Octo=
ber 1781 gegeben wurde, welches den Protestanten in allen jenen
Ländern freie Religionsübung zusicherte, mußten dieselben mitun=
ter harte Verfolgungen erleiden. In Linz z. B. wurden einst
eine Menge Protestanten in einen gemeinschaftlichen Kerker ge=
sperrt, aus welchem die Vorübergehenden und Nahestehenden
nicht Wehklage oder Verwünschungen über die Verfolger, son=
dern lautes Gebet und christliche Gesänge erschallen hörten, bis
man sie nach einigen Tagen alle auf ein Schiff brachte, und in
die untersten Gegenden von Ungarn und Siebenbürgen versen=
dete, wo denn freilich die Mehrzahl gar bald dem ungewohnten
Klima erlag. Die meisten dieser treuen Seelen nahmen mit
heiterm Sinne und mit schweigender Geduld von Verwandten
und Bekannten Abschied. Und doch gab es zuweilen Thränen,
ja heiße Thränen, wenn man die kleinen Kinder von der Brust

und aus den Armen der Mütter nahm und diesen es frei stellte,
ob sie bei den Kindern bleiben und dem herrschenden Glauben
folgen, oder von den Kindern auf die ganze Lebenszeit scheiden
wollten. Aber die Mütter weinten (oft lange) am Halse der
Kinder, blickten dann nach oben und wanden sich los, eilten zu
dem Haufen der andern Kämpfer hin, und stimmten getrost mit
in das schöne alte Lied, das diese sangen, ein:

> Nehmen sie uns den Leib,
> Gut, Ehr, Kind und Weib,
> Laß fahren dahin!
> Sie habens keinen Gewinn,
> Das Reich Gottes muß uns bleiben;

eingedenk der Worte Jesu: Wer Vater und Mutter, Sohn oder
Tochter mehr liebt als mich, der ist mein nicht werth.

Die oben angeführten Strophen sind aus dem vierten
Verse des Liedes: Ein' feste Burg ist unser Gott.

178.

> Nimm von uns, Herr, du treuer Gott!
> Die schwere Straf und große Noth,
> Die wir mit Sünden ohne Zahl
> Verdienet haben allzumal.
> Behüt vor Krieg und theurer Zeit,
> Vor Seuchen, Feu'r und großem Leid!

Zu Nebra, einem thüringischen Städtlein, hat es sich im
Jahre 1703 begeben, daß, als ein Töpfer ein Kindtaufmahl gehalten und dabei ein schweres Gewitter entstanden, der Pfarrer
des dasigen Ortes dieses Lied anstimmen ließ. Als sie nun
auf die Worte im ersten Verse: „verdienet haben allzumal" kamen, ist der anwesende Stadt= und Landrichter, Christoph
Preussen, der mit als Gast bei dem Taufmahl gewesen, von
einem harten Donnerschlag dergestalt gerührt worden, daß er
alsobald auf die Erde gesunken und todt blieb.

Das Lied ist von Martin Moller als Pfarrer zu
Sprottau bei Görlitz ums Jahr 1584 oder 1593 gedichtet über
die lateinische Hymne des M. Georg Thymus, der ums Jahr
1548 Rector in Zittau war und 1561 zu Wittenberg starb.

---

179. Nun bitten wir den heil'gen Geist.

Bei der im Jahre 1560 in Frankreich, namentlich in Paris ausgebrochenen Verfolgung der Protestanten wurden Viele auf die jämmerlichste Weise ein Gegenstand der Grausamkeiten der katholischen Partei. Männer, Frauen und Kinder sahe man schändlich gemißhandelt, als auserkorne Schlachtopfer in den Straßen umherführen und endlich durch Feuer und Schwert hinrichten. Bei diesen Qualen hörte man von sehr vielen der Unglücklichen das Lied anstimmen:

> Nun bitten wir den heil'gen Geist
> Um den rechten Glauben allermeist,
> Daß er uns behüte
> An unserm Ende,
> Wenn wir heimfahr'n aus diesem Elende.
> Kyrieleis!

Man sahe sie sehr freudig, ohne ihren Glauben zu verläugnen, sterben.

Von Luther im Jahre 1525 gedichtet mit Benutzung der altdeutschen aus der Mitte des dreizehnten Jahrhunderts stammenden Pfingstleise:

> „Nu bitten wir den heiligen Geist
> umbe den rechten Glauben allermeist,
> Daz er uns behüete an unsrem Ende
> so wir heim suln fahren aus unsrem Elende
> Kyrie eleis."

Diese Leise nahm nun Luther als ersten Vers unverändert auf und dichtete drei weitere Verse frei hinzu.

---

180. Nun bitten wir den heil'gen Geist.

Es liegt ein Städtchen in Thüringen Namens Allstedt; daselbst war zu Luther's Zeit Thomas Münzer Prediger. Er war ein Mann von umfassender Bibelkenntniß, von großen Predigergaben, von glühendem Eifer, aber ein unruhiger Mensch, der von Jugend auf in keinem Verhältnisse lange hatte aushalten können, ohne wahre Selbsterkenntniß und

Selbstverläugnung, nur darauf bedacht, Aufsehen in der Welt
zu machen. Derselbe rühmte sich, er habe den heiligen Geist
und fürchte sich nicht. Auch lehrte er, daß man alle Obrigkeit
solle tödten und sollten forthin alle Güter gemein sein. Das
bethörte die Bauern, daß sie sich zusammenrotteten, die Klöster
stürmten und plünderten, die Bilder verbrannten und vieler
Edelleute Schlösser zerstörten. Münzer aber schalt die Fürsten,
daß sie die armen Leute unterdrückten. Damit machte er den
Pöbel so muthwillig, daß die Leute nicht mehr arbeiten wollten,
sondern wo einem Korn oder Tuch vonnöthen war, ging er zu
einem Reichen und forderte es aus christlichem Rechte. Wo
denn ein Reicher nicht willig gab, nahm man es ihm mit Gewalt. Solchen Muthwillen trieb Münzer. Nachdem er mit seinem Anhange den Rath zu Mühlhausen abgesetzt und einen
neuen erwählt hatte, bot er die Bauern auf und lagerte sich
mit ihnen bei Frankenhausen in Thüringen. Solches sahen die
Fürsten, erbarmten sich der thörichten Leute und suchten alle Wege
in der Güte, ehe sie es ließen zur Schlacht kommen. Münzer
aber wußte durch die tollsten Verheißungen die leichtgläubigen
Bauern zum Widerstande zu bringen. „Wer von Euch in den
vordersten Reihen fällt,“ rief er, „der steht, wenn die andern
vormarschirt sind, hinten wieder auf, und die Kugeln, die von
den Feinden geschossen werden, fange ich alle mit meinem Mantel auf.“ Und als nun vollends, während Münzer sprach, noch
ein Regenbogen am Himmel erschien, dessen Zeichen die Bauern
zufällig auch in ihren Fahnen trugen, war es ihnen ausgemacht, daß Gott mit ihnen sei. Unter dem Gesange: Nun
bitten wir den heil'gen Geist ꝛc.*) stürzten sie in die
Schlacht. Da sie aber bald gewahr wurden, daß weder ihre
Todten auferstanden, noch Münzer die Kugeln mit dem Mantel
auffing, begaben sie sich eben so eilig auf die Flucht, als ihr
Angriff ungestüm gewesen war. Und Münzer war unter den
ersten, die liefen. Ein Soldat fand ihn am andern Tage auf
einer Dachkammer, wo er sich in einem Bette verkrochen hatte.
Und als er, wie billig, zum Tode geführt wurde, zitterte er so,
daß er das Glaubensbekenntniß nicht einmal sprechen konnte.
Herzog Heinrich von Braunschweig erwies ihm den Liebesdienst,

---

*) Andere geben das Lied an: Komm heiliger Geist.

daß er's ihm vorsagte. Fünf tausend Bauern wurden theils
getödtet, theils gefangen genommen.

Das ist die Geschichte vom Bauernkriege, die sich zutrug
im Jahre 1525.

Solch ein Gericht hielt der gerechte Gott über die, welche
sich noch neben seinem Worte sonderlicher Offenbarungen von
ihm rühmen wollten, unter dem Vorgeben, es sei Gottes Geist,
ihrem eignen Geist wider Gottes klares Wort desto ungescheuter
folgten und also recht freventlich wider das Gebot sündigten:
„Jedermann sei unterthan der Obrigkeit."

181.

Zwischen Kopenhagen und der Insel Saltholm — so erzählt Pastor Heiberg in der kirchen-historischen Schilderung
„Peter Palladius, der erste evangelische Bischof Seelands"
— waren in der ersten Hälfte des 16. Jahrhunderts am Tage
vor Maria Verkündigung ungefähr achtzig Fischer auf dem Eise
versammelt, um Aale zu fangen. Das Eis brach unter ihnen,
so daß sie bis an die Hüften ins Wasser kamen und mit dem
sich spaltenden Eise fortgetrieben wurden, bis sie zuletzt von einander getrennt wurden; achtundzwanzig oder neunundzwanzig
von ihnen verloren das Leben. Aber während sie noch beisammen waren, hatte einer von den Fischern, Hans Bentsen,
der in Odensee geboren und ein Schüler des Bischofs Palladius gewesen war, zugleich mit einigen Andern ihren Gefährten zugerufen: Lieben Brüder, lasset uns nicht in Verzweiflung
fallen, weil wir im Wasser umkommen müssen, sondern lasset
uns durch die That beweisen, daß wir das Wort Gottes gehört
haben. Sie hatten darauf den Gesang: „Nun bitten wir den
heil'gen Geist" und dann das Sterbelied: „Mit Fried und Freud
ich fahr dahin" mit einander gesungen. Nach der Beendigung
dieses Gesanges fielen sie auf die Kniee, so daß das Wasser
ihnen bis unter die Arme ging, und baten Gott, daß er sie
durch einen seligen Tod hinweg nehmen möchte. — Bei Erzählung dieser Geschichte werden die Kopenhagener wegen ihrer
ausnehmenden Lust am Worte Gottes und ihres fleißigen Be-
suchs des Gotteshauses gelobt. Möchte diese einfache Erzäh-

lung die Leſer dazu reizen, ſich deſſelben Lobes würdig zu machen!

---

182. Nun danket alle Gott.

Dieſes Lied iſt gar oft von vielen Chriſten recht aus Herzens Grunde mit gottesfürchtigem Sinne geſungen worden. Wenn ein gottesfürchtiger Fürſt im gerechten Kriege wider den Feind gezogen war, und ihn aufs Haupt geſchlagen hatte, da verkündete den errungenen Sieg, während die tapfern Kriegsleute ſammt ihren Fürſten andächtig auf den Knieen lagen ein: „Nun danket Alle Gott!" Wenn die Treue der Bürger, geſtützt auf die Treue gegen den Herrn aller Herren, das Jubelfeſt des Königs feierte, der unter der Gnade und dem Segen ſeines Gottes ſein Volk geweidet, ſo erklang froh: „Nun danket Alle Gott!" Erneuerte das Volk das Andenken eines Gerechten, der bis auf die ſpäte Nachwelt in Segen geblieben, ſo geſchah's durch: „Nun danket Alle Gott!" Stand ein Prieſter vor des Herrn Altare, und breitete, wie einſt der König Salomo, ſeine Hände aus gegen den Himmel, und ſprach: Herr, Gott Iſraels! es iſt kein Gott, weder droben im Himmel, noch unten auf Erden dir gleich, der du hältſt den Bund und Barmherzigkeit deinen Knechten, die vor dir wandeln von ganzem Herzen, wende dich aber zum Gebete deines Knechtes und zu ſeinem Flehen; laß deine Augen offen ſtehen über dieſes Haus Tag und Nacht, über die Stätte, davon du geſagt haſt: „Mein Name ſoll da ſein;" ſo ſang die Gemeinde: „Nun danket Alle Gott!" Feierte die Gemeinde die Gnade deſſen, der die Berge feuchtet von oben her, und das Land voll Früchte macht, und Gras wachſen läßt für das Vieh, und Saat zu Nutz den Menſchen, ſo ſprach, was das Herz fühlte: „Nun danket Alle Gott!" aus. War der Himmel verſchloſſen, oder zogen Theurung, oder Peſtilenz, oder Brand, oder Heuſchrecken durch's Land, — und der Herr wendete das Unglück wieder auf das Flehen der Gerechten, ſo ſang, wer ſingen und preiſen konnte: „Nun danket Alle Gott!" Und wie oft wurde das Lied geſungen im häuslichen Kreiſe, wo Gottes gnädige Vaterhand ſchirmend, bewahrend, und aus der Fülle des Reichthums gebend, ſich geöffnet hatte; wie oft im ſtillen verborgenen Kämmerlein von einer

Seele, welcher Gnade wiederfahren war! Kein Wunder, daß dies einfache, kurze, aber geistreiche Lied so hohe Bedeutung gewann.

Das Lied ist nach einer drangsalvollen Zeit aus dem Herzen eines Knechtes Gottes gequollen. Es ist nicht gedacht und gedichtet, sondern gelebt und erlebt, — ein hoher Vorzug, der manchem neuen Liede in der That abgeht. Blicken wir auf die Verhältnisse, in denen M. Martin Rinkart, der Verfasser dieses Liedes, lebte. Am 23. April 1586 zu Eilenburg geboren, und von seinem Vater, einem Böttcher, nach altväterlicher Sitte im Glauben und Gebet erzogen, besuchte er die Schule seiner Vaterstadt und nachdem er sich nicht geringe Kenntnisse gesammelt hatte, bezog er im Jahre 1601 als funfzehnjähriger Jüngling die Universität Leipzig, um Theologie zu studiren. Hier erwarb er sich seinen Unterhalt durch seine musikalische Fertigkeit, welche er dem Unterrichte des Eilenburger Cantors, Georg Uhlemann, zu verdanken hatte. Im Jahre 1610 wurde er Cantor an der St. Nikolaikirche zu Eisleben und nach Verlauf eines Jahres Diakonus daselbst. Von dieser Stelle wurde er im Jahre 1613 zum Pfarramte in Erdeborn im Mansfeldischen berufen. Als er sofort im Jahre 1617 eine Reise in seine Vaterstadt machte, trug man ihm das damals gerade erledigte Archidiakonat, um das er sich früher vergeblich beworben hatte, nun freiwillig an. Am 29. November 1617 trat er dieses Amt an. Aber welche Drangsale mußten hier an ihm vorübergehen, ehe er sein Danklied, das wahrscheinlich aus dem Jahre 1644 stammt, singen konnte. Er sah die Schrecknisse des 30jährigen Kriegs, der wie ein gewappneter Mann mit verheerendem Fußtritte damals durch ganz Deutschland zog. Er fühlte die, aus dem wilden Kriege entstandene, und durch Mißwachs gesteigerte Theurung. Er sah 1637 zu Eilenburg an einem Tage 40—50 und im ganzen Jahre 4480 Einheimische und an 4000 hierher geflüchtete Fremde an der Pest sterben. Er selbst besorgte das Amt in zwei Kirchspielen. Er war Zeuge von der schrecklichen Hungersnoth, in welcher der Leipziger Scheffel Korn 10 Rthlr. galt. Er sah, wie 2—3000 Personen vor dem Hause eines Bäckers, wenn er gebacken hatte, beinahe sich erdrückten; wie die Armen, die endlich einen Bissen Brod errungen hatten, vermittelst desselben einen Hund oder eine Katze zu fangen suchten, um sich vom Hungertode zu retten; wie oft 20—30 Menschen einem solchen Thiere nachliefen, und um eine aus der Luft fallende Krähe sich

todt schlugen. Er sah die brennenden Feuer um den Stadtgra=
ben, bei welchen an hölzernen Spießen die Hungernden ein
Aas brieten, das sie auf dem Anger sich geholt hatten. Er
hörte, wie das arme Volk vom Morgen bis zum Abend in
Düngerhaufen wühlend, herzzerbrechendes Klagegeschrei erhob,
und hier Einer um ein Krümchen Brod, dort ein Andrer um
einen Trunk Wasser um Gottes Willen flehte. O, durch wie
viel Noth und Jammer mußte er gehen! Als aber die Noth
und der Jammer vorüber war, da hat er aus dem Herzen ge=
sungen: „Nun danket Alle Gott!" und nach fünf Jahren hat
er sein Haupt auf's Sterbebette gelegt und gesagt: „Herr, nun
lässest du deinen Diener in Frieden fahren."

183. Nun danket Alle Gott.

Gleich nach der siegreichen Schlacht von Roßbach (fünf=
ten November 1757) brach Friedrich II. mit seinem muthigen
Heere nach Schlesien auf, wo seine Gegenwart dringend noth=
wendig wurde, denn am elften November war Schweidnitz von
dem österreichischen General Nadasdy erobert, am zweiundzwan=
zigsten desselben Monats das preußische Corps unter dem Herzog
von Bevern von dem dreifach überlegenen kaiserlichen Heere bei
Breslau geschlagen, und in Folge dessen diese Stadt mit ihren
bis zum Ueberfluß gefüllten Magazinen und Zeughäusern über=
geben worden. Schon am zweiten December traf der König mit
nur 12600 Mann bei Parchwitz ein, woselbst er sich mit den
Trümmern des Bevern'schen Corps unter Zieten, 16000 Mann,
vereinigte. Den Oestreichern erschien seine Ankunft so wenig
furchtbar, daß sie sein kleines Häufchen spottweise die Berliner
Wachtparade nannten.

Nachdem Friedrich II. seinen Generälen und Staabsoffi=
zieren seine mißliche Lage in einer feurigen Rede vorgestellt, sie
zum muthigen Kampfe ermahnt, und mit den Worten entlassen
hatte: „Nun leben Sie wohl, meine Herren! In Kurzem
haben wir den Feind geschlagen, oder wir sehen uns
nie wieder!" brach er am 4. December von Parchwitz auf.
Am nächsten Morgen erblickte man den Feind in der Gegend
des Dorfes Leuthen, seine Schlachtordnung nahm beinahe eine
deutsche Meile ein; er war etwa 80,000 Mann stark. Friedrich

gab den Befehl zum Angriff, sprengte an den Reihen seiner Krieger hinunter, und rief den sich entfaltenden Schlachthaufen zu: „Nun Kinder, frisch heran! In Gottes Namen!" „„In Gottes Namen!"" hallte es wieder von Glied zu Glied, und in drei Stunden (von eins bis vier Uhr) war der vollständigste Sieg erfochten, beinahe das ganze feindliche Geschütz, 117 Kanonen, erbeutet, und 21,000 Mann wurden gefangen: Die einbrechende Nacht begünstigte die Flucht der Oestreicher. Der König, von einiger Cavallerie und einer Anzahl Grenadiere begleitet, folgte dem Feinde nach Lissa. Nur weniger Schüsse bedurfte es, um sich hier den Eingang zu verschaffen und die Oestreicher zu verscheuchen. Als aber bei der preußischen Armee von Neuem Flintenfeuer und Kanonendonner gehört wurde, brach Alles, ohne einen ausdrücklichen Befehl dazu erhalten zu haben, nach Lissa auf; Keiner wollte zurückbleiben. „Dieser Marsch geschah — so erzählt ein Augenzeuge — mit einer Stille, die nur das Bewußtsein, diesen großen blutigen Tag überlebt zu haben, dem Nachdenkenden einflößen konnte. Plötzlich aber unterbrach solche ein Grenadier, indem er das bekannte Lied: „Nun danket Alle Gott!" anstimmte. Wie aus einem tiefen Schlafe erwacht, fühlte sich jetzt jeder zum Dank gegen die Vorsehung für seine Erhaltung hingerissen, und mehr als 25000 Menschen sangen diesen Choral einstimmig bis zu Ende. Die Dunkelheit der Nacht, die Stille derselben und das Grausen eines Schlachtfeldes, wo man fast bei jedem Schritte auf eine Leiche stieß, gaben dieser Handlung eine Feierlichkeit, die sich besser empfinden ließ, als sie beschrieben werden kann. Selbst die auf der Wahlstatt liegenden Verwundeten, die bisher die Gegend mit ihrem Wehklagen erfüllt hatten, vergaßen auf einige Minuten ihre Schmerzen, um Antheil an diesem allgemeinen Opfer der Dankbarkeit zu nehmen." Der König selbst sagte bei dieser Gelegenheit: „Mein Gott, welch eine Kraft der Religion!"

Bei der am 31. Mai 1850 stattgehabten feierlichen Enthüllung von Friedrich's des Großen Standbild zu Berlin, sang deshalb auch in Gegenwart des Königs die ganze versammelte Menge dieses Lied.

Die Kernlieder unseres deutschen Volkes sind gerade zum Trost in schweren Zeiten recht geeignet. Und wie wollten wir uns freuen, wenn erst ein einziges Lied Gemeingut unseres

ganzen Volkes wäre! Als das ganze Heer anstimmte: Nun
danket Alle Gott! welch ein Gefühl mußte da durch jedes Herz
gehen! — Als aber 1815 nach der siegreichen Schlacht bei
Belle-Alliance Einer ebenfalls ein Danklied anstimmen wollte,
da gings nicht, weil kein gemeinsames Lied da war. Als die
Salzburger aus ihrem Lande zogen, um in Preußen eine neue
Heimath zu finden, da erquickten sie sich und erbaueten Andere
allein mit ihren heiligen Liedern. Solche laßt uns den Kindern
geben, das werden sie uns später danken!

---

184. Nun danket Alle Gott.

Ein Lehrer an der Hauptschule einer der größten nord-
deutschen Provinzialstädte nahm sich einiger armer Kinder an,
unterrichtete sie in den Freistunden im Worte Gottes, und theilte
dann Brod und manchmal auch ein Kleidungsstück aus.
Bald fanden sich mehrere Kinder und er ließ sie, da seine Zeit
nicht mehr ausreichte, von einem jungen angehenden Lehrer unter seiner Leitung unterrichten. Des Sonnabends vertheilte er
Geld und Kleidungsstücke unter die Kinder mit der Bedingung,
daß sie die Schule besuchen müßten, wenn sie dieser Wohlthat
ferner theilhaftig bleiben wollten. Mit sichtbarem Wohlgefallen
segnete der Vater im Himmel diese Anstalt, die bald in der
Stadt wie in der Umgegend unter dem Namen „Armenschule" bekannt wurde. Eine fromme Frau, die von einer
schweren Krankheit genesen war, sendete dem Lehrer 50 Thaler
zur Unterstützung der Schule. Dadurch ward er in den Stand
gesetzt, die armen Kinder anständig zu kleiden und die nöthigen
Bücher anzuschaffen. Man unterstützte den Lehrer von mehreren
Seiten, aber doch trat auch manchmal Mangel ein, wobei sich
freilich die Hülfe Gottes recht wunderbar zeigte. Hier nur ein
Beispiel.

An einem Sonnabende saß er in tiefes Nachdenken verloren, die Liste der Kinder vor sich liegend, vor seinem Pulte,
während sich die Kinder vor der Thüre zur Abholung ihrer
wöchentlichen Wohlthaten versammelten. Mit sorgendem Blicke
übersah er die für die Kinder abgetheilten Geldportionen. Ach,
es fehlten deren noch viele, ehe die größere Zahl der Kinder
erreicht war. „Du nur, Vater der Verlassenen, weißt Rath!"—

Heinrich, Erz. I.   15

seufzte er. Da drängte sich der Briefträger durch den dichten Haufen der Kinder nach der Thüre, überbringend einen Brief an den Lehrer, von einem zwanzig Meilen weit entfernten Jugendfreunde desselben, der als wohlhabender Kaufmann von dem Unternehmen gehört hatte und mit einer Anweisung von 100 Thalern auf ein im Orte befindliches solides Handlungshaus, denselben in seinem schönen Bestreben, Gutes zu fördern, liebreich unterstützte. Wie ein Engel Gottes, der den Befehl erhält, ein ganzes Geschlecht zu einer höhern Stufe der Seligkeit zu weihen, trat der Lehrer, die Anweisung hoch emporschwingend, in die Mitte der Kinderschaar. „Kinder!" — rief er entzückt — „der himmlische Vater sendet Hülfe, kommt herein, kommt Alle Alle herein, der Vater hat für Alle gesorgt, es ist Keines vergessen! Betet, dankt dem Herrn!" — Ein jauchzendes:

Nun danket Alle Gott
Mit Herzen, Mund' und Händen u. s. w.

ertönte von den Lippen dieser Unmündigen zum Herzen Dessen, der den jungen Raben in der Wüste und den Wurm im Staube nicht vergißt.

Der Lehrer starb in seinen besten Jahren, aber der Magistrat nahm sich der Armenschule an und noch bis heute dauert sie fort.

---

185. Nun danket alle Gott.

Aus einem Briefe.

Stuttgart, den 29. Juli 1817.

Gestern wurde hier der erste Wagen neuer Roggen eingebracht. 1800 Schulkinder waren ihm bis an's Thor entgegen gegangen, und geleiteten den festlich mit Blumen bekränzten Wagen durch die Hauptstraßen der Stadt mit Musik und Lobgesängen und unter dem Geläute aller Glocken, bis auf den Platz zwischen der Stiftskirche und dem alten Schlosse. — Hier nahm die gesammte Geistlichkeit und der Magistrat den Wagen in Empfang, während von den 1800 Kindern das: „Nun danket Alle Gott," gesungen wurde. Feierlicher Gottesdienst in allen Hauptkirchen beschloß diese Handlung, wobei reichliche Opfer für die Armen fielen. — Große Rührung brachte dies, für die Bewohner unserer Stadt neue, Fest hervor. Inniger Dank gegen Gott, der nach langen Kriegsjahren nun auch diesen an Hungersnoth gränzenden Mangel vorüberführt, und der heiße Wunsch, daß wir solche Jahre nie wieder erleben mögen, erfüllten jede Brust.

---

186. Nun freut euch liebe Christeng'mein.

Das ist das allererste protestantische Kirchenlied, welches Luther im Jahre 1523 gedichtet, und das wie auf Engelsflügeln die Freude des evangelischen Bekenntnisses durch die deutschen Lande trug. Es ist nicht zu zweifeln, schreibt ein Gelehrter im Jahre 1565, durch das eine Liedlein Lutheri werden viel hundert Christen zum Glauben gebracht sein, die sonst den Namen Lutheri vorher nicht hören mochten. Aber die edlen theuren Worte in dem Liedlein haben ihnen das Herz abgewonnen, daß sie der Wahrheit beifallen mußten, so daß meines Erachtens die geistlichen Lieder nicht wenig zur Ausbreitung des Evangeliums geholfen haben.

Im Jahre 1557 waren die deutschen Reichsfürsten zu Frankfurt am Main versammelt. Die Evangelischen wünschten daselbst am Johannistage in der Kirche zu St. Bartholomäi eine Predigt zu hören und hatten einen Geistlichen ihres Glaubens darum ersucht. Nachdem ausgeläutet war, sieht das versammelte Volk zu allgemeiner Verwunderung einen papistischen Priester die Kanzel besteigen, besinnt sich aber nicht lange und begrüßt ihn sogleich mit dem Gesange: „Nun bitten wir den heiligen Geist um den rechten Glauben allermeist." Der Pfaff läßt das Volk ruhig aussingen und fängt an das Evangelium zu lesen, das man mit großer Stille und Andacht hört. Sobald aber der papistische Priester anfängt zu predigen, erhebt wieder das Volk seine Stimme, und singt Luther's Danklied für die höchsten Wohlthaten, so uns Gott in Christo erzeigt hat, dessen erster Vers also lautet:

> Nun freut euch liebe Christeng'mein,
> Und laßt uns fröhlich springen,
> Daß wir getrost und all' in ein
> Mit Lust und Liebe singen:

15*

Was Gott an uns gewendet hat
Und seine süße Wunderthat,
Gar theu'r hat er's erworben.

Als das Volk unverdrossen fortfährt, die zehn Verse des Liedes weiter zu singen, geht der Pfaffe von der Kanzel herunter und beklagt sich bei einem anwesenden Fürsten mit der Beschwerde, daß er mit Gewalt ohne Recht von seinem Amte verdrängt werde, und daß er ihm solle auf diese Klage Zeugniß geben am jüngsten Tage. Der Fürst sprach: Lieber Priester, die Fürsten kamen überein, hieselbst eine Predigt zu hören von einem, der ihrem Glauben und ihrer Religion zugethan sei. Solchem gemeinen Beschlusse solltet Ihr nicht widerstanden sein. Wenn Ihr mir aber zumuthet, ich solle von dieser Eurer Klage Zeugniß geben am jüngsten Tage, so wird dies wohl nicht geschehen, denn dort werdet Ihr entweder mir nicht wieder so nahe kommen wie heute, oder wenn dies geschieht, so werden wir schwerlich einander kennen.

Ueber diese Antwort war der Pfaffe so entrüstet, daß er die Sanduhr, so er bei sich in der Hand hatte, beim Altar auf die Erde geworfen und zerschmettert, dabei geflucht, gescholten und endlich zur Kirche hinausgelaufen. Deswegen mußte das Volk insgemein über den tollen Pfaffen lachen. Indessen trat der, so verordnet war, vor das Volk auf die Kanzel und predigte das göttliche Wort, das mit Freuden angehört wurde.

---

187. Nun freut euch lieben Christeng'mein.

Die Verfolgungen gegen die Bekenner der reinen Lehre äußerten sich früher fast allgemein. So geschah es denn auch, daß in dem Lande Ob der Ens ein Befehl ausging, daß alle Diejenigen, welche der evangelischen Lehre anhangen würden, ihrer Aemter entsetzt, Häuser und Güter ihnen weggenommen, sie selbst aber des Landes verwiesen werden sollten. Ein Schulmeister, durch diesen Beschluß erschreckt, verließ die erkannte Wahrheit. Seine Gattin stellte ihm vor, wie er Unrecht gethan habe, und setzte hinzu: „er würde auf seinem Sterbebette wohl erfahren, daß er seinen Glauben auf Sand gebauet habe." Nach kurzer Zeit verfällt der Schullehrer in eine zum Tode schwere

Krankheit. Um sein geängstetes Gewissen zu beruhigen, läßt er Geistliche seines Glaubens rusen; aber sein Herz blieb bei ihrem Zuspruche kalt und ohne Trost; da wird es mit einem Male so licht in seinem Innern, er erinnert sich des Liedes: „Nun freut euch, lieben Christeng'mein 2c." und bittet, daß es ihm seine Gattin zum Troste singen möchte, und gab darauf seinen Geist auf.

---

188. Nun, so bleib' es fest dabei.

Ein roher, ohne Gott lebender Mann legte sich auf's Krankenbette. Der Prediger des Orts besuchte ihn, und bemühete sich, aber vergeblich, ihn zur Erkenntniß seines unglücklichen Seelenzustandes zu bringen. Er fiel in eine Ohnmacht, in welcher er für todt gehalten und als ein Todter behandelt wurde. Erst nach vierundzwanzig Stunden kam er wieder zu sich, zum Schrecken, aber auch zur Freude seiner über sein Schicksal schon verzagenden Verwandten. Ach! Gottlob, rief er; Gottlob für die Gnadenfrist! Ich sahe schon die Hölle; Qual, unaussprechliche Qual war mein Loos! Aber der Herr Jesus hat Erbarmung über mich gesprochen. Nun sage ich auf ewig der Welt und Sünde ab: ich will zum Herrn mich bekehren, und was ich noch leben soll, ihm leben. Hierauf faltete er seine Hände und betete:

> Was geschehen, soll nun nicht
> Mehr hinfort von mir geschehen,
> Mein Schluß sei nun fest gericht't,
> Einen andern Weg zu gehen,
> Darauf ich nur Jesum suche,
> Und was ihn betrübt, versluche.

Hierauf lag er eine Weile in stilles Nachdenken versunken, dann faltete er seine Hände nochmals und fing an zu singen:

> Nun, so bleib' es fest dabei:
> Jesus soll es sein und bleiben,
> Dem ich lebe, deß ich sei;
> Nichts soll mich von Jesu treiben.
> Du wirst, Jesu, mich nicht lassen;
> Ewig will ich dich umfassen.

Sein Versprechen hat er erfüllt. Er lebte nach erlangter Gesundheit als wahrer Christ, bis er das Zeitliche segnete.

Die angeführten Verse sind aus dem Liede: „Meine Seel' ermuntre dich ꝛc. welches Johann Kaspar Schade, Prediger in Berlin, gedichtet hat.

---

189. Nun ruhen alle Wälder.

Mitten im Kinzigthale, bei der ehemals freien Stadt Gelnhausen und am Saume des uralten Reichsforstes, genannt der Büdinger Wald, erhebt sich ein hoher, zum größten Theile mit Weinpflanzungen bedeckter Berg, der eine stattliche Kirche mit den Wohnungen für Pfarrer und Küster trägt. Man nennt den Ort nur „auf dem Berg," und die Kirche ist der Mittelpunkt eines weitläufigen Kirchspieles, welches aus sechs Dörfern besteht, die zum Theil im Waldgebirge zerstreut liegen. Da ist gegen Ende des vorigen Jahrhunderts Folgendes geschehen:

Es war im Monat April ein recht stürmischer Abend mit Regen und Schnee; der Sturm heulte um die Kirche und rüttelte an Läden und Thüren des Pfarrhauses. Drinnen aber saß der Pfarrherr am eichenen Tische bei Weib und Kindern und las den Abendsegen, dann sangen sie das Abendlied des Gottesmannes Paul Gerhardt: „Nun ruhen alle Wälder ꝛc. Da mitten in dem Gesang und Sturm hinein krachte es draußen vor dem Fenster; und es war den Leuten drinnen, als hörten sie einen schweren Fall und dann wieder Fußtritte von Menschen. Der Pfarrherr sprang auf und zündete schnell eine bereit stehende Laterne an. Vorsichtig öffnete er den wohl verwahrten Fensterladen und leuchtete hinaus; da sah er denn, daß eine Planke im Zaune um das Gärtlein vor dem Hause zerbrochen war und im nassen Boden sich Fußtapfen von Menschen zeigten. Sonst konnte er nichts sehen und hören vor dem rasenden Sturme und Regen. Er schloß den Laden und sagte: „Behüt' uns Gott, ihr Lieben! Das war ein unheimlich Ding und wir werden wohl diese Nacht einen schlimmen Besuch erhalten!" — Den Pfarrleuten war dieses zu jener Zeit, wo sich gar vieles Raubgesindel und Gaunervolt in dieser Gegend umhertrieb, nichts neues, und sie machten sich ruhig auf alles gefaßt. Fenster und Thüren am Hause wurden wohl verwahrt und die Hunde losgelassen im Hofe. Der Hausvater mit dem ältesten Sohne und dem Knechte rüstete seine Gewehre, die er unter den Gefahren dieses einsamen Ortes nothgedrungen zu handhaben gelernt hatte. „Gehet nun zu Bette, sagte er zu den Seinen, der Herr wird Wache halten!" Das hatten sie oft schon erfahren, und so gingen sie getrost zur Ruhe. Aber die gerüsteten Männer wachten die ganze Nacht vergeblich; es kam nichts. Am folgenden Abend brauste wieder der Sturm um das Haus; aber die Männer gingen früh zu Bette, theils um sich zu erholen von der letzten Nachtunruhe, theils um gegen Mitternacht hin wieder bei der Hand zu sein. Denn gerade für diese Nacht waren sie am meisten besorgt.

Die Mitternacht kam und der Sturm legte sich. Alles schlief im Hause; nur die Mutter wachte an der Wiege ihres jüngsten Söhnleins, welcher ein gar arger Schreihals war und nicht zur Ruhe kommen wollte. Um den Vater nicht zu stören, ging sie mit ihm in ein Nebenzimmer, wo sie ihn hin- und hertrug. Da hörte sie unten im Hofe Lärmen, unterdrücktes Knurren der Hunde und Summen von Menschen. Vor dem Fenster des obersten Stockwerkes, wo sie sich befand, hörte sie das Pochen einer angelegten Leiter. Schnell weckte sie die Männer, und diese waren sogleich mit den geladenen Gewehren bei der Hand. Als der Pfarrer ans Fenster trat, sah er einen Haufen Menschen im Hofe, eine Leiter an die Wand gelegt und oben drauf einen wilden Kerl stehend.

Wer da! rief der Pfarrer. — Keine Antwort. — Wer da! noch einmal! Da brüllte aus dem Haufen einer: Der Teufel ist da und will Pfaffen stehlen! Da schoß der Pfarrer und der Mann stürzte von der Leiter. Weiter gab's nun Schuß auf Schuß, bis der Haufe auseinander stob über die Hofmauer und den Kirchhof mit gräßlichem Fluchen und Heulen. Später, als alles ruhig war, gingen die Männer aus dem Hause in den Hof, und fanden da die beiden großen Hofhunde sterbend liegen, weil sie vergistete Wurst gefressen hatten. Am Morgen konnten sie die Blutspuren bis in den nahen Wald verfolgen.

Einige Wochen nach diesem nächtlichen Vorfall kam früh Morgens ein Mann zu dem Pfarrer, der sah gar unheimlich aus, war aber doch im Hause bekannt. Es war ein Korbmacher, den man nur den Mahnenhannes nannte. Der trat zum Pfarrer in seine Studirstube und grüßte ihn freundlich, fast ehrerbietig. Hierauf sagte er: „Herr Pfarrer, ich war neulich in der Nacht an eurem Fenster und hab' spionirt. Da habt Ihr mit Euern Leuten ein Lied gesungen. So was hab' ich noch nicht gehört; es ist mir durch's Herz gegangen. Ich bitt' euch, sagt mir noch einmal das Lied."

Pfarrer: Das war unser Abendsegen, den wir alle Tag singen. Ich will's euch gerne noch einmal sagen. Und nun sagte ihm der Pfarrer das ganze schöne Lied von dem Gottesmanne Paul Gerhardt mit möglichstem Ausdrucke vor. Im weitern Gespräch erfuhr der Pfarrer auch, daß der nächtliche Ueberfall von dem Korbmacher und der in dem nahen Walde liegenden Bande ausgeführt war und daß der Geschossene wieder geheilt sei.

Einige Tage darnach kam der Korbmacher wieder zum Pfarrer und sagte: Wir müssen nun fort aus der Gegend und dürfen nicht wiederkommen. Da wollt' ich Euch aber noch einmal sehen und Euch bitten, mir das Lied aufzuschreiben, das Ihr mir neulich gesagt habt. Der Pfarrer schrieb ihm das Lied auf und sprach dann noch mancherlei aus Gottes Wort mit dem Manne bis um Mitternacht. Der Räuber ging hinaus in die dunkle Nacht, aber es war ein Fünklein des Glaubenslichtes in seine Seele gefallen; und war gleich dasselbe nicht mächtig genug, ihn ganz seinem unstäten Leben zu entziehen, so beging er doch, wie die noch vorhandenen Aktenstücke darüber ausweisen, von da ab keine absonderliche Verbrechen mehr. Und als er zwei Jahre später auf der Münzplatte im Spessart wegen früher verübten Mordthaten mit dem Strange gerichtet wurde, da verlangte er ausdrücklich, daß die Schuljugend ihm auf seinem Todesgange das vom Bergpfarrer erhaltene Lied vorsingen solle.

---

190. Nun lob mein' Seel' den Herren.

Johann Saubertus, der geistreiche Mann, der in der Harnblase einen zwanziglöthigen Stein bei sich getragen, hob auf seinem Todtenbette beide Arme und Hände empor, und sprach dabei oft mit schwerer Zunge: O viel tausend heilige

Engel! Ach sehet, ach sehet, ach sehet doch! Auch fing er an
zu singen: „Nun lob' mein' Seel' den Herren ꝛc.
Er starb darauf zu Nürnberg am Tage Aller Seelen 1646, seines Alters im 54. und seines Predigtamts im 29. Jahre.
Lieber Leser

> Im Sterben preise Gottes Gnad',
> Die er an dir erwiesen hat.

Der Dichter des schönen, dem 103. Psalm nachgebildeten
Liedes: „Nun lob' meine Seel' den Herren ꝛc. war Johann
Graumann, (Poliander) geboren 1487 zu Neustadt in Baiern,
gestorben 1541. Er war nebst Speratus ein Reformator in
Preußen.

Als am 25. Oktober 1648 nach 30jährigem blutigen
Kampfe der Friedensschluß zu Osnabrück in Westphalen bekannt
gemacht wurde, stimmte Alles mit vollem und gerührtem Herzen
ein, als vom schönen Moritzthurme herab dieses Liedes Weise
mit Posaunenschall geblasen wurde.

191.

> O Ewigkeit, du Donnerwort!
> Du Schwert, das durch die Seele bohrt!
> O Anfang sonder Ende!
> O Ewigkeit, Zeit ohne Zeit!
> Vielleicht schon morgen oder heut'
> Fall' ich in deine Hände!
> Mein ganz erschrocknes Herz erbebt,
> Daß mir die Zung' am Gaumen klebt.

Der Gedanke an die Ewigkeit ist schon mancher Seele
ein ernster Weckruf aus dem Schlaf der Sünde, ein Sporn zum
Anlauf nach dem Ziele der Rettung gewesen. Auch das Lied,
dessen ersten Vers ich angeführt, spricht den Gedanken an die
Ewigkeit mit einem so eindringenden, gewaltigen Ernste aus,
daß sein Anhören oder sein Absingen auch schon die verstockte-
sten Sünder und schwersten Verbrecher erschüttert und zur Buße
geleitet hat. Der Dichter dieses gewaltigen Liedes war ein Prediger, Namens Johann Rist, er wurde 1607 im Holsteini-
schen geboren und starb in demselben Lande zu Wedel, da er
60 Jahr alt war.

Die Kraft dieses Liedes kannte der theure, sehr erfahrene Prediger des Worts, Christian Scriver, und ließ deßhalb dasselbe bei der Leiche eines frechen, gottlosen Menschen, der über alles Heilige gespottet hatte, singen, als dieser im Jahre 1686 bei einem heftigen Donnerwetter vom Blitze erschlagen worden war. Dabei hielt der treffliche Mann eine Predigt, welche viele Seelen der Anwesenden wie die Stimme eines mächtigen Donners erschütterte.

---

192. O Ewigkeit, du Donnerwort!

Eine adelige Dame, die den weltlichen Vergnügungen sehr ergeben war, hatte ein frommes Kammermädchen, die, wenn ihre Herrschaft in Gesellschaften umherschwärmte, herzlich für das Seelenheil derselben zu Gott flehte. Einst kam die Dame gar spät aus einer Gesellschaft nach Hause und fand ihr Mädchen bei einem erbaulichen Buche. Neugierig sah sie dem Mädchen über die Schulter in's Buch und fragte spöttisch, was sie denn da lese? In dem Augenblicke aber fiel ihr das Wort: Ewigkeit in die Augen. Ihr Herz wurde dadurch so getroffen, daß sie sofort in ihre Kammer ging und in Weinen und Klagen ausbrach. Erschrocken eilte das Mädchen herbei und fragte, was ihr widerfahren sei? Die Dame versetzte: O Ewigkeit! Ewigkeit! Ach! dies Wort hat mir mein Herz durchstochen! — Jetzt wies das Mädchen ihre Herrschaft zu dem, der uns in alle Ewigkeit beseligen kann und will, fiel mit ihr nieder auf die Knice und betete um Gnade und Vergebung der Sünden zu Jesu — und so ward aus diesem sichern und thörichten Weltkinde ein seliges Kind des himmlischen Vaters.

---

193. O blickten Jesu Todesmienen.

Ein alter Spielmann, der mit zwei verheiratheten Söhnen in Garnburg bei Künzelsau im Hohenloher Lande haust, kam im Jahre 1851 in Berührung mit einem Colporteur der evangelischen Gesellschaft in Stuttgart, Namens Andreas Ronner, und erhielt von demselben sammt seinem Sohne einen so geseg-

neten Eindruck auf sein Herz, daß sie zusammen sich entschlossen,
ihr Hochzeitgeigen und Tanzaufspielen aufzugeben und sich völlig
dem Herrn zu weihen. Allein die kränkliche Frau des Alten,
die den dadurch ausfallenden Verdienst nur ungern vermißte,
ließ ihm keine Ruhe, bis er sich wieder entschloß, mit seiner
Baßgeige auszuziehen, um ein oder zwei Gulden zu verdienen.
Als nun der Colporteur von seinem Vorhaben Kunde erhielt,
bot er ihm einen Gulden dar mit der herzlichen Bitte, doch sei=
nem Gelübde treu zu bleiben. Dadurch wurde der Mann tief
gerührt, daß er sich aufs Neue in seiner Gottesweihe befestigte;
die zwei Söhne aber holte die starke und weislich erziehende
Hand des Herrn durch ganz besondere Zuchtmittel vollends
herum. Gleich darnach starb nämlich dem einen seine Frau und
dem andern brannte sein Haus zusammen. Da vereinigten sie
sich nun mit einander, unverrückt dem Herrn zu dienen. Eines
Tages luden sie ihre Gefreundte und Bekannte zu einem Freu=
denfest zusammen und der Alte zerschlug seine Baßgeige, um
mit ihrem Holz einen Kaffee zu kochen. Als der fertig war, so
stimmten sie einen lieblich geistlichen Gesang an, nämlich das
Lied:

> O drückten Jesu Todesmienen
> Sich meiner Seel auf ewig ein.
> O möcht der Blick auf sein Versöhnen
> In meinen Blicken sichtbar sein!
> Denn, ach! was hab ich ihm zu danken?
> Ich koste ihn sein theures Blut;
> Das heilt mich, seinen armen Kranken,
> Und kommt mir ewiglich zu gut.

Den Schluß der schönen, seltenen Bekehrungsfeier machte
das Anstimmen des apostolischen Segens.

Der angeführte Vers ist von Christian Gregor gedichtet
worden. Er starb am 6. November 1801 als Bischof der
Brüdergemeinde.

194.

> O Haupt voll Blut und Wunden,
> Voll Schmerz und voller Hohn!
> O Haupt zum Spott gebunden
> Mit einer Dornenkron,

O Haupt, sonst schön gezieret
Mit höchster Ehr' und Zier,
Jetzt aber höchst schimpfiret:
Gegrüßet seist du mir!

In dem letzten Willen des preußischen Königs Friedrich
Wilhelm I. (er regierte von 1713 bis 1740) war befohlen,
daß bei seinem Begräbnisse die Hautboisten das Lied: „O
Haupt voll Blut und Wunden" ꝛc. blasen sollten.

Als der edle Jeddersen, Consistorialrath und Probst
zu Altona während seiner letzten Krankheit im Jahre 1788
einmal unter den heftigsten Schmerzen darniederlag, daß er
meinte, sie nicht mehr ertragen zu können, griff er zu dem
Liede: „O Haupt voll Blut und Wunden ꝛc." indem er sprach:
„Mein Heiland litt unschuldig, ich aber bin ein Sünder," und
so gab ihm dieses Lied Gelassenheit und Ausdauer.

Es ist eins von den sieben Liedern Paul Gerhardt's,
welche mehr oder minder freie Nachbildungen sind. Das
lateinische Original, wie es von Bernhard von Clairvaur, den
Luther den frömmsten Mönch genannt, im zwölften Jahrhundert
gedichtet wurde, beginnt: Salve caput cruentatum. Hiervon ist
nun Gerhardt's Lied: „O Haupt voll Blut und Wunden" ꝛc.
eine ziemlich freie Nachbildung, die schon im Jahre 1659 ge=
druckt wurde.

---

195. O Haupt voll Blut und Wunden.

Am Morgen des 27. September 1853 wanderte eine
Anzahl Brüder, welche zur Jahres = Conferenz des lutherischen
Kirchenvereins nach Wittenberg gekommen waren, zum Elster=
thore hinaus an dem Platze vorüber, wo Vater Luther seligen
Andenkens die Bannbulle verbrannt hatte, zum Kirchhofe hin,
um des seligen Heubner's*) an seinem Grabe zu gedenken

---

*) Dr. Heinrich Leonhard Heubner, Consistorialrath
und Professor der Theologie zu Wittenberg, starb den 12. Februar
1853 Abends acht und ein halb Uhr, nachdem er am Nachmittage
desselben Tages das heilige Abendmahl sich hatte reichen lassen und
von den Seinen auf rührende Weise Abschied genommen. Er war
ein treuer Bekenner unseres Heilandes in schweren Zeiten. Sein Al=
ter hat er gebracht auf 72 Jahre 8 Monat 10 Tage.

und ihm eine letzte Ehre zu thun. Da standen wir, so schreibt ein Theilnehmer, an der von inniger Liebe mit Kränzen immer aufs Neue geschmückten und mit einem Kreuze einfach gezierten Grabstätte des Mannes, der unserm Herzen immer theuer sein wird. Und während ein starker frischer Morgenwind durch die Bäume hinsauste und die Morgensonne ihre Strahlen auf die Gräber warf, huben sich unsere Häupter und wir sangen im volltönigen weithin den Morgenwind überschallenden Männer-Chor die zwei letzten Verse aus Paul Gerhardt's schönem Liede: „O Haupt voll Blut und Wunden," beteten still und gingen zur Stadt zurück. Es war ein Augenblick voll tiefer, ergreifender Wirkung, welchen keiner der Theilnehmer so bald wird vergessen können. Ja, des Gerechten Gedächtniß bleibet im Segen immer und ewiglich! —

---

196. O Haupt voll Blut und Wunden.

Dr. Johann Phil. Fresenius, Consistorialrath und Senior zu Frankfurt am Main erzählt in seiner Schrift: „Merkwürdige Nachricht von der wunderbaren Bekehrung eines großen Naturalisten" vom Jahre 1759, wie er nach der blutigen Schlacht bei Bergen am 13. April 1759 zu dem in derselben tödtlich verwundeten und nach Frankfurt gebrachten General von Dyhorn gerufen worden sei, und den dem Tod verfallenen Mann durch seinen Zuspruch von dem großen Unglauben seines Herzens bekehrt und zur Erkenntniß Christi gebracht habe, also daß derselbe bei seinem zweiten Besuch ihm die zwei letzten Verse des Liedes: O Haupt voll Blut und Wunden ꝛc. zugerufen, und einmal über's andere wiederholt habe, indem er sie für seinen festesten Halt erklärte und damit seine Zuversicht aussprach zu Jesu, der ihm nach langem Leugnen seiner Gottessohnschaft nun sein Ein und Alles worden sei.

Der zehnte Vers dieses Liedes: „Erscheine mir zum Schilde" ꝛc. wurde einst vom Prälaten Oetinger in Murrhardt einer erweckten Frau als Recept verschrieben, weil dieselbe ihm geklagt hatte, daß ihr die Visionen, die sie aus der Geisterwelt habe, eine Last seien, und sie derselben gern enthoben wäre. Da rieth ihr nämlich Oetinger, sie solle das Lied: „O

Haupt voll Blut" ꝛc. betrachten und beim letzten Vers stille
stehen. Bald darauf kam die Frau wieder und dankte ihm für
seinen guten Rath und sagte: „Nun bin ich frei, nun sehe ich
nichts mehr."

197. O Haupt voll Blut und Wunden.

In einer Landgemeinde auf der Insel Femern war ein
94jähriger Mann so voll von Sprüchen der heiligen Schrift und
Versen aus geistreichen Liedern, daß ich mich, schreibt der Consistorialrath Stresow, nicht genug verwundern konnte. Unter
andern betete er die beiden letzten Verse des Liedes: O Haupt
voll Blut und Wunden ꝛc. mit vieler Andacht und mit
thränenden Augen her. Gefragt, wie er das Alles so gut behalten und so fertig hersagen könne, war seine Antwort: „Herr,
das habe ich als ein Junge von 6—7 Jahren ge-
lernt; sonst müßte ich's nun auch nicht."

Der ehrwürdige Stadtpfarrer Köstlin in Eßlingen wurde,
nachdem er kaum zuvor seine Confirmanden um sein Krankenbette versammelt und unterrichtet hatte, am Sonntage den 24.
August 1828 von einer gewissen Bangigkeit befallen. Da seufzte
und betete er noch: „Wenn mir am allerbängsten wird
um das Herze sein" — — (V. 9) und bald darauf, da er
noch wähnte, dazu müßte es noch anders bei ihm kommen,
sank plötzlich sein Haupt auf die Brust und er war daheim bei
seinem Herrn.

Ja mein Christ, dieses Lied möge auch dir und mir ein
beständig werthes Gebetlied sein. Und gebe Gott, daß wenigstens sein Inhalt in unserm Herzen töne, wenn es einmal mit
uns zum Scheiden kommt!

198. O Jesu süß, wer dein gedenkt.

Georg Friedrich Beck war Bortenmacher in Augsburg. Er verlebte seine Jugend ohne Gott, doch suchte er den
Herrn im Mannesalter. Er besuchte einst seinen alten, vom
Schlag gerührten Vater, um sich von ihm für immer zu verab-
schieden. Da er besorgte, mündlich nicht Alles so sagen zu kön-

nen, wie er wünschte, verfaßte er einen schriftlichen Abschied,
darin er sich als einen ungehorsamen Sohn bekannte, der öfters
nicht gethan, was ihm gebührt hätte, und deshalb reumüthig
um Verzeihung bat, auch herzlich dankte für alle Liebe und
Wohlthat, die seine Eltern ihm erwiesen, und ihnen dafür zeitliche und ewige Vergeltung wünschte. Endlich erbat er sich noch
den Segen seines sterbenden Vaters. Dieser gab ihm zum Andenken ein Buch, darein er die Worte schrieb: „Nicht' all' dein'
Sach' nach Gottes Wort, so wirst du leben hier und dort."
Von der Stunde an, da ihn sein Vater segnete, und er in seinem Herzen wünschte, frömmer zu werden, bekam er auch wirklich
mehr Liebe zum Worte Gottes, und gelangte endlich zu einer
völligen Entscheidung, da er in der Kirche zu Augsburg das
Lied singen hörte:

> O Jesu süß, wer dein gedenkt,
> Des Herz mit Freud' wird überschwemmt;
> Noch süßer aber alles ist,
> Wo du, o Jesu, selber bist.

Mit Freudenthränen kehrte er nach Hause zurück, und
war von da an für den Himmel gewonnen. Er starb 1738.

Der Dichter des Liedes ist Martin Moller. Er war
zuletzt Oberpfarrer in Görlitz. Ein Jahr vor seinem Tode verlor er durch den Staar das Gesicht. Er starb am 2. März 1606.

----

199. O Herr, mein Gott! durch den ich bin und lebe.

Der Verfasser dieses Liedes ist Gellert. Er schreibt
darüber in einem Briefe an eine Freundin: „O wie beschämt
ward ich, als ich vorigen Sonntag traurig und niedergeschlagen
in die Kirche trat und beim Eintreten das Lied von den Schülern entgegensingen hörte:

> O Herr, mein Gott! durch den ich bin und lebe,
> Gieb, daß ich mich in deinen Rath ergebe;
> Laß ewig deinen Willen mein,
> Und was du thust, mir theuer sein!

Bist du der Mensch, sagte ich zu mir, der dieses Lied
gemacht und seine Kraft nicht im Herzen hat? So dachte ich

und fing an, bitterlich zu weinen und um Muth und Freudig-keit zu beten und zu kämpfen."

200.

O Welt! ich muß dich lassen,
Ich fahr' dahin mein' Straßen
In's ew'ge Vaterland;
Mein'n Geist will ich aufgeben,
Dazu mein'n Leib und Leben
Setzen in Gottes gnäd'ge Hand.

Dieses Lied wurde in frühern Zeiten bei Hinrichtungen von Missethätern gesungen. Der Verfasser desselben ist Dr. Johann Heß, geb. 1490. Durch Luthern wurde er kräftig für die evangelische Lehre gewonnen, und wirkte als Prediger der Maria Magdalenen-Kirche zu Breslau viel zur Einführung der Reformation daselbst mit. Er brachte auch durch seine Entschlossenheit eine geregelte Einrichtung des Almosenamtes zu Wege. Da nämlich eine Menge Krüppel, Bettler und Gebrechliche sich vor den Kirchthüren gelagert hatten, redete er zu wiederholten Malen von der Kanzel der Obrigkeit nachdrücklich zu, in Ansehung dieser Dürftigen und Elenden zweckmäßigere Anstalten zu treffen. Aber er predigte umsonst; weshalb er es für gut fand, einige Sonntage hinter einander die Kanzel gar nicht mehr zu betreten. Auf die Frage: ob er gar nicht mehr predigen wolle, antwortete er freimüthig: Mein lieber Herr Jesus liegt in allen seinen Gliedern vor den Kirchthüren, über den mag ich nicht wegschreiten. Will man ihn nicht wegräumen, so will ich auch nicht predigen. Dieses hatte zur Folge, daß man an diesem Tage 500 Personen in die Hospitäler aufnahm, und eine bessere Armenpflege einrichtete. Er starb 1547 mit den Worten: Ave Domine Jesu Christe (Komm, Herr Jesu Christe), nachdem er auf der Kanzel vom Schlage getroffen war.

Obiges Lied ist nachgebildet dem Anfange und Versmaaße eines süddeutschen Liedes wandernder Handwerker: „Insbruck ich muß dich lassen, Ich fahr dahin mein Straßen, In fremde Land dahin," dessen schöne Sangweise (vom Dichter benutzt, und Grundlage der Weise: Nun ruhen alle Wälder) sehr beliebt gewesen zu sein scheint.

Johann Christian von Dölau auf Liebau be=
fahl, daß man dieses Lied bei seinem Begräbniß singen möchte;
doch mit der kleinen Veränderung, daß man statt: O Welt ich
muß dich lassen, singen müsse: O Welt ich will dich lassen.
Denn er trug großes Verlangen die böse Welt zu verlassen.

---

201. O, wie selig seid ihr doch, ihr Frommen.

Der zweiundachtzigjährige Prälat A. Hochstetter ließ
sich im Juli 1719 in Begleitung seiner treuen Hausfrau, so
wie seiner Kinder und Enkel, in die Kirche zu Bebenhausen
bringen, um sich die Stätte seines Grabes und Leichensteins
selber auszusuchen, nach dem Spruche Jes. 38, 1.: Bestelle
dein Haus, denn du mußt sterben. Er bezeichnete den
Platz seines Grabes, und bat die Umstehenden, daß sie ihm nun
helfen möchten, denselben mit Gesang und Gebet einzusegnen
und zu heiligen. „Sehet,“ sprach er darauf zu den Anwesen=
den, „wie ich mich freue, in die Kammer meines Grabes zu
kommen, denn sie ist mir eine Brautkammer, daraus mich mein
Heiland mit unaussprechlicher Freude führen wird. Ach, glau=
bet und lebet also, daß ihr mit Freuden vor euer Grab treten
und dasselbe mit Freuden ansehen dürfet, als das Haus, daraus
der Bräutigam zu seiner Zeit euch heimholen werde; lebet doch
so, daß ihr in eure Gräber nicht kommt als in Gefängnisse,
darinnen mit Schrecken verwahret zu werden zum großen Ge=
richtstage.“ Er äußerte hierauf seine herzliche Freude, daß ihm
hier seine letzte Ruhestätte neben theuren Angehörigen bereitet
sein solle; sprach von der lebendigen Hoffnung der Auferstehung,
daß Christus unser Leben, Sterben unser Gewinn sei, und for=
derte dann die Anwesenden auf, mit ihm in Hinblick auf die
Gräber seiner Verwandten das Lied zu singen:

> O, wie selig seid ihr doch, ihr Frommen,
> Die ihr durch den Tod zu Gott gekommen!
> Ihr seid entgangen
> Aller Noth, die uns noch hält gefangen.

Der letzte Vers insbesondere sprach die langgehegte innige Sehn=
sucht des Greises aus, daheim zu sein bei Christo.

Heinrich, Erz. I. 16

Komm, o Christe, komm, uns auszuspannen;
Lös' uns auf, und führ uns bald von dannen.
Bei dir, o Sonne,
Ist der frommen Seelen Freud und Wonne.

Er hatte auch von hier an nur noch sechszehn Monate auf die
Erfüllung seines Wunsches zu warten. Er starb am 8. Novem=
ber 1720.

Simon Dach dichtete das Lied um das Jahr 1649.

---

202. Ruhe ist das beste Gut.

Der Verfasser dieses Liedes ist Johann Caspar Schade,
der im Jahre 1698 am 25. Juli als Diaconus an der Nico=
laikirche in Berlin in einem Alter von kaum zweiunddreißig
und einem halben Jahre starb. Er war ein eifriger, vortreff=
licher Lehrer, gewissenhaft, und gegen die Bösen in der Gemeinde
streng. Dienstag vor Pfingsten 1698 hatte er die letzte Predigt
gehalten. Noch an demselben Tage legte er sich, und war fünf
Wochen schmerzlich krank.

Einmal ließ er sich in seiner Krankheit die Laute schlagen
und sang ein Loblied dazu, rief auch den Umstehenden zu: „Ach,
lieben Kinder, wenn ich doch meinen Mund könnte weit, weit
aufthun und des Herrn Lob verkündigen. Sonderlich möchte ich
euch herzlich ermahnen, daß ihr mit Ernst darnach trachten möget,
euch in eurem Leben genau mit Jesu zu vereinigen, damit wenn
es zum Sterben kommt, Jesus sein möge euer Wunsch, Ziel und
Zuversicht. — Abends den 25. Juli 1698 hatte er seinen Lauf
vollendet. Sanft und stille, bei vollem Bewußtsein im Glauben
an seinen Erlöser, kaum den Umstehenden bemerklich, verschied
er. Nun war erfüllt, was er in mehreren seiner herrlichen Lie=
der sich erbeten hatte; er hatte das beste Gut erlangt: Ruhe bei
Jesu. Im freudigen Vorgefühl derselben hatte er unter andern
jene beiden Lieder gedichtet: „Auf, hinauf zu deiner Freude"
und „Ruhe ist das beste Gut," welches letztere hier als ein
Denkstein, den der theure Mann Gottes sich selbst gesetzt hat,
und den vielleicht mancher liebe Leser noch nicht kennt, stehen soll.

Ruhe ist das beste Gut,
Das man haben kann;

Stille und ein guter Muth
Steigen himmelan;
Die suche du!
Hier ist keine wahre Ruh;
Wende dich dem Himmel zu!
   Gott ist die Ruh!

Ruhe suchet Jedermann,
Allermeist ein Christ;
Denk auch du, mein Herz, daran,
Wo du immer bist!
O suche Ruh!
In dir selber wohnt sie nicht;
Such mit Fleiß, was dir gebricht;
   Gott ist die Ruh! u. s. w.

Redliche Freunde sahen ihm mit vielen Thränen in's Grab nach. Seiner Feinde Wuth äußerte sich bei einigen derselben in dem Grade, daß obrigkeitliches Einschreiten nöthig war. Sie erschreckten seine Hausgenossen, drohten den Leichnam aus dem Sarge zu reißen, kamen am Abende seines Begräbnißtages haufenweise auf sein Grab, und zertraten dasselbe gänzlich.

---

203. So komme denn, wer Sünder heißt.

Ein Soldat, welcher sehr tief in Sünden, und namentlich im Unglauben versunken war, so daß er auf die frechste Weise über Gottes Wort spottete, und auch nur gezwungen die Kirche betrat, mußte einst bei einer Kirchenparade einer Antrittspredigt beiwohnen, welche der neue Geistliche seines Regiments, ein sehr treuer Diener Jesu Christi, hielt. Es war ihm sonst zwar ziemlich einerlei, wer da predige, und was da gepredigt wurde, indeß dies Mal wollte er doch hören, was der neue Pfaff, wie er sich ausdrückte, Neues erzählen werde. Doch nicht lange war er mit einiger Aufmerksamkeit dem Vortrage gefolgt, als sein Gewissen anfing, sich mächtig zu regen, und er, ungeachtet alles Widerstandes, der Thränen sich nicht zu erwehren vermochte. Zum Schluß der Predigt wurde nachstehender Vers gesungen:

So komme denn, wer Sünder heißt
Und wen sein Sündengreul betrübet,

16*

Zu dem, der Keinen von sich weis't,
Der sich gebeugt zu ihm begiebet.
Wie? willst du dir im Lichte stehn
Und ohne Noth verloren gehn?
Willst du der Sünde länger dienen,
Da dein Erlöser nun erschienen?
O nein, verlaß die Sündenbahn:
Mein Heiland nimmt die Sünder an.

Bei dem Gesange dieses Verses fing er laut an zu weinen. Er lernte denselben späterhin auswendig und kam, wiewohl nicht ohne großen Kampf, nach einiger Zeit zum festen Glauben.

Der Vers ist aus dem Liede: Mein Heiland nimmt die Sünder an 2c. das Friedrich Lehr um das Jahr 1735 gedichtet hat.

---

204. So kommet vor sein Angesicht.

Während des siebenjährigen Krieges hatte Dresden eine schreckliche Belagerung auszustehen. Da flüchtete sich der fromme Prediger Schlipalius mit den Seinigen und vielen andern Leuten in einen Keller, um sich vor der fürchterlichen Gewalt der Bomben zu verbergen. Auf einmal kommt die Nachricht, sein Haus brenne, und das so heftig, daß das Feuer mit der größten Gewalt aus der Studirstube herausschlage. Schlipalius aber rief den Seinen zu: „Wir müssen Gott auch im Feuer loben" und bediente sich der Worte Hiobs: „Der Herr hat's gegeben, der Herr hat's genommen; sein Name sei ewig gelobet!" Hierauf fiel er mit Allen, die in dem Keller waren, auf die Kniee und sang, wiewohl mit zitternder Stimme den letzten Vers von dem Liede: Sei Lob und Ehr dem höchsten Gut 2c. welcher also lautet:

    So kommet vor sein Angesicht
    Mit jauchzenvollem Springen,
    Bezahlet die gelobte Pflicht,
    Und laßt uns fröhlich singen:
    Gott hat es alles wohl bedacht,
    Und alles, alles recht gemacht.
    Gebt unserm Gott die Ehre!

„Kinder," rief er den Seinen dann zu, „zum Seligwerden braucht ihr dieses nicht, was euch Gott jetzt im Feuer nimmt; wir müssen ja ohnehin als die allergrößten Bettler aus lauter Gnaden, allein um Jesu Blutes= und Todeswillen, selig werden. Wie er euch wird durchbringen, das wird er wissen, ich traue es seinem Erbarmen zu, daß er mich noch eine kleine Zeit wird bei euch lassen, daß wir das Nothdürftigste wieder anschaffen können." Und wie er im Glauben sprach und trö= stete, also ließ es Gott auch geschehen.

---

205. So sei nun, Seele, seine.

Zu S. in S. starb ein unbemittelter Familienvater, und seine Wittwe hatte gerade nicht einen Groschen im Hause und in ihrem Vermögen, und die Begräbnißkosten wurden durch milde Beisteuer zusammengebracht. Nun war sie aber einem Kaufmanne 32 Thaler schuldig, zu deren Bezahlung er sie nach des Mannes Beerdigung scharf erinnern ließ. Die arme Wittwe gerieth hierüber in große Angst und Bangigkeit des Herzens. Christliche Bekannte und Nachbarn gaben ihr den Rath: sie solle nur fleißig arbeiten und Gott um seinen Segen anrufen, der werde dann schon helfen, daß sie diese Schuld nach und nach abtragen könne.

Nach einiger Zeit begiebt sie sich, nach verrichtetem Abend= gebet, mit ihren Kindern zur Ruhe; Sorge, Angst und Beküm= merniß lassen sie aber nicht schlafen. Sie wirft sich im Bette hin und her, betet, seufzt und winselt, und will gern ein Mittel erfinden, wodurch sie ihren Schuldherrn befriedigen könne, aber alles umsonst. Endlich nach langem und bangem Sorgen und Grämen schlummert sie ein wenig ein, und im Schlafe kommt ihr vor, als ob ein Jüngling in einem weißen, glänzenden Kleide vor ihrem Bette stünde, und mit zarter und überaus lieblicher Stimme den letzten Vers aus dem Liede: In allen meinen Thaten c., singe:

> So sei nun, Seele, seine,
> Und traue dem alleine,
> Der dich erschaffen hat;
> Es gehe wie es gehe,
> Dein Vater in der Höhe,
> Weiß ja zu allen Sachen Rath.

Als sie nun des Morgens aufsteht, und ihren Kindern
erzählt, was sie im Schlafe gesehen und gehört, klopft Jemand
an die Stubenthür, und als sie dieselbe öffnet, tritt ein guter
Freund von ihr herein, der ihr mit theilnehmendem Herzen die
Nachricht bringt, daß ihr Schuldherr in dieser Nacht gestorben
sei, und vor seinem Ende noch verordnet habe, ihr nichts mehr
abzufordern, sondern die Schuld solle ihr erlassen und geschenkt
sein. — Man denke sich das freudige Erstaunen der armen
Wittwe, die nun voller Freude anfing zu weinen, und mit ihren
Kindern den Vers anzustimmen:

> So sei nun, Seele, seine
> Und traue dem alleine u. s. w.

206.

> Straf mich nicht in deinem Zorn,
> Großer Gott, verschone;
> Ach laß mich nicht sein verlor'n,
> Nach Verdienst nicht lohne!
> Hat die Sünd'
> Dich entzünd't,
> Lösch ab in dem Lamme
> Deines Grimmes Flamme.

Der Dichter dieses Liedes ist Johann Georg Albinus. Er war Pfarrer in Naumburg und starb den 25. Mai
1679.

Herr v. Bomsdorf besaß einige Meilen von Magdeburg ein Rittergut, und verwendete fast sein ganzes Vermögen
um christliche Schriften drucken zu lassen, welche er dann, zum
Theil selbst umherreisend, vertheilte. Einst kam er, mit einem
christlichen Begleiter, durch ein reiches Bauerndorf im Halber-
städtischen, wo Üppigkeit und Wildheit zu Hause waren. Eben
ward wieder in dem neu erbauten Wirthshause getanzt. Er trat
ins Haus, ließ sich etwas zur Erfrischung geben, und fragte
dann den Wirth: Ob es wohl erlaubt sei, den Tanzenden oben
zuzuschauen? Der Wirth versetzte: O, das wird uns eine große
Ehre sein! — Herr v. Bomsdorf ging, zur großen Verwunderung seines Begleiters, auf den Tanzsaal, und wartete, bis der

angefangene Tanz geendet war. Dann trat er zu den Spielleu-
ten und fragte, ob er für sein Geld wohl könne aufspielen lassen, was er wolle. — Ei wohl, versetzten jene. Er gab ihnen
zwölf Groschen, und ließ die Melodie des Bußliedes spielen:
Straf' mich nicht in deinem Zorn ꝛc. Er selbst kniete
vor allen Gegenwärtigen nieder, und sang dieses Bußlied bis
zu Ende. Einige konnten dies nicht aushalten und liefen davon; die Uebrigen knieten nach und nach mit ihm nieder. Nun
stand er auf, hielt eine Anrede an die Gegenwärtigen, wodurch
sie tief gerührt wurden. Dies war der Anfang einer Erweckung,
an der zuletzt **176** Seelen Theil hatten. Der Wirth, dessen
Haus nun leerer war, wollte dieses Werk Gottes durch den Geistlichen zerstören. Dieser ward aber selbst gründlich erweckt, und
bekannte dann öffentlich: Er habe bisher seiner Gemeine nur
Stroh und Heu vorgesetzt, jetzt wolle er sie weiden durch das
reine Evangelium.

Lieber Leser, haben wir, du und ich, vielleicht auch nicht
den Muth, so mitten im Getümmel der weltlichen Lust wider
den Leichtsinn und von der Gerechtigkeit und Barmherzigkeit
Gottes zu zeugen; haben wir vielleicht auch nicht die Gabe, so
rührend an die Herzen zu reden, wie jener christliche Herr:
Zeugen müssen wir auch wider alles sündliche Wesen dieser
Welt, zeugen müssen wir auch von unserm lieben Herrn, es sei,
wie der Apostel sagt, zur rechten Zeit oder zur Unzeit; es gilt
von Allen, die da wollen Christen sein, nicht bloß von denen
auf der Kanzel, sondern auch von denen unter der Kanzel, was
der Herr dort zum Propheten saget Hesek. 3, 18. „Wenn ich
dem Gottlosen sage, du mußt des Todes sterben, und du warnst
ihn nicht, und sagst es ihm nicht, damit sich der Gottlose vor
seinem gottlosen Wesen hüte, auf daß er lebendig bleibe: so
wird der Gottlose um seiner Sünde willen sterben, aber sein
Blut will ich von deiner Hand fordern."

---

207. Uns von Sünden zu erlösen.

Ein Jüngling war auf den Weg des Verderbens gerathen. Nicht die Thränen seiner frommen Mutter, nicht die
Bitten seines alten Lehrers waren im Stande, ihn auf den Weg
des Heils zurückzuführen. Wie im Sturme gings von Sünde

zu Sünde. Einmal eben wieder im Begriffe, in die Versammlung der Bösen zu eilen, führt ihn sein Weg an einer Kirche
vorbei. Der liebliche Orgelton, der volle Choralgesang spricht
wunderbar zu seinem Herzen. Er kann nicht widerstehen; er
tritt nach langer Zeit zum ersten Male wieder ins Gotteshaus.
Die Gemeinde sang gerade den Vers:

> Uns von Sünden zu erlösen,
> Gabst du deinen Sohn dahin;
> O so reinige vom Bösen
> Durch ihn unsern ganzen Sinn;
> Gieb uns, wie du selbst verheiß'st,
> Gieb uns deinen guten Geist,
> Daß er unsern Geist regiere
> Und in alle Wahrheit führe.

Schon dieser Vers machte einen tiefen Eindruck auf sein
Herz, aber noch mehr die Predigt über Jes. 57, 11. „Mei-
nest du, ich werde allewege schweigen, daß du mich
so gar nicht fürchtest?" Es wird ihm klar, daß er ewig
verloren ist, wenn er so, wie er ist, vor Gottes Richterstuhl
treten muß. Weg ist nun auf einmal der Leichtsinn, der ihn
vor einer Stunde noch unstät und flüchtig umhertrieb. Er tritt
in seine frühern Kreise zurück, aber es ist, als ob sie alle Zau-
berkraft verloren hätten. Er setzt aufs neue den Mund an den
Taumelbecher der Sünde, aber die Lippe versagt ihm den gewohnten Dienst. Die Stimme des Verführers, der seine Beute
nicht lassen will, läßt sich stärker und immer stärker vernehmen
— umsonst. Aus jenem Worte heraus ist eine Kraft auf ihn
gefallen, die ihn auf die Kniee treibt, die ihn Gnade und Erbarmen vor dem Angesichte Gottes suchen lehret, die ihn hinfort zu einer neuen Creatur macht.

---

208. Valet will ich dir geben.

Einst wurde bei der schlesischen Gemeinde Wiesa vor
der Communion der Vers gesungen:

> Valet will ich dir geben,
> Du arge, falsche Welt!
> Dein sündlich böses Leben
> Durchaus mir nicht gefällt.

Im Himmel ist gut wohnen,
Hinauf steht mein Begier;
Da wird Gott ewig lohnen
Dem, der ihm dient allhier.

Wie nun die Gemeinde an die Worte kam: „Dein sünd=
lich böses Leben, durchaus mir nicht gefällt," so gerieth der
gottselige Pfarrer Schwedler (gest. 1730) in einen solchen
Eliaseifer, daß er über die Orgel und über so viele hundert
Stimmen mit einem Donnerschalle rief: „Um Gotteswillen, was
singt ihr? was gefällt euch nicht? — Der Herr Jesus gefällt
euch nicht; sagt ihr zu dem: du gefällst uns nicht, so singt ihr
die Wahrheit. Ihr aber sprecht: die Welt!?" Nachdem er
ihnen nun diese Wahrheit auf eine so durchgreifende und ein=
dringende Weise gezeigt hatte, daß sie alle, von ihrem Gewissen
überzeugt, in Jammer und Thränen da saßen: sagte er: „Nun,
wem's so wäre, wem's so werden sollte, wem die Welt und ihr
sündlich böses Leben zuwider werde, der mag es nun im Na=
men Jesu bekennen.

Da wurde denn endlich dieser Vers mehr geweint, als
gesungen, aber gewiß von Vielen mit einem solchen Vorsatz,
der zum wenigsten zu der Stunde ein süßer Geruch Christi war.

Der Verfasser des Liedes ist Valerius Herberger.
Im Jahre 1613 kam nämlich die Pest nach Fraustadt, wo Va=
lerius Herberger als Prediger stand, und gewann bald eine
furchtbare Gewalt. Wer entweichen konnte, entwich in die na=
hen Gärten und Dörfer und entferntere Orte. In den ersten
9 Wochen wurden 740 Menschen, zusammen aber 2135 hinge=
rafft. Herberger entfernte die Seinigen, blieb aber selbst in der
Stadt zurück, und mag die Hälfte der 630 Leichen haben bestat=
ten helfen, die mit einem Schulgesang beerdigt wurden, ohne
daß er von der Seuche angesteckt wurde. „Es war, sagte er,
als wenn ein Engel mit dem blanken Schwerte mein Haus be=
lagert hätte, daß mir kein Leid durfte widerfahren." Unter die=
sem göttlichen Schutze arbeitete er als ein treuer Helfer für
Seel' und Leib. Der Glaube daran hielt ihn so fern von
Furcht und Ekel, daß er bald die Seinigen wieder zu sich nahm.
Ging er durch die Stadt, so winkten ihm die bereits Angesteck=
ten von weitem mit den Händen, oder baten ihn auch wohl
bänglich ferne zu bleiben, aber er folgte ihnen nicht. Wenig=
stens trat er an die Fenster der Häuser und rief den Leuten

Trostsprüche zu. Manche Leiche begrub er mit dem Todtengrä=
ber ganz allein. Er ging voran und sang, der Todtengräber
aber führte ihm die Leiche auf einem Karren nach, an welchem
ein Glöckchen hing, damit die Leute in den Häusern bleiben
sollten. Sein Trost dabei war dieser: „Wer Gott im Herzen,
ein gut Gebet stets im Vorrath, einen ordentlichen Beruf im
Gewissen habe und nicht vorwitzig ausgehe, der habe ein starkes
Geleite, daß ihm keine Pest beikommen möge." Dennoch dachte
er stündlich der nahen Todesgefahr, und dichtete unter derselben
in einer gesegneten Stunde das Lied: „Valet will ich dir
geben." Im Jahre 1623 stellte ein Schlaganfall als Todes=
bote bei ihm sich ein, als er gerade am 19. Sonntage nach
Trinitatis über das Evangelium vom Gichtbrüchigen predigen
sollte. Am 21. Februar 1627 wurde er abermals von einem
Schlage betroffen. Doch hielt er nachher noch eine Leichenpre=
digt. Diese soll er auch, als wäre sie seine eigene Leichenpre=
digt, mit ungemeinen Seufzern verrichtet und mit den Worten
geschlossen haben: „Nun ade, du arme Erde und Asche, gehab
dich wohl! Mein Jesus spanne mich aus, ich bin doch eben das,
was Abraham ist, mich verlangt nach der Ruhe; Herr, meinen
Geist befehle ich dir." Gleich nach dieser Predigt wurde er auf
zwölfwöchiges Lager gelegt, von dem er nicht wieder aufstand.
Er ertrug seine Schmerzen mit großer Geduld und rief öfters:
„Jesus, ach sei und bleibe mir ein Jesus." Dann entschlief er
sanft und stille den 18. Mai 1627.

209. Verzage nicht, wenn Dunkelheiten.

Ein armer Mann in einem sächsischen Dorfe lag Mor=
gens frühe an seiner Hausthüre, und seine Augen waren roth
vom Weinen, und sein Herz seufzte zu Gott hinauf, denn er er=
wartete den Gerichtsboten, der ihn wegen einer kleinen Schuld
pfänden sollte. Er hatte seine Zuflucht bald zu diesem, bald zu
jenem Wohlhabenden genommen, aber keiner nahm Theil an sei=
ner Noth und an seinen Thränen. Und wie er so da lag mit
einem kummerschweren Herzen, siehe, da flog ein Vöglein durch
die Straße, und flatterte ängstlich hin und her, als wenn ihm
auch die Ruhe benommen worden wäre. Endlich flog es wie
ein Pfeil über das Haus des armen Mannes in seine Hütte

hinein, und setzte sich auf einen leeren Brodkasten. „Der verlassene und hart bedrängte Mann, der wohl noch nicht ahnen konnte, wer ihm das Vögelein zugesendet habe, machte schnell die Thüre zu, fing das Vögelein, und setzte es in einen Käfig. Alsbald fing dasselbe gar lieblich an zu singen, und es däuchte den Mann, als wär's eine geistliche Weise (Melodie), wie etwa: „Verzage nicht, wenn Dunkelheiten" 2c., und er hörte es gern und es that seinem Herzen wohl. — Plötzlich pochte es an seiner Thüre. Ach, der Gerichtsbote! dachte der arme Mann, und erschrak sehr. Doch nein: es war der Diener einer vornehmen Frau, und sagte: man habe in der Nachbarschaft ein Singvögelein in sein Haus fliegen gesehen, ob er es nicht gefangen hätte? Freilich, erwiederte der Mann, und gab es dem Bedienten, und dieser trug's fort. Nach einigen wenigen Minuten kam der Bediente wieder, und sprach: Ihr habt meiner gnädigen Frau einen großen Dienst erwiesen, da ihr das Vögelein, das ihr entflohen war, gefangen und ihr wieder zurückgestellt habt; denn es war ihr Goldes werth. Sie läßt euch freundlich grüßen, und bittet euch, diese kleine Gabe nebst ihrem Danke anzunehmen." Das Geschenk betrug gerade so viel, als er schuldig war. Und als der Gerichtsdiener kam, sprach er: „Da habt ihr den Betrag der Schuld; laßt mich nun in Ruhe! Mein Gott hat mir geliehen!"

210.

Von Gott will ich nicht lassen,
Denn er läßt nicht von mir,
Führt mich auf rechter Straßen,
Da ich sonst irrte sehr.
Er reicht mir seine Hand.
Den Abend wie den Morgen,
Wird er mich wohl versorgen,
Wo ich auch sei im Land.

Ein Theil der schon mehrmals erwähnten vertriebenen Salzburger fuhr von Stettin zu Wasser nach Litthauen. Als das Schiff vom Ufer absegelte, fingen die Salzburger an zu singen: Von Gott will ich nicht lassen 2c. Nasse Augen sahen ihnen vom Ufer nach. In Litthauen fanden sie alles herrlich zu ihrer Aufnahme eingerichtet, väterlich hatte die Huld Friedrich Wilhelms I. für sie gesorgt.

Die ersten, nach Litthauen Bestimmten, kamen am **21. Juni 1732** in Gumbinnen an, wo die Geistlichen mit der Schuljugend ihnen entgegenzogen, unter dem Liede: „Der Herr ist mein getreuer Hirt." Man wies ihnen Häuser und Aecker an, und ermahnte sie fleißig zu wirthschaften, worin sie auch bald Andern ein Muster wurden.

Der Verfasser des Liedes: Von Gott will ich ꝛc. ist Ludwig Helmboldt. Derselbe wurde im Jahre 1562 Leh= rer am Pädagogium in Erfurt. Diese Stadt wurde 1563—64 von einer Seuche heimgesucht, welche nach und nach 4000 Ein= wohner dahinraffte. Daher flüchteten sich viele angesehene Fa= milien aus der Stadt, und es gab Trennungen, welche schmerz= lich wehthaten; aus dieser Veranlassung dichtete Helmboldt das obige Lied, welches bald ein in ganz Deutschland beliebtes Volkslied wurde und in vielen Gesangbüchern Aufnahme fand. Helmboldt wurde 1571 Rector in Mühlhausen und endlich Pa= stor und Superintendent daselbst und starb den 12. April 1598.

211.

Ein guter Freund des Dr. Carpzov wollte zur Pest= zeit nicht aus Leipzig weichen, berief sich auf Jes. 41, 10. und sagte: Darum, wenn ich gleich von Leipzig weichen sollte, so weiche ich doch nicht von Gott, sondern mein Entschluß bleibt beständig: Von Gott will ich nicht lassen ꝛc. Hierüber wunderte sich dieser Theologe und rief aus: O wenn doch alle unsere Zuhörer solche Herzen und Sinne hätten!

212.

Zu Apolda, in der Nähe von Weimar, lebte im vorigen Jahrhundert ein wackrer Bürgersmann, seiner Profession nach ein Seiler. Dieser Mann litt zuweilen an einem besondern Zustande, den man zwar keine eigentliche Krankheit nennen, aus welchem aber gar leicht eine Krankheit werden kann. Er fiel

nämlich zuweilen noch mitten am Tage, ja mitten in seinen
Geschäften oder im Gespräch mit Andern, in eine Art von
Schlaf, wobei er sprach, und, wie die sogenannten Mondsüch=
tigen oder Nachtwandler, allerhand Bewegungen machte. Das
Merkwürdigste bei diesem Umstande war, daß der Mann
dabei Alles Wort für Wort wiederholte, was er den Tag über
gesprochen, und durch Geberden das ausdrückte, was er zu
gleicher Zeit gethan hatte. Einmal da er in Geschäften nach
Weimar geritten war und dort in einem Hause, wohin sein Be=
rufsweg ihn geführt hatte, sich mit den Leuten unterredete, über=
fiel ihn auch sein Zustand des Schlafwandelns. Da machte er
erst alle die Bewegungen, die er heute Morgen beim Aufstehen
gemacht hatte, hielt nach der guten christlichen Ordnung, die in
seinem Hause war, und welche er auch heute geübt hatte, seine
gute, fromme Morgenandacht, nahm dann von den Seinigen
Abschied und machte die Bewegungen eines Menschen, der zu
Pferde steigt und seines Weges reitet. Jetzt kam nun auch das
aus seinem Herzen zum Vorschein, was er auf dem Wege über
gethan hatte. Er wiederholte nämlich nicht blos jeden Gruß und
jedes Wort, das er zu den ihm unterwegs Begegnenden gespro=
chen hatte, sondern auch das schöne Lied: „Von Gott will
ich nicht lassen," das er auf seiner kleinen Reise gesungen
hatte, und das er jetzt, wo die Gedanken seines Herzens offen=
bar wurden, bis zu Ende sang, wobei aber auch alle die kleinen
Unterbrechungen und Zerstreuungen wieder bemerkbar wurden,
welche ihm bei seinem Gesange heute früh zugestoßen waren.

Da fällt mir nun bei diesem Geschichtlein ein: wenn nun auch
bei uns andern Menschen des Herzens verborgene Gedanken und
unsere Handlungen, die Keiner weiß als Gott, offenbar würden,
was ja, wenn auch nicht auf die krankhafte Art des Schlafwa=
chens, und im jetzigen Leben, doch einmal ganz gewiß künftig,
am großen Tage des Gerichts vor Gottes Angesicht geschehen
wird, wie würde es dann mit uns stehen? Wenn der arme
Mensch auch nur einen einzigen Tag hindurch das wiederholen
sollte vor den Augen der Welt, was er heute im Verborgenen
gethan und gesprochen, sollte das nicht gar oft viel beschämender
für ihn ausfallen, als bei jenem christlichen Handwerksmanne,
der da in Weimar, vor den Augen vieler neugieriger Menschen,
all' sein menschliches, doch von Christi Zucht und Ordnung be=
herrschtes Thun kund geben mußte? Würden da auch solche

gute Gebete und so schöne Lieder zum Vorschein kommen, wie bei dem guten Seiler aus Apolda?

Der Markgraf Georg Friedrich von Brandenburg, welcher in Onolzbach (Anspach) residirte, hatte das Lied: Von Gott will ich nicht lassen, so lieb, daß er solches alle Freitage vor seinem Schlosse und seinem Gemache von den Schülern singen ließ, und ihnen jedesmal einen Gulden zum Almosen gab.

213.

Von dir, o Vater, nimmt mein Herz
Glück, Unglück, Freuden oder Schmerz,
Von dir, der nichts als lieben kann,
Voll Dank und voll Vertrauen an.

Nur du, der du allweise bist,
Nur du weißt, was mir heilsam ist;
Nur du siehst, was mir jedes Leid
Für Heil bringt in der Ewigkeit.

Der Verfasser dieses Liedes ist der liebe Lavater, geb. 1741, gest. als Pastor in Zürich 1801. Mit diesem Liede hat er sich selbst in seinem Leiden getröstet, wovon ich hier etwas erzählen will.

Zürich wurde den 26. September 1799 von den Franzosen eingenommen; bald vertheilten sich viele einzelne Soldaten hierhin und dorthin, zwei kamen unter andern gegen vier Uhr Abends auf den Platz vor der Peterskirche, und riefen gegen ein Haus, wo ein Paar furchtsame Frauenspersonen wohnten: „Wein, Wein!" — Da man ihnen sagte: hier sei kein Wirthshaus, so sagten sie, so sei doch Wein hier und wollten mit den Gewehrkolben die Thür einschlagen. Lavater rief zum Fenster hinaus: „Seid ruhig, ich will euch Wein bringen," eilte dann wirklich hinab, brachte Wein und Brod, und stellte die Soldaten so zufrieden, daß der Eine beim Abschied sagte: „Dank, guter, braver Mann, Adieu Bruderherz!" Nun trat Lavater unter seine Hausthür zurück. Hier forderte ein anderer Soldat ein Hemd oder Geld. Er gab ihm, was er hatte. Da aber der zudringliche Mensch immer mehr verlangte und den Säbel wüthend gegen ihn aufhob, so rief Lavater um Hülfe, und wandte sich namentlich an jenen, der ihn kurz zuvor einen Bruderherz geheißen; allein von satanischer Wuth ergriffen, setzte dieser ihm das Bajonett auf die Brust und rief noch einmal viel grimmiger als der Erste: „Geld her!" Indem Lavater das Bajonett auf die Seite schob, ging der Schuß los, eine Kugel war ihm durch die Brust gegangen. Man brachte ihn sogleich in ein nachbarliches Haus und holte Wundärzte herbei, welche erklärten, die Wunde befände sich nur etwa einen Messerrücken außer der Gränze der unmittelbaren Tödtlichkeit. Nach einer sehr schmerzhaften Nacht ließ sich Lavater in sein eigenes Haus bringen, und da Alles einen recht guten Gang ging, so konnte er bald wieder dictiren, konnte sogar schon nach wenigen Tagen im Bette selbst schreiben.

Der Soldat, der Lavatern tödtlich verwundete, war ein Schweizer aus dem französischen Theil des Kantons Bern. Lavaters geheiligtes Herz vergab seinem Mörder vollkommen, sogar sagte er: er wolle ihn dereinst in allen Himmeln und Höllen aufsuchen und ihm für die Verwundung danken, die ihm eine so lehrreiche Schule geworden sei: und er verordnete ernstlich, daß man diesen Unglücklichen nicht ferner auffangen, sondern ihn der göttlichen Erbarmung überlassen sollte; seine Hinterlassenen befolgten dies auch redlich. Er starb an den Folgen des Schusses den **2. Januar 1801.**

Am **4.** Januar wurde die Leiche beerdigt. Beim Einsenken des Sarges in die Erde wurde folgender Vers gesungen:

> Ach endlich Dulder! findest du,
> Ein stilles Grab zu deiner Ruh,
> Das nach der Noth, die dich gedrückt,
> Mit süßem Schlummer dich erquickt!
> Ach, daß du endlich funden hast,
> Wo, nach des heißen Tages Last,
> Dein Haupt du legst einmal nun,
> Von langer Arbeit auszuruhn!

Nach Vollendung des Gesanges kam Herr Pfarrer Geßner, Lavater's Tochtermann, aufs Grab, dankte den Sängern für diesen Freundschaftsbeweis, segnete sie mit weinender Stimme, und versicherte, daß, wenn der Verstorbene es wüßte, er Freude an dem Gesange haben würde.

214. Wach auf mein Herz und singe.

Das kindlich schöne, liebliche Lied des seligen Paul Ger=
hardt, dessen erste Zeile hier als Ueberschrift gebraucht ist, hat
wohl mancher Leser dieses Buches als Morgengebet beim öffent=
lichen Gottesdienste gesungen. Es war auch das letzte Morgen=
gebet der treuen Hausfrau des seligen Prälaten Hochstetter, der
seligen Elisabeth Barbara. Als diese im Sommer 1663 einst=
mals dieses Lied betete, und so eben die Worte des letzten Ver=
ses aussprach:

> Mit Segen mich beschütte,
> Mein Herz sei deine Hütte;
> Dein Wort sei meine Speise,
> Bis ich gen Himmel reise.

wurde das im Schlusse enthaltene Gebet, noch ebe sie es ganz
ausgesprochen hatte, auf eine liebliche Weise erhört, denn sie,
deren bester Trost und Geistesnahrung stets Gottes Wort gewe=
sen, verschied, mit dem Zeugniß davon in ihrem Munde, plötz=
lich und sanft, von einem Schlagfluß getroffen.

Dieses liebliche Morgenlied Paul Gerhardts ist eines von
seinen drei ältesten Liedern, die schon in den geistlichen Kirchen=
melodien Johann Krügers 1649 abgedruckt stehen und von ihm
also in der Zeit gedichtet sind, da er noch ohne öffentliches Amt
in Berlin lebte.

———

215. Wach auf, o Mensch, vom Sündenschlaf.

Ein Handwerksbursche in Mageburg führte ein sehr lie=
derliches und lasterhaftes Leben. Er ergab sich der Trunkenheit,
ging die Wege der Wollust und schwärmte manche Nacht in
den Wirthshäusern umher. So hatte er auch einst die Nacht
vom Sonntage zum Montage mit den Werken der Finsterniß
hingebracht. Erst mit anbrechendem Morgen kehrte er aus den
Sündenhäusern zurück. Da begegnet ihm unterwegs der Nacht=
wächter, welcher eben die Stunde meldet und dabei den Vers singt:

Wach auf, o Mensch, vom Sündenschlaf!
Ermuntre dich, verlornes Schaf,
Und beſſ're bald dein Leben!
Wach auf, denn es iſt hohe Zeit,
Dich übereilt die Ewigkeit,
Dir deinen Lohn zu geben.
Vielleicht iſt heut' dein letzter Tag;
Wer weiß doch, wie er ſterben mag?

Der Handwerksburſche hört, er ſteht wie vom Donner ge=
rührt. Eine Empfindung, wie er ſie ſeit dem Abſchiede aus dem
elterlichen Hauſe nicht hatte, bemächtigt ſich mit unwiderſtehlicher
Gewalt ſeiner Seele. In dieſem Augenblicke kommt einer ſei=
ner Mitgeſellen, ein guter Menſch, daher, der dieſen Morgen
verreiſen wollte. Er ſagte zu jenem:

„Haſt du's gehört, Bruder, was der Wächter ſang?"

„Ja, — antwortete jener — nicht bloß gehört habe ich's,
wie ein Schwert iſt's mir ins Herz gegangen. Gott ſtehe mir
bei, heute habe ich das letzte Mal die alten Sündenörter beſucht.
Es ſoll anders werden. Herr Jeſus, wie habe ich bisher ge=
lebt! Gnade, Gnade, Gnade, mein Gott!"

Wirklich hatte den Menſchen dieſer Vorfall zur Beſinnung
gebracht. Der Vers war mit Flammenſchrift in ſein Herz ge=
ſchrieben. Er wendete ſich zu Gott und unter ſeinem Beiſtande
änderte er Sinn und Wandel.

Erkenne, mein Leſer, in dieſer Geſchichte die ſichtbaren
Spuren deſſen, der nicht will, daß Jemand verloren gehe, ſon=
dern, daß Allen geholfen werde. Wie muß ſich Alles zur Ret=
tung des Unglücklichen vereinigen. Daß er gerade um dieſe
Zeit von ſeinen Ausſchweifungen nach Hauſe kehrt, daß er dem
Nachtwächter begegnet, daß dieſer eben ruft, gerade unter tauſend
andern dieſen Vers ſingt, daß der Geſang das Herz des Ver=
irrten ergreift, daß ſein Mitgeſelle dieſen Morgen, dieſe Stunde
verreiſt, auch denſelben Weg kommt und in der Nähe des Nacht=
wächters mit ihm zuſammentrifft, daß er endlich gerade dieſe An=
rede wählt — kurz, alle dieſe kleinen aber wichtigen Umſtände,
konnte nur die höchſte Weisheit und Liebe ſo veranſtalten
und leiten.

Auf ähnliche Art ſucht die Gnade des Herrn oft Verirrte
zu ſich zurückzuführen. Begebenheiten und Umſtände werden
von ihm ſo gelenkt, daß Laſterhafte zuweilen dadurch ganz beſon=

Heinrich, Erz. I.   17

ders gerührt und von dem Wege des Verderbens zurückgebracht
werden. Er läßt sie mit einer frommen Person zusammentreffen,
läßt sie ein christliches Buch in die Hände bekommen, läßt sie
eine eindringliche Predigt hören, oder ihnen eine schöne, kräftige
Bibelstelle besonders zu Herzen gehen. — Diese und andre
Winke zur Umkehr giebt der Erbarmende, in größrer oder gerin=
ger Anzahl jedem Verlornen. Das zeigt Jedem sein eignes Le=
ben und die Geschichte Andrer. Ach, daß doch alle Verirrte
solchen Aufforderungen des Herrn zur Buße folgten!

<hr>

216.

Ein Pommeraner hatte einst in einer Nacht einen er=
schütternden Traum. Ihm träumt, er sei noch Soldat. Bei
Verlust des Lebens soll jeder, wenn Lärm geschlagen wird, auf
dem Platze sein. Die Trommeln wirbeln, die Hörner ertönen.
Er will sich schnell ankleiden, aber er findet die Aermel im Rock
und die Beinkleider umgekehrt und kann sie in der Angst nicht
in Ordnung bekommen. Mit Angstschweiß auf der Stirn er=
wachte er. Da ruft ihm der gute Hirte den Vers ins Herz:

Wach auf, o Mensch, vom Sündenschlaf,
Ermuntere dich, verlornes Schaf,
Und beff're bald dein Leben u. f. w.

Seine ganze Seele wird erschüttert. Er denkt: wenn's
nun hieße: Der Herr Jesus kommt zum Gericht! So wärst du
verloren. In deinem Leben ist alles verkehrt. Du würdest vor
Angst nicht Buße thun und dich bekehren können. Doch, denkt
er, es war ja nur ein Traum — und schläft wieder ein. Aber
ein zweiter, ähnlicher Traum weckt ihn. Da steht er auf, geht
zum Prediger, der ein gläubiger Mann war, und entdeckt dem=
selben seinen Seelenzustand. Dieser unterredete sich lange mit
ihm, hatte aber die Freude zu sehen, daß Ruhe und Frieden in
des Geängstigten Herz einkehrte.

Der angeführte Vers ist aus dem Liede: O Ewigkeit,
du Donnerwort &c. Der Verfasser dieses Liedes ist Johann
Rist. Er wurde geboren im Jahre 1607 zu Pinneberg. In
seiner zarten Jugend schon war er, wie er selbst erzählt, drei
Jahre lang mit Anfechtungen wegen der ewigen Gnadenwahl

geplagt, da er sich einbildete, Gott habe ihn verworfen und dem Satan übergeben. Aus dieser Angst hat ihn Psalm **91** mehr als tausendmal errettet. Er studirte Theologie und wurde Prediger zu Wedel bei Hamburg. Seine besten geistlichen Lieder (**658** an der Zahl) dichtete er in dem Zeitraume von **1637** bis **1644**; bei seinem Wohnorte hatte er einen Hügel, der ihm besonders lieb und theuer war; auf diesem dichtete er dieselben in gesegneter Einsamkeit und nannte den Hügel deshalb seinen Parnaß.*) Gar viele derselben sind edle, christliche Früchte der Trübsal, wie er dies selbst auch in den Worten bezeugt: „Viele Lieder hat mir das liebe Kreuz ausgepreßt," denn in den spätern Jahren seines Lebens hatte er unter dem Greuel des Kriegs, unter Hunger und Pestilenz gar viel zu leiden. Im Jahre **1658**, als die Feinde Wedel plünderten, nahmen ihm die Croaten auf einmal über **2000** Thaler weg und er mußte unter großer Angst und Gefahr flüchten. In einem Jahre starben in seiner Gemeinde, innerhalb zwei Monaten, über **150** Personen.

So ehrsüchtig er in mancher Hinsicht erscheinen mag, so hat er doch keines seiner Lieder in seiner eigenen Kirche singen lassen, obwohl man sie zu seinen Lebzeiten fast aller Orten in den Kirchen sang. Er starb, **60** Jahre alt, zu Wedel am **31.** August **1667.**

217.

Warum betrübst du dich mein Herz,
Bekümmerst dich, und trägest Schmerz
Nur um das zeitlich Gut?
Vertrau du deinem Herrn Gott,
Der alle Ding erschaffen hat.

Hans Sachs soll dieses Lied in seinem **61.** Jahre (**1552**) zur Zeit der Belagerung Nürnbergs, gedichtet haben, wo durch Theurung und Pest seine Nahrung sehr kümmerlich gewesen sein mag. M. Julius erwähnt, daß **1587** dieser Gesang in der christlichen Kirche nicht so allgemein, als in den Häusern gesungen worden sei. Dieses Lied ist in Zeiten der Noth und Trübsal

---

*) d. h. Musenberg; den **Parnaß** besteigen heißt: sich als Dichter versuchen, dichten.

17*

ein Troſtlied ſchon für Tauſende von bekümmerten Seelen
geweſen. Es iſt ein Troſtlied für alle Elende und Unglückliche
— mit einer Melodie, die etwas klagendes und doch kräftiges
hat, worin ſich das feſte Gottvertrauen abſpiegelt. Je mehr man
ſich in dieſes köſtliche Kleinod unſerer evangeliſchen Kirche mit
Innigkeit verſenkt, — deſto mehr liebt man darin das ächt
d e u t ſ c h e Gemüth, welches verklärt iſt durch die Kraft des Evan=
geliums und gereiſt im Feuer der Trübſal. Es ſpricht ſich da=
rin eine große Einſalt aus und Tiefe zugleich — eine herzge=
winnende Gemüthlichkeit — ein Hinwegſein über zeitliche Ehre
und was dieſe Welt für Güter bieten kann — eine kindlich
gläubige Betrachtung der bibliſchen Geſchichte von dem Prophe=
ten Elias, von Daniel in der Löwengrube, — von Joſeph im
Hauſe des Pharao, von den drei Männern im Feuerofen —
aber der Grundton des ganzen Liedes iſt das feſte Gottvertrauen:
D e r   G o t t ,   d e r   i n   a l t e r   Z e i t   g e h o l f e n ,   d e r   l e b t
n o c h ,   u n d   w i r d   g e w i ß   u n s   a l l e n   d u r c h   d a s   E l e n d
d e r   E r d e   h i n d u r c h   h e l f e n .

---

218. Warum betrübſt du dich, mein Herz?

Der als geiſtlicher Liederdichter ausgezeichnete J o h a n n
R i ſ t (geſt. 1667) erzählt in Betreff dieſes Liedes Folgendes:
„Als in dem letzten hochverderblichen Kriege ich mich in Ham=
burg eine Zeit lang mußte aufhalten, und einſtens am Sonn=
abend mir die Zeitung gebracht ward, daß mir der Reſt aller
meiner zeitlichen Güter, welche ich noch zurückgelaſſen und mir
bei dem erſten feindlichen Zufalle noch waren geblieben, ganz
unverhoffter Weiſe ſogar wäre hinweggeraubt, daß auch nicht
eine einzige Hühnerfeder mir übrig geblieben wäre; da ging ich
des folgenden Sonntags Morgens in die St. Catharinen=Kirche
zu meinem Freunde, dem berühmten Herrn Scheidemann, auf die
Orgel, des vortrefflichen Theologen, Herrn Dr. Corſini Predigt
anzuhören. Als nun wohlgedachter Herr Dr. unter andern auch
gar bewegliche Reden führte von dem Mitleiden, welches die
ſämmtlichen Einwohner der Stadt Hamburg mit uns armen
verjagten Holſteinern billig ſollten tragen, wobei er auch unſern
elenden Zuſtand beklagte, da ward mir das Herz dermaßen ge=
rührt, daß ich faſt nicht wußte, wie mir geſchehe; und als nach

geendeter herrlicher Predigt mein sehr werther und vertrauter
Freund, der alte vielbeliebte Herr Schoppe, zu Herrn Scheide=
mann sagte: Mein Bruder, lasset uns doch unserm werthen
Rüstigen, als einen großen Liebhaber unserer Wissenschaft, auch
längst erkannten Freunde, zu gefallen, ein seines Stück mit ein=
ander machen: vielleicht möchte sein bekümmertes Herz ein wenig
dadurch wiederum erleichtert werden; da war der edle Scheide=
mann ganz willig dazu, fingen derowegen ein über alle Maaße
bewegliches Stücklein an zu spielen, wovon der Text durch einen
wohlgeübten Falsettisten sehr anmuthig gesungen ward; und weil
mir in diesem Stücklein mein eigenes, wie auch vieler frommen
Christen Kreuz recht lebendig ward vorgestellet, bewegten sie
mein Herz dergestalt, daß, wenn ich an mein schweres Unglück
gedachte, (das war aber nicht allein der Verlust meiner leiblichen
Güter, nein, es steckte viel ein Mehreres dahinter) und daneben
die Worte, wodurch meine Trübseligkeiten von dem kunstreichen
Sänger wurden ausgedrückt, etwas fleißiger bei mir erwog, so
ward ich darüber so wehmüthig, daß ich, in einen Winkel mich
verbergend, unzählige Thränen vergoß, ja fast mit der Verzweif=
lung mußte ringen, bis nach Vollendung dieser trefflichen Musik
der Direktor des musikalischen Chores, mein alter, mehr als
30jähriger Freund, Herr Sellius, mit dem vollen Chor unser
schönes, aber von ihm noch viel schöner in die Musik gesetztes
Kirchenlied: „Warum betrübst du dich, mein Herz?"
anfing zu musiciren, wodurch ich wiederum dermaßen ward er=
quicket, daß mir däuchte, ich wäre gleichsam neu geboren, und
könnte alles meines ausgestandenen Unglücks augenblicklich schier
vergessen; wie ich denn aus der Kirche so freudig wiederum
zu Hause ging, als wenn all' meine Trübsale wären ver=
schwunden."

219.

Warum sollt' ich mich denn grämen?
Hab' ich doch
Christum noch,
Wer will mir den nehmen?
Wer will mir den Himmel rauben,
Den mir schon
Gottes Sohn
Beigelegt im Glauben?

Als man die ausgewanderten Salzburger einst auf ihrer Reise fragte: ob sie denn nicht zuweilen schmerzlich an ihr Vaterland gedächten, und an das, was sie zurückgelassen, sangen sie mit großer Freudigkeit das Lied: „Warum sollt' ich mich denn grämen?" und als es geendigt war, hieß es: „da habt ihr die Antwort, wir grämen uns über nichts mehr, als daß wir so lange haben heucheln können, und die erkannte Wahrheit nicht eher mit dem Munde bekannt und vor Menschen uns gefürchtet haben." Solcher Sinn hatte sich besonders in den Zeiten jener Prüfungen bei ihnen ausgebildet.

Paul Gerhardt dichtete das Lied um das Jahr 1653.

---

220. Wär' Gott nicht mit uns diese Zeit.

Als die Stadt Magdeburg im 30jährigen Kriege durch Tilly belagert war, erklärte zum Trost der geängsteten Einwohner, Christoph Thodänus, Prediger an der St. Katharinenkirche, das Lied:

> Wär' Gott nicht mit uns diese Zeit,
> So soll Israel sagen,
> Wär' Gott nicht mit uns diese Zeit,
> Wir hätten müssen verzagen,
> Die so ein armes Häuflein sind,
> Veracht't von so viel Menschenkind,
> Die an uns setzen alle.

in seinen gewöhnlichen Dienstagspredigten. Es ist merkwürdig, daß er gerade die dritte und letzte Predigt über dies Lied, am Dienstag nach Cantate den 10. Mai 1631 hielt, an welchem Tage die Stadt vom Feinde erstürmt, und in derselben vom Feinde ein schreckliches Blutbad angerichtet wurde. Als Thodänus aus der Kirche ging, brachten ihm einige Leute die Nachricht, daß der Feind schon auf dem Walle und in der Stadt sei. Er erschrak heftig und wollte es Anfangs nicht glauben; als sich aber die Nachricht bestätigte, ließ er sein Haus und Alles offen stehen und eilte mit seiner Frau und der Magd in das Haus seines Collegen. Unterdessen schickte ein vornehmer Anführer der Besatzung, der im Gefecht tödtlich verwundet war, aus einem Gasthofe am breiten Wege zu Thodänus und verlangte seinen Zuspruch. Thodänus versprach denselben, ließ sei-

nen Predigeranzug holen, und obgleich ihn seine Frau mit vielen
Thränen zurückzuhalten suchte, so beruhigte er sie doch mit der
Vorstellung seiner Pflicht und nahm mit den Worten: „Nun,
sehen wir uns hier in diesem Leben nicht wieder, so wollen wir
uns doch im ewigen Leben mit Freuden wiedersehen!" Abschied
von ihr. Den Verwundeten fand er in der vordersten Stube
des Gasthofes sehr schwach auf der Erde liegen und tröstete ihn,
so gut er es in seiner Bestürzung vermochte. Schon erschien
der Feind auf dem breiten Wege und trieb die Einwohner
haufenweise, wie eine Heerde Vieh mit beständigem Schießen vor
sich her, als Thodänus Frau mit der Magd zu ihm in die Stube
trat. Da die Stube voll Büchsen und Gewehre lag, und die
Feinde schon vor den Fenstern schossen, daß der Rauch in die
Fenster drang, so zog sie ihn mit Gewalt aus derselben, und sie
gingen alle drei in ein Zimmer hinten auf dem Hofe, wo sie
sich nicht weit von der Thür stellten und ihr Schicksal erwarteten.
Gleich darauf pochten die Feinde an die verriegelte Thür, die
ihnen auf Befehl des Wirths geöffnet wurde. Sie drangen mit
großem Ungestüm hinein, und ihre erste Anrede war: „Pfaff,
gieb Geld!" Thodänus hatte ein Schächtelchen mit etwa 6 oder
7 Thalern bei sich, welches er dem Einen von ihnen hingab.
Gleich darauf kamen Andere, und einer von ihnen, der ein
fürchterliches Ansehen, zwei Musketen und in jeder Backe eine
Kugel hatte, sagte zu Thodänus mit grimmigen Geberden:
„Pfaff, gieb Geld!" Als dieser sich entschuldigte, nichts mehr
zu haben, so zielte er mit einer Muskete nach ihm, und da die
Lunte nicht mehr anbrennen wollte, blies er sie an und drückte
los. Thodäns Gattin aber ermannte sich, schlug die Muskete
in die Höhe, daß die Kugel über Thodänus Kopf in die Wand
fuhr, und hielt ihn bei den Armen fest, daß er sich nicht bewegen konnte. Er verlangte darauf statt des Geldes Silber-
werk. Sie erinnerte sich, daß sie noch silberne Haken an ihrem
Brustleibchen hatte, welche sie abschnitt und ihm hingab. Endlich kam ein wilder Eisenfresser mit einem spitzigen Stechdegen,
welcher den Thodäns über den Kopf hieb und sagte: „Pfaff,
gieb Geld!" Der Ehefrau des Thodäns, welche über ihren
verwundeten und stark blutenden Gatten sehr wehklagte, setzte er
den Degen gerade auf den Leib, als wollte er sie durchstechen;
doch bog sich sein Arm und der Stich ging daneben. Der Anblick des verwundeten Predigers, dessen weißer Priesterkragen

und Rock mit Blut bedeckt war, schien ihn indessen einigermaßen
zum Mitleid zu bewegen. Auf die Vorstellung Thodänus, daß
er nicht in dieses Haus gehöre; er möchte mit ihm in sein eignes
Haus gehen, so wolle er ihm geben, was er noch hätte, sagte
er: „Nun so komm, Pfaff, und gieb mir dein Geld!" Darauf
faßte ihn Thodänus Frau bei dem Mantel, und gingen fort.
Als sie auf die Katharinenkirche zugingen, erblickte sie ein vornehmer kaiserlicher Offizier zu Pferde. Dieser sagte zu ihrem
grausamen Führer: „Kerl, Kerl, mach's mit den Leuten, daß es
zu verantworten ist." „Frau," sagte er ferner, „ist das euer
Haus?" „Ach nein, mein Herr Oberster!" war die Antwort.
Er fuhr fort. „Nun fasset an meinen Steigbügel, nehmt euern
Herrn bei der Hand und führet mich in euer Haus; Ihr sollt
Quartier haben." Unterdessen hatte sich Thodänus Führer im
Gedränge verloren. Als die Geretteten an ihr Haus kamen,
fanden sie es voll Plünderer. Der Officier trieb sie sämmtlich
heraus und sorgte dafür, daß Thodänus verbunden wurde. Als
aber das Feuer gewaltig überhand nahm, mußten sie das Haus
verlassen und wurden von dem Officier in das Lager geführt.
Nach einigen Tagen erhielten die Geretteten durch den Officier
eine Fuhre und wurden durch das Lager nach Olvenstedt zu
dem Feldprediger Schwanenberg gebracht. Dieser nahm sie sehr
freundlich und theilnehmend auf und ließ den kranken Thodänus
in seinem eignen Bette schlafen. Thodänus begab sich nach Hamburg und hatte das Glück, bald darauf als zweiter Prediger nach
Rendsburg berufen zu werden, wo er auch gestorben ist.

Dr. Martin Luther dichtete das oben angeführte Lied
im Jahre 1525.

---

221. Was alle Weisheit in der Welt.

Von dem am 19. Februar 1662 geborenen und den
8. Mai 1707 als Professor der Theologie zu Gießen verstorbenen
Dr. Johann Ernst Gerhard, einem Enkel des berühmten Theologen
Joh. Gerhard, erzählen uns die aufbehaltenen Nachrichten hauptsächlich nur sein erbauliches Ende, das jedoch einen hellen Schein
auf sein vorangegangenes Leben zurückwirft. Sonntag, den 13. März
1707 hielt er noch mit gewohnter Munterkeit die ihm zukom-
mende Predigt, fühlte sich aber schon auf dem Heimwege von so

heftigem Fieberfroste befallen, daß er klagte, sein Kopf sei wie
todt. Man rief augenblicklich die erfahrensten Aerzte zu Hülfe,
aber sie vermochten den Lauf der Krankheit nicht zu hemmen.
Gerhard schickte sich sogleich mit völliger Ergebung in den Rath-
schluß Gottes, und antwortete auf die Klage seiner Schwiegermutter darüber, daß er auf einmal so schwer darnieder geworfen
worden: „Es ist ja Gott, der mir dieses Kreuz auferlegt hat,
darum will ich es gerne tragen; warum wollte ich ein Anderes
begehren, als Alle die vor mir gewesen sind? Ich bin ja nicht
besser, denn meine Väter. Der Herr mache es mit mir, wie es
ihm wohlgefällt. Ich will ihm stille halten in Allem, was er
mir auferlegt." Nach ein paar Tagen schien es etwas besser
mit ihm zu werden, daher er äußerte: „Die Krankheit hat mich
angefallen wie ein Löwe, aber sie ist gebrochen, und es steht
jetzt recht gut mit mir. Der Herr hat mich wunderbar gestärkt." Er
hieß seine Frau das Gesangbuch herbeibringen, schlug einige Lieder von Paul Gerhardt auf, erzählte, wie viel Erbauung sie ihm
schon gewährt, und bat dann, daß man ihm das Lied vorlesen
solle, welches also lautet:

> Was alle Weisheit in der Welt
> Bei uns hier kaum kann lallen,
> Das läßt Gott aus dem Himmelszelt
> In alle Welt erschallen:
> Daß er alleine König sei,
> Hoch über alle Götter,
> Groß, mächtig, freundlich, fromm und treu,
> Der Frommen Schutz und Retter,
> Ein Wesen, drei Personen.

Nachdem dies geschehen war, rühmte er, daß ihm die
Güte und Barmherzigkeit Gottes besonders neu geworden sei,
weil er die gewisse Versicherung in seinem Herzen bekommen
habe, daß der Tod überwunden sei, und er sich nicht weiter vor
ihm zu fürchten brauche. Nach einem kurzen Schlafe erwachte
er mit solcher Freudigkeit, daß die Umstehenden ihn fragten:
„Worüber er doch so freudig sei?" Darauf antwortete er:

> Dein Geist bezeugt, daß solches frei
> Des ew'gen Lebens Vorschmack sei.

„Da werdet ihr euch freuen mit unaussprechlicher und herrlicher
Freude. O wer da gespeiset wird mit dem himmlischen Manna

und kostet das Holz des Lebens!" Am Mittwoch Abend sah er beim Erwachen von einem Schlummer seine Frau an seinem Bette stehen, da ergriff er ihre Hand und sagte: „Ach, mein liebstes Herz, wir werden uns doch trennen müssen. So halte dich denn desto fester an Gott. Er wird gewiß auch fest bei dir halten und dich nicht verlassen noch versäumen. Trau' nur auf Gott, Er wird dir beistehen und dich segnen an Leib und Seele." Dann brach er ab, weil er merkte, daß es ihr zu schwer wurde, und brachte die ganze Nacht in der Stille zu. Den andern Morgen bemerkte man, daß er fortwährend betete, und dabei voll Freude wurde. Nach etwa einer halben Stunde wandte er sich an seine Frau und sagte: „O mein Kind! welche Herrlich= keit war das, wir sahen seine Herrlichkeit, eine Herrlichkeit als des eingebornen Sohnes vom Vater, voller Gnade und Wahr= heit. Viele Tausende stehen vor seinem Thron!" und auf ihre Antwort: „Ich habe wohl gesehen, in was für einer großen Freudigkeit du warst, ich wünschte mir nichts mehr, als daß ich auch nur ein Tröpflein davon kosten dürfte!" erwiederte er: „Wer davon schmecken will, der muß erst den Weg des Leidens und der Buße sein wohl betreten, und sich darin üben; denn durch viel Trübsal müssen wir in das Reich Gottes gehen." Den ganzen Vormittag lag er in steter Einkehr vor Gott, und redete nur hie und da einige Worte mit den Umstehenden von den Dingen, mit denen seine Seele sich beschäftigte, namentlich von der Kindschaft Gottes, von der Vereinigung Gottes und der gläubigen Seelen, von den Leiden und der Gemeinschaft der Gläubigen. Gegen Mittag nahmen seine Worte einen sehr ern= sten Ton der Ermahnung an, indem er sagte: „Ach, man sollte sich sein Christenthum einen viel größeren Ernst sein lassen, und es nicht auf so laulichte Weise führen, wie leider von so Vielen geschieht. Sonst wird uns der Herr ausspeien aus seinem Munde! Man sollte alle Menschenfurcht und Menschengefällig= keit ablegen und sich nur einzig und allein seinem Gott ergeben, und suchen ihm getreu zu bleiben. Ich werde jetzt wohl gehen den Weg aller Welt, darum will ich euch zuletzt noch das sagen: O, erwählet doch das beste Theil! Ich habe euch oft Segen und Fluch vorgelegt, ach, daß ihr den Segen erwählet! Ach, daß ihr doch Alle möchtet ein rechtes Christenthum anfangen und in die wahre Verleugnung eintreten, daß ihr doch möchtet durch wahre Buße recht zu Gott eindringen, damit keine einzige Seele dem ewigen Verderben anheimfiele. O was für eine Freude würde mir das sein! Und dagegen was für eine Trauer, was für einen Schmerz wird es mir verursachen, wenn Seelen ver= loren gehen!" Bald darauf fügte er bei: „Aber versteht mich recht! Es muß ein ganz anderes Christenthum sein, als das, welches man so gewöhnlich führt, eine ganz andere, viel tiefer gehende Buße! Das rechte Christenthum besteht nicht in vielen Worten, sondern in der Kraft Gottes!" Als gegen Abend der Leibarzt Dr. Gerth kam, und er bemerkte, daß derselbe mit seiner Schwiegermutter heimlich sprach, redete er ihn mit den Worten an: „Mein lieber Herr Doctor! wollen Sie es etwa vor mir verhehlen, wie's mit mir steht, oder meinen Sie, ich fürchte mich vor dem Tode? O nein, sagen Sie es nur frei heraus, ich bin bereit meinem Gott zu folgen, es gehe zum Leben oder zum Tod!" Gegen Abend schwanden seine Kräfte mehr und mehr dahin, er konnte endlich nur noch gebrochen reden, aber Alles, was er bald in deutscher, bald in lateinischer Sprache sagte, deutete darauf hin, daß er in beständigem Umgang mit dem Herrn war, zu dem zu gehen er sich bereitete. Seine Geberden zeigten oft eine außerordentliche Freudigkeit, besonders als ihm einmal seine Frau auf seine Ermahnung, sie solle nicht klagen, sondern Gott gehorsam folgen, antwortete: „Ich folge still, wo= hin Gott will!" In dieser Gemüthsfassung entschlief er sanft und ohne irgend eine Zuckung unter dem Gebete seines Stief= Schwiegervaters Dr. May.

---

222. Was Gott thut, das ist wohlgethan.

Ein jetzt hochgestellter Kirchenbeamter in Preußen war in seiner Jugend durch einen schnellen Glückswechsel in die düsterste Stimmung gerathen, und der Verzweiflung nahe, als er, durch Freiburg an der Unstrut reitend, vom Thurme herab die Melo= die hörte: „Was Gott thut, das ist wohlgethan." Mit diesen Tönen ging ihm eine Binde von den Augen, er sah Alles, was ihm begegnet war, als eine Fügung Gottes an, und lernte glauben an die tröstliche Wahrheit, daß denen, die Gott lieben, alle Dinge zum Besten dienen müssen. Er hat seitdem noch manches Harte getragen, aber in Glück und Unglück ist nun sein

Wahlspruch: „Was Gott thut, das ist wohlgethan," und die Currentschüler seines Wohnorts sind angewiesen, immer dies Lied vor seinem Hause zu singen.

Die Melodie drückt, wie ihr Lied, das Vertrauen eines Christen aus, welcher seinen Willen mit kindlicher Zuversicht in den Willen des himmlischen Vaters hingiebt. Es spricht aus derselben eine hohe Glaubensfreudigkeit.

223.

Ein Schulmann, dem sein ganzes kleines Hab und Gut, Kleider und Schuhe, bei einer plötzlich ausgebrochenen Feuersbrunst mit verbrannt waren, wurde durch diesen Vers ganz inniglich getröstet, nachdem er durch Gottes Gnade das Widerstreben seines anfangs murrenden Herzens überwunden hatte, welches ihn verhindern wollte, die Worte: „Er ist mein Gott," im Glauben auszusprechen.

224.

Anders aber als auf den frommen Schulmann wirkte der Gedanke, der dem schönen Liede: „Was Gott thut, das ist wohlgethan," zu Grunde liegt, auf eine unglückliche Mutter, von welcher der selige Samuel Kilpin erzählt. Ihr Söhnlein lag todtkrank darnieder; der Prediger betete über dem, wie es schien, schon im Sterben begriffenen Kinde: „Herr, wenn es dein Wille ist, so erhalte" — — Da schrie die Mutter in unbändigem Schmerz: „Es muß sein Wille sein; solches „Wenn" kann ich nicht leiden." — Der Priester hält inne in seinem Gebet. Was geschieht? Das Kind, zum Erstaunen vieler Menschen, geneset wieder und die Mutter, welcher dieser Sohn schon als Knabe tausendfältigen Verdruß und Kummer gemacht hatte, muß zuletzt noch das Herzeleid erleben, ihn in seinem 22sten Jahre als Verbrecher an dem Galgen hängen zu sehen. O es ist gut zu sagen: nicht mein, sondern dein Wille geschehe. Ja, „was Gott thut, das ist wohlgethan!"

Um übrigens auch noch über die Geschichte dieses schönen Liedes Einiges zu sagen, so ist sein Verfasser Samuel Rodigast gewesen (gest. 1708 als Rector zu Berlin). Rodigast hatte das Lied 1675 für den kranken Kantor Gastorius zu Jena gemacht, und dieser komponirte die Melodie dazu, damit man es bei seinem Leichenbegängniß singen könne. Als ihm aber Gott unvermuthet Leben und Gesundheit wieder schenkte, da ließ er es von nun an wöchentlich vor seiner Hausthüre singen.

Es war überhaupt im Geiste jener Zeit, daß jedes Lied seine eigenthümliche Weise bekam, wodurch allerdings dem Uebelstande vorgebaut wurde, dasselbe nach einer fremden, unpassenden zu singen. Doch dieses ist nicht so geblieben, denn mit der Erlöschung des Liedergeistes in der Mitte des 17ten Jahrhunderts kam auch die Choralkunst in Verfall, weil es in der Folge den Kantoren an Aufmunterung fehlte, neue Choralmelodieen zu setzen.

---

225. Was Gott thut, das ist wohlgethan.

In der Stadt Suhl lebte ein Bürger und Hammermeister, Johann Jacob Triebel, welcher in seinen besten Jahren blind geworden war. Da starb ihm auch nach Gottes Rath sein Weib, Ursula Elijabeth, und hinterließ ihm sechs kleine Kinder. Es hatte Jedermann Mitleiden mit dem armen Manne, er selbst aber war ganz gelassen und geduldig und sprach: „Wir singen ja: Was Gott thut, das ist wohlgethan! und es stehet ja in allen Versen des Liedes, also wird es auch bei mir eintreffen."

---

226. Was mein Gott will, gescheh' allzeit.

Johann Ernst Kühze, erster Diakonus der Nikolaikirche und Senior des Ministeriums zu Berlin, ward im Jahre 1760 von einer Entzündung des linken Auges befallen, welche, weil er sich nicht schonen konnte, so heftig wurde, daß der Chirurg erklärte, das ganze Auge sei in den Zustand der Eiterung übergegangen. Täglich hatte man nach vergeblicher Anwendung aller andern Mittel, das Auge scarificirt und auf andere Weise in ihm operirt, mehrmals war es aufgerissen worden, so daß die innern Feuchtigkeiten weggeflossen waren; endlich erklärten die Aerzte: das Auge sei unheilbar verloren, man müsse, um größere Gefahr zu verhüten, es ganz herausschneiden. Darüber wurde der Kranke so traurig, daß man ihn durch keine gemachte Vorstellung beruhigen konnte. Da kamen, als seine innere Unruhe aufs Höchste gestiegen war, die Current=Knaben vor seine Thür und sangen, gegen ihre sonstige Gewohnheit, langsam und andächtig das Lied:

> Was mein Gott will, geschehz allzeit,
> Sein Wille ist der beste;
> Zu helfen ist er dem bereit,
> Der an ihn glaubet feste.
> Er hilft aus Noth, der fromme Gott,
> Er züchtiget mit Maßen.
> Wer Gott vertraut, fest auf ihn baut,
> Den will er nicht verlassen.

Der Kranke wird durch den Gesang so sehr bewegt, daß er selber freudig und andächtig mitsingt. Und siehe, während des Gesanges klärt sich Alles in seinem Gemüthe auf: er kann sich gelassen dem Willen Gottes ergeben, zu dessen Hülfe er ein starkes Vertrauen fasset, er wird fröhlich in Hoffnung, daß ja der liebe Herr auch dieses Leiden zu seinem Besten über ihn verhängt habe, bleibt den ganzen Tag ruhig und vergnügt, und schläft die Nacht darauf sanft und wohl. Als am folgenden Morgen die Aerzte kommen, vielleicht schon in der Absicht, ihm das Auge herauszuschneiden, sind sie ganz erstaunt bei seinem Anblick. In dem von ihnen für unheilbar gehaltenen Auge war eine solche Veränderung vorgegangen, daß sie erklärten, es sei jetzt alle Hoffnung da, daß es könne gerettet werden. Man wendet dann noch einige zweckmäßig scheinende Mittel an, und durch Gottes Beistand und Segen schreitet die Besserung des Auges so schnell vorwärts, daß der Kranke schon nach acht Tagen wieder etwas sehen kann. Das Auge genas in Kurzem äußerlich ganz, und Kühze erlangte seinen Gebrauch fast voll= kommen wieder.

Der Verfasser des angeführten Liedes ist Albrecht, Markgraf zu Brandenburg = Kulmbach, ein gegen das Pabstthum oft bitter eifernder Mann, auch sonst streitlustig und unruhig, weshalb er 1554 vom Kaiser geächtet und seiner Herrschaft ent= setzt wurde. Als ein armer Flüchtling, von Kummer und Krankheit gebeugt, erkannte er sein Unrecht, und starb bei seinem Schwager, dem Markgrafen Karl von Baden, in Pforzheim, als ein reuiger und gläubiger Christ im Jahre 1557. Sein Lied: „Was mein Gott will" dichtete er während seiner Verbannung in Lothringen oder in Frankreich. Er soll auch noch in Zeiten seines Glücks nie ohne Gebet zu Pferde gestiegen sein.

---

227. Was unser Gott geschaffen hat.

Einst befand sich der schon einmal erwähnte fromme Nachtwächter Mende vor den Fenstern eines Hauses, in welchem ein armer Weber wohnte, dem das sechste Kind geboren wurde. Beide christliche Eheleute waren dankbar für die göttliche Durchhülfe, als die Frau doch ihre Besorgniß ausdrückte wegen des äußern Durchkommens. Der Ehemann suchte sie zu beruhigen. Mende wußte von dem Vorgefallenen nichts, war aber in seinem Gesang des Liedes: Sei Lob und Ehr' dem höchsten Gut ꝛc. so weit gekommen, daß er gerade vor diesem Fenster den dritten Vers anstimmte:

> Was unser Gott geschaffen hat,
> Das will er auch erhalten,
> Darüber will er früh und spat
> Mit seiner Gnade walten.
> In seinem ganzen Königreich
> Ist Alles recht und Alles gleich
> Gebt unserm Gott die Ehre!

'Das arme Ehepaar wurde so sehr durch diesen Gesang erquickt, daß der Vater des Neugebornen am andern Tage zum alten Mende ging, um ihm zu danken für den Trost, den er ihnen in verwichener Nacht gebracht habe, und wodurch auch seine bekümmerte Frau bis zur Freudigkeit getröstet und gestärkt worden.

---

228. Was ist's, daß ich mich quäle?

Wer vermag wohl die Tausende zu zählen, die in Noth und Bedrängniß durch ein Bibelwort oder durch einen schönen Liedervers getröstet sind! Gewiß Viele stimmen noch heute in die Worte Davids ein: Wäre dein Wort nicht mein Trost gewesen, so wäre ich vergangen in meinem

Elende. Pf. 119, 92. Der selige Gellert, gestorben 1769 als Professor in Leipzig, hat das auch gar oft in seinem Leben erfahren. Er war einstens kränklich, und voller Mißmuth über die lange Dauer des schmerzhaften Zustandes, ging er an einem Sonntage in die Nikolaikirche zu Leipzig. Als er eintrat, hörte er eins seiner von ihm verfertigten Lieder singen:

> Was ist's, daß ich mich quäle?
> Harr' auf den Herrn, o Seele,
> Harr' und sei unverzagt!
> Du weißt nicht, was dir nützet;
> Gott weiß es, und beschützet
> Allmächtig den, der nach ihm fragt.

Da strömten Thränen der Rührung über die Wangen und die Ruhe des Herzens und die Geduld in der Krankheit wurden aufs neue durch sein eignes Lied herbeigeführt.

---

229. Wenn ich einst von jenem Schlummer.

Bernhard Overberg, gewesener Direktor am geistlichen Seminar und Lehrer der Normalschule zu Münster, schreibt in seinem Tagebuche am Ostermontage 1795 Folgendes: „Gestern Morgen hatte ich einiges Vorgefühl, wie uns in der allgemeinen Auferstehung, wenn wir zur Seligkeit erwachen, sein wird. Ich schlief in der Nacht fest und ruhig, so daß mich nicht der geringste Traum störte. Um 3 Uhr ward ich durch das Abfeuern der Kanonen in einem Augenblick aus dem tiefen Schlafe in einen von aller unangenehmen Empfindung freien Zustand des Wachens versetzt, in welchem zugleich der Mond und die Nachtigall durch Auge und Ohr zu einer angenehmen Empfindung wirkten, die im ersten Augenblicke die ganze Seele erfüllte. So, fiel mir ein, wirds vergleichungsweise in der Auferstehung sein, und ich ward gedrungen, freudenvoll das Lied von Klopstock zu singen:

> Wenn ich einst von jenem Schlummer
> Welcher Tod heißt, aufersteh,
> Und, von dieses Lebens Kummer
> Frei, den schönen Morgen seh:

O! dann wach' ich anders auf:
Schon am Ziel ist dann mein Lauf.
Träume sind an deinem Morgen,
Großer Tag, des Pilgers Sorgen.

Ich stand auf und setzte im Garten, beim Mondenschein und bei der Melodie der Nachtigall, meinen Gesang fort. Ich erinnere mich keines so seligen Morgens. Er hat wirklich meinem Glauben an die Auferstehung mehr Leben gegeben."

Overberg gehörte zu den Gottesmännern, die als das wahre Salz der Erde das Geschlecht vor Fäulniß und Versumpfung zu bewahren suchten. Gleich in seinem ersten Lebensjahre sollte er die Wahrheit der Worte erfahren: Was hast du, das du nicht von oben empfangen hättest? Von Natur war er ein leiblich und geistig so schwaches, gebrechliches Kind, daß er erst im 5ten Jahre gehen lernte, und als ihn nun die Eltern zur Schule hielten, da ward ihm das Lernen so sauer, daß er acht ABC-Bücher verbrauchte, ehe er lesen lernte. Da geschah es, als er neun Jahr alt war, daß der Pfarrer in seinem Geburtsorte, dem Dörfchen Höckel im Osnabrückischen, starb. Die Eltern sagten in Gegenwart des Kleinen, welch ein guter und eifriger Seelsorger der Verstorbene gewesen sei; wie schwer es halten werde, einen solchen guten Pfarrer wieder zu bekommen. Bernard, welcher aufmerksam dem Gespräche zuhörte, dachte in seinem Herzen: ein Pfarrer muß doch ein recht wichtiger Mann sein; ich möchte auch wohl einer werden. An einem der folgenden Tage war er auf dem Felde und hörte das Todtengeläute für den Verstorbenen. Da war es ihm, als würde er festgehalten; seine Empfindung ward zum Gebet, er sprach zu Gott: „Herr Gott! wenn du machst, daß ich gut lernen kann, dann will ich Pastor werden." Nach Verlauf von sechs Monaten konnte er fertig lesen. Auffallend war sein Wachsthum in Erkenntniß der Religion. Als er zum ersten Male dem Tische des Herrn sich nahete, da erneuerte er in seinem Herzen das Gelübde, im geistlichen Stande sich dem Dienste Gottes zu weihen. Wunderbar half der Herr, daß sein sehnlicher Wunsch in Erfüllung ging. Nach Vollendung seiner Studien konnte er im Jahre 1780 als Vikar zu Everswinkel in das Amt der Seelsorger eintreten, aber schon 1783 wurde ihm die ehrenvolle Stelle eines Lehrers der Normalschule zu Münster angetragen, welche er auch annahm. Die hohe Würde, welche bei der kind-

Heinrich, Erz. I.   18

lichſten Einfalt und herzlichſten Freundlichkeit ſein ganzes Weſen
verklärte, flößte Allen Ehrfurcht und Liebe ein. Beim Anfang
des Unterrichtes ward gebetet, und die unempfindlichſten Seelen
wurden auf überraſchende Weiſe bewegt, wenn Overberg hinein=
trat, ſtehend das ſchwarze Käppchen, das ſein Haupt bedeckte,
herunternahm und das „Komm heiliger Geiſt" betete.

Tauſenden von Seelen iſt dieſer Mann zum Segen ge=
worden. Nicht blos aus der Stadt, ſondern 10 bis 15 Stun=
den weit kamen Menſchen, welche Gewiſſensangſt drückte, um
in den Angelegenheiten ihres Heils Rath und Zuſpruch bei ihm
zu ſuchen.

Dieſer treue Diener des Herrn ſtarb am 9. November
1826 im 73ſten Jahre ſeines Lebens. Seine letzten Worte wa=
ren:

> „Jeſus dir lebe ich!
> Jeſus dir ſterbe ich!"

Den 12. November war das Leichenbegängniß. Der rau=
hen Witterung ungeachtet, war der Weg vom Seminar bis zum
Kirchhofe zu beiden Seiten dicht mit Menſchen beſetzt, deren
Augen nicht blos den Zug ſehen, ſondern eine ſtille Thräne wei=
nen wollten. Auf ſeinem Grabe ſteht ein Kreuz mit der In=
ſchrift: „Es iſt kein anderer Name unter dem Him=
mel den Menſchen gegeben, wodurch wir ſollen
ſelig werden." Apoſtelgeſch. 4, 12.

230.

> Wenn mein Stündlein vorhanden iſt
> Und ich ſoll fahr'n mein' Straße,
> So gleit' du mich, Herr Jeſu Chriſt!
> Mit Hülf' mich nicht verlaſſe;
> Mein Seel' an meinem letzten End'
> Befehl' ich, Herr, in deine Händ',
> Du wirſt ſie wohl bewahren.

Der Herzog Auguſt zu Braunſchweig und Lüneburg ließ
ſich in ſeinem hohen Alter an jedem Morgen, ehe er zu ſeiner
Arbeit ging, dieſes Lied auf einer Spieluhr vortragen, um, wie
er ſich ſelbſt darüber ausließ, ſich zu einem ſeligen Ende auf=
zumuntern.

Der Verfasser dieses Liedes ist Nikolaus Hermann, ein frommer Cantor und Schulmann zu Joachimsthal, und Vorsänger des bekannten Johann Matthesius, dessen Predigten er, als sein vertrauter Freund, je und je in Verse zu bringen pflegte. Er war ein ganzer Volksmann und lebte sich ganz in seine kleine Gemeinde hinein; den Bergleuten von Joachimsthal hat er oft zur Erbauung und Trost bei ihrem gefahrvollen Beruf auf ihre Bergreihen Melodieen gemacht. Als er in das höhere Alter eintrat, litt er viel am Podagra und ward oft durch Krankheit an seinen Lehnsessel gefesselt. Beim Volke aber blieb er stets beliebt; er hieß bei ihm nur „der alte Cantor." Er starb hochbetagt am 5. Mai 1561.

---

231. Wenn mein Stündlein vorhanden ist.

Mit gutem Fug und Recht nannte Dr. Christoph Schleupner dieses herrliche Lied „die fröhliche Heerpauke des heiligen Geistes, unter deren Klange so viele Christen ganz getrost gestorben sind."

Der 3te Vers: Ich bin ein Glied an deinem Leib ꝛc. war auch das Letzte, was dem sterbenden Dekan M. Christoph Steinhofer zu Weinsberg am 11. Februar 1761 nachgerufen wurde. Als derselbe bis zum Ende ihm vorgesprochen war, lächelte er ganz freundlich und setzte noch mit gebrochener, lallender Stimme ein herzliches „Amen" dazu. Etliche Minuten darauf schlief er sanft ein.

Der Superintendent zu Gotha, Johann Christian Gotter, streckte seine schwachen Arme, als ihm in seinem schweren Todeskampfe der 5te Vers:

> So fahr ich hin zu Jesu Christ,
> Mein' Arm' will ich ausstrecken!
> So schlaf ich ein und ruhe fein,
> Kein Mensch kann mich aufwecken;
> Denn Jesus Christus, Gottes Sohn,
> Der wird die Himmelsthür aufthun,
> Mich führ'n zum ewgen Leben.

vorgebetet wurde, zitternd aus und sprach ihn mit großer Anstrengung nach, worauf er einen gar süßen Trost empfand.

18*

232.

Wenn wir in höchsten Nöthen sein
Und wissen nicht, wo aus noch ein
Und finden weder Hülf' noch Rath,
Ob wir gleich sorgen früh und spat:
So ist dieß unser Trost allein,
Daß wir zusammen insgemein
Anrufen dich, o treuer Gott!
Um Rettung aus der Angst und Noth.

Ein Erecutor, welcher einen armen Bürger auspfänden soll, findet denselben, als er in dessen Wohnung tritt, umringt von seinen Kindern, knieend obiges Lied singen. Durch diesen Anblick, noch mehr aber durch diesen Gesang, wird der Erecutor so weich, daß er seinen Rock dem armen Bürger giebt, damit er ihn verkaufe und seine Schuld bezahle.

Dr. Paul Eber, Professor in Wittenberg, dichtete dieses Lied, als Kaiser Carl V. nach der für die Protestanten so unglücklichen Schlacht bei Mühlberg im Jahr 1547 vor die Stadt Wittenberg gezogen war, in welcher von allen Professoren er, Bugenhagen und Cruziger, auf die Hülfe des Herrn vertrauend, allein zurückgeblieben waren.

---

233. **Wenn wir in höchsten Nöthen sein.**

Im 30jährigen Krieg hatte der chursächsische Oberst v. Gersdorf die Stadt Pegau besetzt und machte von da aus Leipzig viel zu schaffen. Drum setzte sich im December 1644 das schwedische Heer unter General Torstensohn in Bewegung und begann die Stadt Pegau zu belagern. Da alle Aufforderungen zur Uebergabe unbeachtet blieben, ließ er Feuergranaten in die Stadt werfen und bald schlug die Flamme an mehreren Orten in die Höhe. Ein Kugelregen hinderte die unglücklichen Einwohner am Löschen und an der Rettung ihrer Habe. Trostlosigkeit und Verzagtheit bemächtigten sich nun aller Gemüther; die Weiber und Kinder liefen heulend auf den Straßen umher und rannten oft dem Tode, dem sie entgehen wollten, in die Arme. Bis auf das Kloster, die Kirche und einige Hütten lag in der Stadt Alles in Asche, und die kalten Decembernächte mußten die armen Einwohner unter freiem Himmel zubringen.

Da sandte Gersdorf endlich Boten, um wegen der Uebergabe zu
unterhandeln. Aber bei Torstensohn war die Zeit der Gnade
vorüber. Der Rath machte sich in seiner Amtstracht auf und
bat um Schonung; aber Torstensohn hatte keine Ohren mehr für
das Flehen. Da wagte es der wackere Superintendent M. Lange,
noch den letzten Versuch zu machen. Mit zwölf weißgekleideten
Knaben ging er hinaus, in seinen Amtsrock gekleidet. Die
Schweden hielten den Zug nicht auf; bis zum Zelte des feindlichen Generals, der eben einen Hauptsturm verabredet, dringt
das Häuslein vor. Auf einen Wink Lange's knieten jetzt die
Knaben nieder und sangen in höchster Bewegung das Lied:
„Wenn wir in höchsten Nöthen sein." Kaum hatte
hierauf Lange seine Fürsprache vorgetragen, so stürzte ihm der
schwedische Feldherr um den Hals, denn er und Lange waren
Studiengenossen gewesen und Lange hatte sich in diesen Jugend-
zeiten Torstensohn's liebreich angenommen. Alsbald befahl er
dann, daß Lebensmittel in die Stadt geschafft werden sollten,
und ließ seine Leute als Freunde einziehen. Dann trat Lange
auf einen erhöhten Platz und sprach ein herzliches Dankgebet,
worauf er zuletzt die Bürger ermahnte, diese Gnade des Herrn
nicht zu vergessen und ihm nicht nur mit den Lippen, sondern
auch mit dem Herzen und Leben zu danken. Zum immerwäh-
renden Andenken an diese Begebenheit beschloß die Stadt, mit
dem Liede: „Wenn wir in höchsten Nöthen sein" jeden Sonntag den Nachmittagsgottesdienst anzufangen, und so geschieht es
noch bis auf den heutigen Tag.

234. Wenn ich einmal soll scheiden.

Ein treuer Seelsorger, der oft an Kranken- und Sterbe-
betten gestanden, erklärte: „Ich habe nächst mehreren Bibel-
sprüchen nichts so kräftig zum Trost der Seelen gefunden, als
bewährte Kirchenlieder. Wenn mir meine eigenen Worte aus-
gingen, die eigene Rede mir zu ohnmächtig erschien, da drangen
die alten Lieder mit unwiderstehlicher Gewalt den Leuten zu
Herzen; bei dem Einen war es die Erinnerung an die Jugend-
zeit, da sie dieselben gelernt, an Erfahrungen von Gottes Hülfe
im Leben, eine Ahnung von der großen Gemeinschaft der Heiligen, die sich schon daran erbauet, — bei andern, die sie zuerst

in dieser Gestalt hörten, der mächtige Reiz der biblischen Sprache, und überhaupt die Kraft des heiligen Geistes, unter dessen Einfluß die Lieder entstanden; und ich habe es zu meiner Freude sehr oft erlebt, wie durch die alten Lieder das Fünklein in den Herzen angefacht wurde, daß Glaube, Buße, Bekenntniß, Trost, Kraft, Liebe, Vertrauen, Furcht, Hoffnung noch vor dem Ende zu hellen Flammen aufschlugen." Das Letztere zeigte sich auch bei der Raubmörderin Christine H. Ihr Vater war Spezereihändler in dem Oertchen E. unfern der großen Stadt N. Die Eltern waren noch vom alten Schlage, ehrbare und religiöse Leute, dieneten Gott in der Kirche und im Hause, und wollten auch ihre Kinder zu guten Christen auferziehen. Aber ihre Erziehung war zu schwach, ein heutzutage sehr verbreiteter Fehler, der sich leider sogar in vielen Familien findet, die den Grund des Glaubens bewahrt haben. Unter den sechs Kindern war ein Mägdlein, frisch und munter, klug und verständig, dazu von schöner Gestalt. Es war am 25. April 1821 geboren und in der heiligen Taufe mit dem Namen Dessen besonders bezeichnet worden, dem es zu ewigem Eigenthum geweiht ward. Aber sie irrte weit ab, diese Christine, bis sie ihren edlen Namen mit Recht tragen konnte. Sie wuchs heran und wurde körperlich und geistig kräftig, nicht aber geistlich. Ihr Wesen hatte etwas Rasches, Durchfahrendes und Beharrliches, nur nicht in guten Vorsätzen.

Bis zum 18ten Jahre war Christine ein sittsames Mädchen. Aber die Lüge hing ihr an, wie eine Klette, und wie eine Kette, von der sie sich nicht losmachen konnte; und an dieser Kette zog sie Satan in die Laster hinein. Es war in ihrem 20sten Jahre, als sie sich in ein unglückliches Verhältniß mit einem Forstgehülfen einließ, welches der Uebung der Sünde Thür und Thor öffnete, sie in öffentliche Schande und fast auch um ihr junges Leben brachte. Sie wurde Mutter und nach vielen traurigen Erfahrungen starb ihr Liebhaber. Sie gab nun ihr Kind in Kost, um frei zu jedem Dienste und Geschäfte zu sein. Ihr Verdienst reichte aber nicht zu und so beging sie den ersten Diebstahl bei Fremden. Sie nahm von dem Eigenthume der D'schen Ehegatten Sachen an Werth von 30 Gulden weg.

Nach einiger Zeit verlobte sie sich mit einem Wittwer. Derselbe fragte sie im November 1849 ob sie ihm nicht bis morgen 8 Gulden verschaffen könnte, welche ihm zu einer zu leistenden

Zahlung noch fehlten. Sie versprach ihm diese Summe zu lie=
fern, da sie doch nicht so viele Groschen vorräthig hatte. Sie
sann hin und her, was sie thun sollte, um ihr Wort zu lösen.
Und von diesen acht Gulden nahm nun der Teufel Ursache, sie
zu dem entsetzlichsten Verbrechen zu führen.

Da sie durchaus nicht wußte, wo sie das Geld hernehmen
sollte, drängte sich ihr auf einmal gewaltsam der Gedanke auf:
Du bringst die K. W. um und raubst sie aus; so kannst du
deinem Bräutigam helfen und ihm ein Mehreres verschaffen, als
er verlangt hat; und — du kannst — dir die Mittel verschaf=
fen, daß die Heirath von statten geht, und es ist dir aus aller
deiner Noth geholfen. Dieser Gedanke war sogleich fester Ent=
schluß. Am 1. December 1849 war der Mord schon geschehen.
Da Christine mit der K. W. verwandt und öfter bei ihr gewe=
sen war, so fiel auch der Verdacht auf sie. Sie wurde einge=
zogen und saß sechs Monate in der Frohnfeste. Nach langem
hartnäckigen Läugnen gestand sie endlich ihr Verbrechen und das
Todesurtheil wurde über sie ausgesprochen. Das Urtheil mußte
vom Fürsten des Landes bestätigt werden, ehe es vollstreckt wer=
den konnte. Ueber zwei Monate vom Tage ihrer Verurtheilung
an waren ihr noch auf Erden gegeben, eine theure Gnadenzeit
zu rechter Vorbereitung auf die Ewigkeit. Und, Gott sei Dank,
daß man sagen kann, sie hat die Zeit gut benutzt. Ihr Beicht=
vater nahm sich ihrer aufs Treulichste an, und der Geist Gottes
arbeitete unaufhörlich an ihrem Herzen. Sie las täglich in ih=
rer stillen Zelle einige Stunden in dem heiligen Buche, in der
von Gott eingegebenen Schrift und in andern guten Erbauungs=
büchern, die ihr der Beichtvater verschaffte. Und nun kam die
Zeit, wo die in früher Jugend gelernten Liederverse wieder auf=
tauchten. Sie betete dieselben sehr fleißig und namentlich den:

> O heilger Geist, kehr bei mir ein
> Und laß mich deine Wohnung sein,
> O komm, du Herzenssonne. u. s. w.

Einmal sagte sie: „Ich möchte oft mit Kain rufen: Meine
Sünde ist größer, denn daß sie mir vergeben werden könnte.
Denn ich wohl oft denke, ich darf nicht vor die reinen Augen
des Herrn Jesu hintreten, weil ich es zu grob, zu sündlich ge=
macht habe; wenn der Gedanke mir doch zuweilen kommt: Ich
werde von Gott verstoßen bleiben müssen! Und doch setzt sich

der liebevolle Heiland unter die größten Sünder; da will er
eben seine Liebe beweisen an solchen armen Sündern, was eben
die Gnade ist. Er hat sich gewißlich auch meiner erbarmt und
läßt mich nimmermehr."

Ein andermal sagte sie: „Meinen treuen Heiland, den
lasse ich mir nicht nehmen. Das sind meine Erbtheile, welche
ich mir sammeln werde, der Vater, der Sohn und der heilige
Geist. Diese achte ich für Schätze, welche mir kein Mensch in
Zeit und Ewigkeit nehmen kann.

> Mich soll kein Kreuz von Gott abtreiben,
> Und wäre solches noch so groß.
> Mein Vater, du wirst bei mir bleiben,
> Ach, nimm mich auf in deinen Schooß.
> In Trübsal, Kreuz und aller Noth
> Verlaß ich mich auf dich, mein Gott!"

„Hart ist's freilich, also wie ich sterben zu müssen! Aber
einem Räuber, einem Mörder geschieht nicht zu viel. Ich freue
mich auf meinen Tod, weil ich ein neuer Mensch werde, und
das Heil des Herrn erlange. Ich habe meinen Heiland bei mir,
er steht mir zur Seite. Ich habe einen treuen Führer und Begleiter, welcher mich einer bessern Heimath zuführt, wo ich keine
Schmach mehr tragen darf; da werde ich Freude haben."

Am Tage der Gerichtsvollstreckung, den 14. Februar 1851
kam der Beichtvater Morgens um 7 Uhr. Sie war gefaßt und
ruhig, aber heilig-ernst gestimmt. Der Beichtvater betete mit
ihr und sagte, zwar der schwerste, aber der schönste Tag ihres
Lebens sei angebrochen, denn er gehe in den ewigen Tag hinüber.

Jetzt feierte sie das heilige Abendmahl des Versöhners.
Demüthig, aber laut und bestimmt legte sie in der Beichte das
besondere Sündenbekenntniß ab, und empfing gläubig, freudig
und tiefgerührt das Sacrament.

Vor dem Stadtgericht wurde das Urtheil verlesen und
der Stab über sie gebrochen. Unter dem Läuten des Armen-
sünderglöckchens fuhren sie von dort ab. Es ging jetzt zur
Stadt hinaus und die Anhöhe hinauf zum Schaffot. Nun wurden ihr die Arme festgebunden, daß sie nicht durch Zucken der
Achseln den Weg des Schwertes störe; das Haar wurde ihr hinten weggeschnitten, damit das Schwert nicht abgleite. Während
dem blickte sie stets bewußt und sehnsuchtsvoll ihrem Beichtvater
ins Auge. Jetzt wurden ihr die Augen verbunden, und der

Beichtvater führte sie auf's Gerüste. Die Treppe hinauf betete sie:

> Wenn ich einmal soll scheiden,
> So scheide nicht von mir;
> Wenn ich den Tod soll leiden,
> So tritt du dann herfür.
> Wenn mir am allerbängsten
> Wird um das Herze sein,
> So reiß mich aus den Aengsten
> Kraft deiner Angst und Pein.

Der Beichtvater gab ihr oben den letzten Händedruck, den sie kräftig erwiederte, und sie setzte sich auf den verhängnißvollen Stuhl. Der Henkersknecht faßte sie bei den Haaren, das Schwert der Gerechtigkeit blitzte von des Scharfrichters Hand, und mit einem Hieb, in einem Augenblick, war das Haupt vom Rumpfe getrennt. Sie starb mit Bewußtsein.

Den Vers: Wenn ich einmal soll scheiden 2c. haben wohl schon Tausende von Sterbenden in dem letzten Stündlein gebetet. Wer das bedenkt und doch an solchem Verse ein Wort ändern kann, der ist mehr als frech. So mancher müde Pilger der Erde hat sich oft an den Gesängen, als an der Stimme Gottes und treuer Zeugen der Vorwelt, erquickt; sie sind ihm im Gedächtnisse, im Herz und Sinne gegenwärtig, und kommen ihm in der Stunde der Kümmerniß gern mit der Zeile, in dem Zuge wieder, der jetzt seiner Seele am meisten noth ist.

235.

Im Jahre 1617 den 29. November trat Martin Rinkart als Diakonus zu Eilenburg sein Amt mit dem Wunsche an:

> Auf dein Wort, Jesu, ich mein neu Netz frisch ergreife,
> Geb in die wilde See, die Segel weit ausschweife.
> Hilf ziehn, hilf fangen mir der Himmelskinder viel
> Und richte Netz und Schiff und Wind zum guten Ziel.

Mancherlei harte Prüfungen trafen den frommen Rinkart in der langen Reihe von Jahren, in welcher er zum Segen seiner Vaterstadt wirkte. Denn auch er wurde durch die damaligen Zeitereignisse hart bedrängt. Ein großes Verdienst erwarb

sich der fromme Mann für die Stadt, als den **21.** Februar **1639**
der schwedische Oberstlieutenant von Dörfling die Summe von
30,000 Thalern in Eilenburg durch die Drohung zu erpressen
suchte, daß, im Fall die Summe nicht aufgebracht würde, sämmt=
liche Bürger mit weißen Stäben herausgehen sollten. Rinkart
wagte eine Fürbitte; jedoch fruchtlos. Nachdem er mit abschlä=
giger Antwort aus Dörflings Quartier zurückkehrte, sprach er
zur Bürgerschaft, die ihm dahin gefolgt war, die, eines Reli=
gionslehrers würdigen Worte: „Kommet, meine lieben Kirch=
kinder, wir haben bei den Menschen kein Gehör, noch Gnade
mehr, wir wollen mit Gott reden!" Darauf ließ er zur Bet=
stunde läuten, in welcher das Lied: „Wenn wir in höch=
sten Nöthen sein," angestimmt wurde, und Rinkart selbst
knieend, das Vaterunser nebst mehreren andern Gebeten sprach.
Schon die Schilderung dieses rührenden Zuges von Frömmig=
keit machte auf die schwedischen Befehlshaber einen so tiefen
Eindruck, daß sie ihre Forderung auf **8000** Thaler herabstimm=
ten. Da die Eilenburger auch diese nicht aufbringen konnten:
so begnügten sich die Schweden einstweilen mit **4000** Fl., theils
an baarem Gelde, theils an einem silbernen Kelche und einer
Kanne aus der Kirche; nach andern Nachrichten mit **1805** Tha=
lern, und nahmen wegen des Rückständigen eine Schuldverschrei=
bung an. Auf Rinkarts wiederholte flehentliche Bitte ließ je=
doch Dörfling auch von dieser Forderung noch **2000** Fl. nach.

Und was war der Lohn dieses edlen Bürgers? Er theilte
ihn mit allen Bessern der Menschheit; denn auch er erfuhr den
Undank seiner Mitbürger schmerzlich.

Rinkart starb den **8.** December **1649**, im 64sten Jahre
seines Alters, und beschloß also in seiner Vaterstadt, seine amt=
liche Laufbahn, die er im ersten Jahre vor dem Anfange des
dreißigjährigen Krieges begonnen hatte, im ersten Jahre nach
Endigung desselben. Seine Gebeine liegen in der Stadtkirche
zu Eilenburg und sein Bildniß hängt noch daselbst.

———

236.

Bei einem gewaltigen Sturme und einem damit verbun=
denen Erdbeben im Jahre **1580** hatte der Thurm der Kathari=
nenkirche zu Alt=Brandenburg bedeutende Risse bekommen, so

daß man seinen Einsturz befürchtete. Diese Furcht wurde im Jahre 1582 noch stärker, als aus den verkitteten Ritzen der Kalk gefallen, und der Thurm deutlich drei Zoll vom Kirchgiebel abgewichen war. Man beschloß daher, die Glocken niederzulassen, und der Stadt-Pfeifer, Meister Martin Rering, verließ am 29. März Abends mit Weib und Kind den Thurm, seinen drei Gesellen Antonius Stortewein, Andreas Drichel und Georg Wulf die Nachtwache anvertrauend. Antonius Storte-wein blies um 9 Uhr Abends den Gesang vom Thurme ab: „Wenn wir in höchsten Nöthen sein" und um 3 Uhr Morgens „Wo Gott der Herr nicht bei uns hält;" Lieder, die wunderbar zu dem nachfolgenden Unglücke passen. Nach diesen ging er wieder zu seinen zwei Genossen ins Bette, die allesammt auf dem obersten Boden über des Stadtpfeifers Wohnung unter dem Dache, auf der Höhe des Thurms, lagen.

Kaum war Antonius in's Bette zurückgekehrt, als alle drei hörten, daß der Boden unter ihnen krachte, und mit einem Male schoß der ganze Thurm theils nach der Kirche, theils nach dem Kirchhofe zu. Mit dem obersten Boden stürzten auch die drei Jünglinge mit ihrem Lager nieder, und fielen mit Stroh und Federbetten auf den Kalk = und Steinhaufen. Und wie sich der ältere aufgemacht und davongelaufen, hat der mittlere Knabe zu ihm gesagt: „Liege stille, wo willst du hin? Wir liegen noch auf dem Dache;" nicht anders meinend, als sie wären auf das Kirchdach gefallen.

Männer und Frauen der Nachbarschaft versicherten, daß ein helles Licht oben im Thurme von ihnen sei gesehen worden, was mit der Spitze herunter gefallen sei, obgleich zu damaliger Zeit kein Licht auf dem Thurme gewesen ist. Und Fischer, die in selbiger Nacht zwei und drei Meilen weit auf der Havel ge-wesen, versicherten, in der Nacht kurz vor Tage eine dreifache Kerze oder Fackel in den Lüften lichterloh brennend gesehen zu haben, welche man für die drei Engel gehalten, die den Jüng-lingen zur Hülfe gesendet wurden.

237.

Als im Jahre 1732 von den ausgewanderten Salzbur-gern 800 Mann vor Berlin angelangt waren, kamen ihnen Pre-

diger und Schullehrer, nebſt vielen Schülern, entgegen. Die
Salzburger zogen unter dem Geſange: „Wenn wir in höch=
ſten Nöthen ſind,“ gegen die Stadt. Als die Deputation
ſie erreicht hatte, machte man Halt; die ihr Entgegengekommenen
ſtellten ſich der Deputation gegenüber, und man ſtimmte gemein=
ſchaftlich „Ein' feſte Burg iſt unſer Gott“ an.

<hr/>

238.

Wer Gott vertraut, hat wohl gebaut
Im Himmel und auf Erden;
Wer ſich verläßt auf Jeſum Chriſt,
Dem muß der Himmel werden.
Darum auf dich all' Hoffnung ich
Ganz ſicherlich thu' ſetzen.
Herr Jeſu Chriſt! mein Troſt du biſt
In Todesnoth und Schmerzen.

Als Maria Stußin, eine Bäckersfrau zu Frankenberg,
am Abend vor ihrem Ende das ſchöne Lied: „Wer Gott ver=
traut u. ſ. w.“ mit inniger Rührung ihres Herzens und vielen
Thränen ſang, da wußte ſie nicht, daß ihr noch heute Nacht ein
grauſamer Tod von Mördershand bevorſtände. Der Geiſt aber,
welcher in und für uns ſeufzt und betet, und welcher Alles, auch
das Verborgene, Künftige weiß, der trieb dieſe Seele an, daß ſie
noch, ehe der Sturm der Todesnoth losbrach, den Anker ihrer
Hoffnung und ihres Sehnens auswarf in den Grund, da der=
ſelbe ewig feſthält: auf Jeſum, ihren Seligmacher und Retter.
Und wenn dieſer Anker einmal Grund gefaßt hatte, da konnte
freilich der Sturm nichts ſchaden.

Jenes ſchöne Lied, beſonders der erſte Vers, war auch
des Herzogs Ernſt Ludwig von Pommern Lieblingsgeſang und
Sprüchwort. Den dritten Vers haben viele gläubige Seelen
beim Sterben gebetet.

Der Mann, welcher wahrſcheinlich das Lied gedichtet hat,
hieß Joachim Magdeburg, war 1552 Prediger in Ham=
burg, dann ſeit 1558 in Magdeburg, wo er 1560 ſtarb. An=
dere ſchreiben übrigens dieſes Lied dem Johann Möhlmann
zu, geboren 1572 zu Pegau, geſtorben 1613 als Prediger bei
St. Nicolai zu Leipzig.

<hr/>

239. Wer Gott vertraut, hat wohl gebaut.

M. Stoltherfoth, Prediger zu Lübeck, war mit mehreren Kaufleuten von Schonen aus zu Schiffe gegangen, um nach der Insel Rügen zu steuern. Es war eben Montag nach dem 3. Epiphaniassonntage, als sich ein solches Stürmen und Ungewitter erhob, daß sie acht Tage unter Anker liegen bleiben mußten.

Als nun der vierte Sonntag nach Epiphanias kam, dessen Evangelium von dem stürmischen Meere handelt, sagte einer der Kaufleute, daß niemand besser die Schifffahrt der Jünger wisse und verstehe, als diejenigen, die sie selber zur See erfahren. Ein anderer von den Kaufleuten sprach: es wundere ihn nur eines, daß die Jünger so furchtsam gewesen, da sie doch den Herrn Jesum bei sich im Schiffe gehabt und vor Augen gesehen hätten.

M. Stoltherfoth antwortete: Da müsse man lernen, wie der Glaube sich nicht auf das Sehen verlasse, sondern eine Zuversicht sei deß, das man hofft und nicht zweifelt an dem, das man nicht siehet. Hebr. 11, 1.

Darauf sagte ein anderer Kaufmann, es stehe im Evangelium nichts von Rudern, da doch außer Zweifel die Jünger viel Mühe, Arbeit und Angst damit würden gehabt haben.

Ich bin versichert, sprach hierauf Stoltherfoth, daß gewiß zwei Ruder gewesen, die von den Jüngern nicht recht gebraucht worden sind. Dies ist das erste gewesen: Herr, wenn ich nur dich habe, so frage ich nichts nach Himmel und Erden. Das andere Ruder: Auf Christum will ich bauen, und ihm allein vertrauen. Ihm hab' ich mich ergeben im Tod' und auch im Leben.

Hierbei fiel wieder einer der Kaufleute ein: warum er nicht auch ein drittes Ruder genannt habe? Aber kaum hatte er dieses gesprochen, als der letzte und heftigste Sturm kam, daß das Schiff zu stranden und zu scheitern begann. Da fingen sie allesammt an zu singen: Wer Gott vertraut, hat wohl gebaut. Allen gelang, sich zu retten; nur einer stürzte in's Wasser, und als keine Hülfe mehr möglich, rief ihm M. Stoltherfoth zu: Verschlingt dich gleich das Meer, so kann's doch Jesum, den du im Herzen hast, und also auch deine Seligkeit nicht verschlingen.

Darauf antwortete der mit den Wogen noch ringende
Kaufmann: Verschling', ich süng': Wer sich verläßt auf Jesum Christ, dem muß der Himmel werden.

Als nun die Andern glücklich an Port gekommen, dankten
sie Gott für seine wunderbare Hülfe und Rettung, und M. Stol-
thersoth spricht: Nun, das dritte Ruder mag sein und bleiben:
Wer sich verläßt auf Jesum Christ, dem muß der
Himmel werden. Verschlinget uns gleich das Wasser und
Meer, so kann es doch Jesum und die Seligkeit nicht verschlingen.

---

240. Wer Gott vertraut, hat wohl gebaut.

Ein armer Student, welcher sich in Leipzig sehr kümmerlich behelfen mußte, hatte dieses Lied recht lieb und sang es alle
Morgen und alle Abend. Hierauf wurde er in einer gewissen
Stadt bei einem vornehmen Prediger Informator. Wie er sich
nun sehr wohl hielt, so geschahe es, daß, als er an einem Abend
dieses Lied sang, und auf den letzten Vers gekommen war, ein
Consistorialbote an seine Stubenthür klopfte und ihm andeutete,
er solle sich bereit halten und künftigen Sonntag die Probepredigt
auf eine Pfarrstelle halten. So verläßt der Herr den nicht, der
sich zu ihm hält.

241.

Wer nur den lieben Gott läßt walten
Und hoffet auf ihn allezeit,
Den wird er wunderlich erhalten
In allem Kreuz und Traurigkeit.
Wer Gott, dem Allerhöchsten, traut,
Der hat auf keinen Sand gebaut.

Georg Neumark, so heißt der Sänger dieses herrlichen
Liedes, war nicht nur ein berühmter Liederdichter, sondern auch
ein vortrefflicher Rechtsgelehrter und Meister auf der Gambe,
einem Saiteninstrument, das jetzt aus dem Gebrauch gekommen
ist. Er wurde geboren den 16. März 1621 zu Mühlhausen im
Thüringschen. Seine erste wissenschaftliche Bildung erhielt er
von 1630—1640 auf dem Gymnasium zu Schleusingen. Um
den Kriegsnöthen zu entgehen, zog er im Jahre 1643 auf die

Universität Königsberg als Studirender der Rechtswissenschaft. Hier, wo gerade die Dichtkunst unter Simon Dach und dessen Schule in schönster Blüthe stand, verlebte er seine Jugendjahre und widmete sich mit großem Eifer nebenher auch der Dichtkunst. In der ersten Zeit seines dortigen Aufenthalts trafen ihn schwere Unglücksfälle; so verzehrte ihm eine Feuersbrunst im Jahre 1646 seine ganze Habe bis auf den letzten Heller. Diese traurigen Geschicke stärkten aber nur seinen Muth und sein Vertrauen auf Gottes Schutz und Fürsehung. Nachdem er sich fünf Jahre in Königsberg aufgehalten hatte, ging er über Danzig nach Thorn und verlebte hier zwei glückliche Jahre. Nach Beendigung des blutigen 30jährigen Krieges beschloß er in seine Heimath zurückzukehren, reiste aber dabei über Hamburg; was seine wirkliche Rückkehr noch verzögerte. Hier traf ihn solche Noth und eine so drückende Lage, daß er sein Alles, seine geliebte Gambe versetzen mußte. Das Mitleiden des schwedischen Gesandten, von Rosenkranz, rettete ihn, indem derselbe ihn mit Schreiben beschäftigte, und ihn hernach sogar als Secretair mit einem Gehalte von 100 Thaler im Jahre 1650 anstellte. Sogleich löste er seine Gambe wieder ein und verfertigte unter Vergießung vieler Thränen Gott zu Lob und Dank den Text und die Melodie des Liedes: Wer nur den lieben Gott 2c. Er verließ jedoch schon im Jahre 1651 diese Stelle, denn es zog ihn nach Weimar, wo er am Hofe des Herzogs Wilhelm IV. als Kanzleiregistrator und Bibliothekar angestellt wurde. Dort starb er den 8. Juli 1681.

Das Lied ist ein Kern= und Lieblingslied der evangelischen Kirche geworden. Es ist eins von den Liedern, mit denen die sogenannten Liederverbesserer noch ziemlich glimpflich verfahren sind. Es hat auch schon vielfachen Segen gestiftet. Hier nur einige Beispiele.

Der ehemalige Superintendent Dr. Petersen in Lüne= burg hat verschiedene Stellen bekleidet. Unter andern war er auch in Gießen; aber hier hatte er seines Glaubens wegen so viele Anfechtungen und Widerwärtigkeiten zu bestehen, daß er den Entschluß faßte, diese Stadt zu verlassen. Gerade als er beschlossen hatte, seinen Entschluß auszuführen, sangen die Cur= rentschüler vor seiner Thüre das Lied: „Wer nur den lieben Gott läßt walten." Petersen wurde dadurch so gerührt, daß er beschloß, für jetzt noch zu bleiben.

Ein Prediger des Evangeliums darf nicht so leicht amts=

und kreuzesflüchtig werden, wenn er auf Grund des Wortes
Gottes steht. Denn so wenig der Prediger sich und seine Pre=
digt aufdringen darf, gemäß dem Befehle des Herrn: „Wo euch
Jemand nicht annehmen wird, noch eure Rede hören, so gehet
heraus von demselbigen Hause oder Stadt, und schüttelt den
Staub von euren Füßen!" — so wenig soll er sich fürchten vor
Denen, die den Leib tödten, aber die Seele nicht mögen tödten.

In Lüneburg, wohin er späterhin als Superintendent
berufen war, wurde er seines Amtes auf eine sehr unbillige
Weise entsetzt. Denn er hatte von allen seinen besondern Mei=
nungen nichts auf die Kanzel gebracht, und es ist ganz sicher,
daß die damaligen Prediger in Lüneburg sich sehr an ihm ver=
sündigt hatten.

Allein Gott zeigte auch bald sein Mißfallen an dem Be=
tragen dieser Prediger, indem nicht lange nach dem Abzuge jenes
rechtschaffenen und gelehrten Mannes, die drei jüngsten derselben
in einem Monate starben, zwei andere auf eine andere Art sehr
empfindlich heimgesucht wurden, indem der eine auf dem rechten
Auge verblendet, dem andern aber der rechte Arm lahm wurde.

Ein vornehmer Rathsherr in Lüneburg ertheilte dem Dr.
Petersen hiervon Nachricht und gab ihm die Stellen Zachar. 11,
V. 8 und 17 zu bedenken.

Die Hand Gottes war hier so sichtbar, daß selbst geringe
Leute sie erkannten, und unter andern ein Schiffer, der nach
Hamburg fuhr, frei und öffentlich sagte: Wer nun nicht siehet,
daß die Priester dem Superintendent Unrecht gethan haben, der
muß stockblind sein. Petersen starb 1727.

---

242. Wer nur den lieben Gott läßt walten.

Gar trostkräftig und erhebend erklang vor einigen Jahren
dieses Lied als „ein Gesang über den Wassern." Im
Sommer 1850 zogen nämlich vom Rhein her nach Amerika zwei
Bauersleute, denen es in der Heimath nicht mehr wohl gefiel.
Nun hatten sie zwar im Anfange große Freude an den Mee=
reswundern, aber wie es alle Tage dasselbe gab und kein Ende
nehmen wollte, ward ihr Muth gar geringe. Und sie saßen oft
bei einander oben auf dem Schiffsboden und sahen mit trübseli=
gen Blicken hinunter in die See und hinaus, wo sie hergekom=

men waren. Also saßen sie einstmals auch wieder beisammen droben auf dem Verdeck an einem Sonntagsmorgen. Da sagte der Eine: „ich hätte es mein Lebtage nicht geglaubt, daß einem der Sonntag so weh thut und die Seele drückt, wenn man ihn nicht hat." Und wie sie daran in ihrem Herzen gedachten, ward's ihnen inwendig heiß und weich zum Weinen. Da stand der Andere auf und ging an seine Kiste und nahm eine Bibel und ein Gesangbuch heraus und kam wieder zu seinem Kameraden und las die Epistel und das Evangelium desselbigen Sonntags vor und darauf betete der Andere den Glauben. Und darnach schlugen sie das Gesangbuch auf und huben an mit lauter Stimme zu singen: „Wer nur den lieben Gott läßt walten." Es waren aber auch noch andere Auswanderer aus Deutschland auf dem Schiffe. Wie sie das deutsche Kirchenlied hören mitten auf dem Meere, geht ihnen das Herz auf und sie kommen herzu und stellen sich im Kreise um unsere beiden Bauersleute, entblößten ihr Haupt und singen mit: „Wer nur den lieben Gott läßt walten." Und der Gesang kam immer kräftiger aus Herzensgrund und schallte weithin in die See hinaus und das Meer rauschte darein wie eine Orgel. Da schwebte der Geist Gottes auf den Wassern. Und die beiden Bauersleute und die Anderen hatten sich das Trauern aus der Seele herausgesungen und es war ihnen selig zu Muth, als wären sie daheim im lieben Vaterlande.

243.

Wer weiß, wie nahe mir mein Ende?
Hin geht die Zeit, her kommt der Tod.
Ach, wie geschwind und behende
Kann kommen meine Todesnoth!
Mein Gott, ich bitt' durch Christi Blut,
Mach's nur mit meinem Ende gut.

So habt ihr wohl Alle schon oft gesungen, geliebte Leser! Aber verhallt sind die Worte; wenn das Gesangbuch zugemacht ist, so ist von Vielen vergessen, was gesungen worden ist, gleichwie wenn die Kirchthüre sich schließt, auch die Predigt vergessen ist von ihrer Vielen. So soll es aber nicht sein. So oft du in dein Haus trittst, sei es nun vom Geschäfte oder von der Kirche

Heinrich, 'zErz.   19

oder von wo anders her, so oft du Abends einschläfst und
Morgens an dein Tagewerk gehest, so oft im Laufe der Woche
Welt und Sünde dich locken, böses Beispiel von Außen und
Lust und Begierde von Innen, — o dann wiederhole dir mit
Ernst die Worte: Wer weiß, wie nahe mir mein Ende? Ach
wer weiß, ob du nicht zum letzten Male da oder dort gewesen,
dies oder jenes vollbracht hast? Ungewiß ist die Stunde, wann,
ungewiß der Ort, wo, ungewiß die Art und Weise, wie du
sterben wirst, o so bestelle doch bei Zeiten dein Haus, lerne sterben, bevor du stirbst; mache dich vertraut mit dem ernsten Gedanken an Tod, Gericht und Ewigkeit. Auch die nachstehenden
Geschichten mögen dich dazu ermuntern.

Ein junger Steinbrecher sang an dem Morgen seines Todestages, ehe er hinausging an das Losarbeiten der Sandstein-
masse, die ihn zerschmetterte, mit großer Rührung das oben angeführte Lied. Dergleichen Geschichten von Bergleuten, Schiefer-
deckern und andern solchen Menschen, welche nicht der Vorwitz,
sondern der ihnen von Gott verliehene Beruf in Todesgefahr
führte, wüßte ich mehrere anzuführen. Gar oft ist es geschehen,
daß der Geist, welcher uns vertritt in unserer Schwachheit mit
unaussprechlichem Seufzen, dergleichen Leute, wenn sich ihnen
der Tod auf ihren Berufswege nahete, und wenn sie nur sonst
nach dem Maaß ihres Erkenntnisses Gott gefürchtet hatten, zu
inbrünstigem Gebet und Flehen um Gnade und Erbarmung, oder
zum Singen solcher Lieder antrieb, womit der Christ sich auf sein
Ende bereitet.

244.

Ein Jüngling war bei seiner Arbeit von der einstürzen-
den Wand einer tiefen Sandgrube erschlagen worden. Schon
seit etlichen Tagen hatte man an dem Jünglinge bemerkt, daß er
sehr ernst und in sich gekehrt war. Er hatte immer von Tod
und Ewigkeit gesprochen, und mit rechter Sehnsucht die Seligkeit des Himmels gerühmt, da man Gott preisen wird ohn' Aufhören. Heute, am Morgen seines Todestages, war er früh
aufgewesen, hatte sehr andächtig und mit Thränen sein Morgengebet verrichtet und dann das Lied gesungen: „Wer weiß, wie
nahe mir mein Ende.“ Die Mutter hatte ihn wollen zu Hause

behalten von der Arbeit, er aber hatte sich nicht lassen abwendig
machen, mit seinem Vater zu gehen und diesem zu helfen. Wie
war doch der Vers des Liedes an ihm so eingetroffen:

> Es kann vor Nacht leicht anders werden,
> Als es am frühen Morgen war;
> Denn weil ich leb' auf dieser Erden,
> Leb' ich in steter Tod'sgefahr.

Aber der kluge Jüngling hatte sein Haus zur rechten Zeit
und auf die rechte Weise bestellt.

245.

Im Jahre **1733** den **25.** Sept. gegen Abend ging der
Stadtrichter Johann Jahn in Suhl hinaus in den Wald, um
sich mit Schießen zu vergnügen. Kaum in dem Wald angekommen, fängt er an zu singen: „Wer weiß, wie nahe mir mein
Ende?" Nach kurzer Zeit fühlt er eine große Schwachheit, setzt
sich einen Augenblick auf einen alten Stock und wird sogleich von
einem harten Schlagfluß dergestalt betroffen, daß er todt darnieder sinkt und so nach Hause getragen wird.

Ueber die Urheberschaft dieses im ganzen evangelischen
Deutschland verbreiteten Sterbeliedes sagt Casp. Wetzel: „Sie
bleibt ein Zweifelsknoten in der Liederhistorie, welcher schwer
aufzulösen, weil an einer Seite der Respect für eine gottselige
und wahrheitliebende hochgräfliche Person, welche sich in ihrem
Leben dazu bekennet hat, auf der andern Seite aber der Credit
eines alten, ehrlichen und frommen Theologen, welcher sich solches in Demuth zugeschrieben, die Entscheidung sehr schwer, ja
fast unmöglich zu machen scheint."

Es streiten sich nämlich um die Urheberschaft dieses Liedes
M. Mich. **Pfefferkorn**, der am 13. März **1732** im 86. Jahr
seines Alters als Superintendent zu Tonna starb, und **Emilie
Juliane**, Gräfin von Schwarzburg-Rudolstadt, die in ihrem
69. Jahre am 2. Dec. **1706** aus dieser Welt ging. So viel ist
mit Sicherheit anzunehmen, daß das Lied im Jahre **1686** gedichtet worden ist, und daß der schnelle Tod des Herzogs Johann
Georg zu Eisenach die Veranlassung dazu gegeben hat.

------

19 *

246. Weicht, ihr finstern Sorgen.

Ein armer, aber christlich denkender Mann erzählte mir von seinem Sohne, der in seinem dreizehnten Jahre starb: Einmal war ich sehr bekümmert über meine Umstände, und sorgte hin und her, sagte aber nichts. Der Sohn sitzt beim Spulrade, und fängt auf einmal an zu singen:

Weicht ihr finstern Sorgen;
Denn für heut' und morgen
Sorgt ein andrer Mann.

Die ganze Last der Sorgen fällt dem Vater bei diesem Liede vom Herzen, und er schämt sich seiner Kleingläubigkeit. In seiner letzten Krankheit sagte der Knabe: Vater, ich habe wohl auch umher gedacht, wie ihr das Geld bekommen sollt, mich begraben zu lassen; aber:

Der Vater in der Höhe,
Der weiß zu allen Sachen Rath.

Der Dichter des Liedes ist Ernst Gottlieb Woltersdorf, geb. den 31. Mai 1725 zu Friedrichsfelde bei Berlin, wo sein Vater Prediger war. Letzterer starb als Prediger an der St. Georgenkirche in Berlin. Sein Sohn besuchte in Berlin das Gymnasium zum grauen Kloster und studirte bis 1744 in Halle. Ward 1748 Prediger in Bunzlau, wo er 1754 ein Waisenhaus stiftete. Er starb frühe, vom Dienste im Weinberge des Herrn verzehrt, den 17. December 1761. Ein von der Liebe Jesu Christi tief durchdrungener Mann, innig, feurig, voll barmherziger Liebe, dabei ein geistvoller, strömender Dichter. Neben fünf und dreißig erbaulichen Schriften, die er verfaßte, dichtete er nämlich 218 geistliche Lieder, die meisten zwischen 1748 und 1751. Seine Lieder sind aus dem Herzen gequollen und nichts Gemachtes, denn er selbst sagt einmal: „Es ist gewiß eine sehr elende Arbeit, geistliche Lieder zu dichten ohne den Geist Gottes."

247.

Wir glauben all an Einen Gott,
Schöpfer Himmels und der Erden;
Der sich zum Vater geben hat,

Daß wir seine Kinder werden.
Er will uns allzeit ernähren,
Leib und Seel' auch wohl bewahren;
Allem Unfall will er wehren,
Kein Leid soll uns widerfahren.
Er sorgt für uns, hüt't und wacht,
Es steht Alles in seiner Macht.

Die durch Luther im Jahre 1525 besorgte Verdeutschung des alten lateinischen aus der Ambrosianischen Zeit stammenden Hymnus: „Patrem credimus." Es ist also das deutsche Patrem oder Credo, das in deutsche Reimen gebrachte Nicänische Glaubensbekenntniß. Schon im 15. Jahrhundert gab es eine Verdeutschung desselben.

Fortunatus, ein Schulmeister zu Niemegen, kam zum Bürgermeister selbiger Stadt, und bat um Vermehrung seines Jahrgeldes, weil seiner Kinder Zahl groß sei und mit jedem Jahre größer werde.

Als sich der Bürgermeister bedacht und nicht alsobald darauf eingehen wollen, fuhr er wieder in seiner Rede fort und sprach: Doch warum bemühe ich den Herrn Bürgermeister um dieser Sache willen? Giebt mir Gott viele Kinder, so macht er er sich selbst viele Sorgen, denn so lautet ja:

Er sorget für uns, hüt' und wacht,
Es stehet Alles in seiner Macht.

Darauf ging er, ohne der Antwort zu harren, getrost und fröhlich von dannen.

---

248. Wir glauben all' an Einen Gott.

Jakob Bording, Doctor der Medicin und Professor zu Kopenhagen, forderte Tags zuvor, ehe er starb, seine Hausfrau und Kinder an's Bette und vermahnte sie väterlich, wie sie sich nach seinem Tode verhalten sollten. Darnach legte er nach dem Exempel des frommen Erzvaters die Hände auf die Kinder und segnete sie. Seine Hausfrau aber umfing er und segnete sie auch.

Als dieses geschehen, hat er alle von sich gelassen, als ob nun Alles vollbracht sei, und sich zur Ruhe begeben. In der

Nacht vor dem Tage, da er verschied, begann er in herzlicher
Andacht zu singen:

> Wir glauben all' an Einen Gott,
> Schöpfer Himmels und der Erden, u. s. w.

Als er aus Schwachheit nicht fort konnte, frug er die
Umstehenden, ob sie nicht vollends hinaus singen wollten. —
Nach dem Gesang hat er sich das 53. Cap. des Jesaias und des
3. Johannis vorlesen lassen und fleißig zugehört. Darauf ist
ihm die Sprache verfallen und haben ihm Herr M. Tycho und
Dr. Johannes Spitho in's Ohr gerufen: Also hat Gott die
Welt geliebt, u. s. w. Diesen beiden hat er die Hand aus dem
Bette gegeben und für ihr Zusprechen gedankt und ist darauf
selig eingeschlafen.

249.

> Wie schön leucht't uns der Morgenstern,
> Voll Gnad' und Wahrheit von dem Herrn
> Aus Juda aufgegangen!
> O edler Hirt, du Davidssohn!
> Mein König auf dem Himmelsthron,
> Du hast mein Herz umfangen!
>   Lieblich,
>   Freundlich,
> Schön und prächtig, stark und mächtig, reich von Gaben,
> Hoch und wundervoll erhaben!

Als zur Zeit der Reformation das neu erwachte christliche
Leben insbesondere auch in dem Lied, im Gesang eine kräftige
Wurzel fand, wurden nicht selten beliebte weltliche Volksmelodien
Gottesliedern untergelegt, und gerade diese Melodien sind unüber-
troffen. Dahin gehört z. B. Nun ruhen alle Wälder ꝛc.,
Was mein Gott will, gescheh allzeit ꝛc., das eine
französische weltliche Volksmelodie ist, ferner: Wie schön leuch-
tet uns der Morgenstern.

Das letzte Lied ist von Dr. Phil. Nicolai. Es soll
derselbe bei Dichtung dieses Liedes eine so große Freudigkeit und
hohe Begeisterung empfunden haben, daß er darüber Essen und
Trinken vergessen, und als die Seinen ihn dazu gerufen, sich
geweigert haben, zu ihnen zu kommen. Er vollendete dieses Lied

3 Uhr Nachmittags, und wie die Anfangsbuchstaben eines jeden Verses bezeugen, widmete er es Wilhelm Ernst, Graf und Herr zu Waldeck, wo er vom Jahre 1587 bis 1593 Hofprediger war. Fast kein Lied irgend eines Liederdichters in diesem Jahrhundert hat so auf die Zeitgenossen gewirkt, als dieses.

Nicolai verwaltete das Predigtamt in Mengeringhausen, Härdike, Köln, Wildungen, Unna (wo er eine große Pest erlebte im Jahre 1597, so daß vor seinem Fenster in einem Jahre gegen 1100 Personen beerdigt wurden, in welcher Zeit er obiges Lied dichtete) und zuletzt als Pastor zu St. Katharinen in Hamburg, wo er den 26. October 1608 starb. Außer dem angeführten Liede hat er noch gedichtet: Wachet auf! ruft uns die Stimme 2c. Zu letzterem hat er auch die köstliche Melodie komponirt, welche von Palmer mit Recht der König der Choräle genannt wird.

---

250. Wie schön leucht't uns der Morgenstern.

Die kleine Rosina war das einzige Kind sehr armer, aber gottesfürchtiger Eltern. Der Vater lebte als Tagelöhner zu Nickern, in der Pfarrei Lockwitz bei Dresden. Er hatte zwar ein eigenes Häuslein, aber Nichts darinnen, als was seine Hände von Tag zu Tag, von Woche zu Woche erwarben, so viel als eben zur Nahrung und Kleidung für ihn und die Seinigen hinreichte. Aber diese, seine fleißigen Hände, hatten nicht blos gelernt zu arbeiten, sondern sich auch gern zum Gebet zu falten; er betete oft und aus Herzensgrunde mit den Seinen, denn er war fromm. Dieser gute Vater war erst 30 Jahr alt, da führte ihn Gott zum Krankenlager, von welchem er nicht wieder aufstand. Die Krankheit dauerte etliche Wochen. Der Pfarrer Gerber und sein adjungirter Sohn besuchten ihn oft in seinen letzten Tagen, um ihn zu trösten und zu stärken. Ihm selber war der Trost nicht so vonnöthen, als seiner armen Frau; denn er war ruhig und gottergeben; die Frau aber sollte von dem lieben Manne und Versorger scheiden, und es war weder Geld noch Brod in dem Hause, als was mitleidige Seelen in's Haus brachten. In dieser Zeit der Leiden war das Töchterlein des Tagelöhners, damals noch nicht acht Jahr alt, den armen Eltern zum besondern Trost. Wenn der Seelsorger weg

war, blieb das Kind an des Vaters Bette sitzen, sang ihm Lie=
der vor und betete ihm die Sprüche, die es vom Pfarrer gehört
oder in der Schule gelernt hatte.

Der Vater starb. — Die Wittwe trauerte sehr um ihren
frommen, fleißigen Ehemann, und weinte oft viel. Da tröstete
das Mägdlein immer die Mutter, wenn sie diese so weinen sah,
mit schönen Trostsprüchen aus der heiligen Schrift, die sie in
der Schule gehört hatte, oder mit Versen aus guten, christlichen
Liedern, z. B. mit dem Vers aus dem kinderfrommen Liede des
Hans Sachs: „Warum betrübst du dich, mein Herz,"
mit dem Vers: „Ach Gott, du bist noch heut so reich,
als du bist gewesen ewiglich, mein Vertrauen
steht ganz zu dir," und mit dem Vers aus Paul Ger=
hardts Liede: „Schickt uns Gott ein Kreuz zu tragen,
bringt herein Angst und Pein, sollt' ich d'rum
verzagen?" Oder sie sagte zu der sorgenden Mutter: „Liebe
Mutter, weinet nur nicht; wir wollen recht beten und arbeiten;
wenn ich aus der Schule komme, will ich fleißig Strohhüte flech=
ten. Der liebe Gott wird uns nicht verlassen!" So verging
fast ein Jahr nach des Vaters Tode; die Wittwe hielt mit ih=
rem einzigen Kinde sparsam und treulich Haus, und beide hat=
ten durch Gottes Segen keinen Mangel. Das Mägdlein ging
fleißig zur Schule, flocht nach der Schule eben so fleißig Stroh
zu Hüten. Eines Tages, in der Erntezeit, geht die Mutter zu
einem Bauer in dem nächsten Dorfe, um bei diesem Hafer re=
chen zu helfen; das Mägdlein aber geht nach seiner Gewohnheit
in die Schule, und setzt sich, sobald es nach Hause gekommen,
vor die Thüre seiner Hütte hin, um Stroh zu Hüten zu flechten.
Da kommt ein Nachbarsmädchen von zwölf Jahren, ein Kind
von sehr wilder Art, und will Rosinen nöthigen, mit ihr her=
umzuspringen und Muthwillen zu treiben. Die kleine fromme
Waise will das nicht. Hierüber erzürnt, reißt sie das stärkere
Nachbarmädchen zu Boden, und kniet ihr auf den Leib, bis das
Kind vor Schmerzen laut aufschreit. Als die Mutter des Abends
von der Arbeit nach Hause kommt, klagt ihr die Kleine, was
ihr geschehen sei. Die Mutter aber meint, es werde ihr wohl
nicht viel Schaden gethan haben, und geht mit dem Kinde schla=
fen. Am Morgen aber klagt dieses sehr über Schmerz in sei=
nem Leibe, kann schon nicht mehr aufstehen, und auch durch die
von einem guten Arzte in Dresden gebrauchten Arzneimittel

werden die Schmerzen nicht gelindert, sondern immer nur grö=
ßer. Da bittet das Mägdlein seine Mutter, sie solle ihm doch
den Seelsorger holen lassen, daß er mit ihr bete, wie mit ihrem
Vater, denn sie werde sterben. Die Mutter sagt: „Mein liebes
Kind, wen hätte dann ich! Du bist noch mein Trost. Du wirst
ja nicht sterben wollen!" — Das Kind antwortete: „Liebe
Mutter, Gott muß euer Trost sein; vertraut nur ihm! Wisset
ihr nicht, wie wir singen: Weil du mein Gott und Trö=
ster bist, dein Kind du wirst verlassen nicht! Lasset
nur den Herrn Pfarrer holen." — Die Mutter erfüllte denn
des Kindes Wunsch; der Pfarrer kam. Das arme Waislein
zeigte eine große Freude über des Seelsorgers Gegenwart, betete
sehr herzlich, ja wahrhaftig brünstig, und gab dem Pfarrer zu
erkennen, daß es ein innig beständiges Verlangen nach dem
Himmel habe. Da fragte die Mutter abermals: Liebes Kind,
warum willst du denn so gern sterben? Du bist ja noch so
jung." Das Kind antwortete: „Es ist ja im Himmel besser,
dort komme ich zu meinem lieben Herrn Jesu, und ihr werdet
schon auch nachkommen. Indessen lobe ich mit meinem Vater
den lieben Gott und den Herrn Jesum. Weinet ihr nur nicht
um mich!" — Die Krankheit währte bis an den neunten Tag.
Der Pfarrer Gerber und sein Sohn besuchten in dieser Zeit das
selige Kind oft — ja, wahrhaft selig, schon auf seinem Lager
der Schmerzen! Denn sie fanden es immer betend und wie es
glaubensfroh seine Mutter tröstete, dabei mitten in den sehr gro=
ßen Schmerzen der Entzündung geduldig und still wie ein Lämm=
lein. Am neunten und letzten Tage der Krankheit waren etliche
christliche Nachbarinnen bei dem Mägdlein. Da bittet dieses,
man solle ihr doch das Lied vorsingen: „Wie schön leucht't
uns der Morgenstern." Und als das Lied fast zu Ende,
schläft das Kind darüber sanft und süß ein. — Seliges Kind!
wäre mein Herz wie dein Herz, so treu, so ohne Falsch; wäre
einst mein Ende wie dein Ende! — Ja, von solchen Seelen
heißt es: Diese sind Jungfrauen, und folgen dem Lamme, wo=
hin es geht!

---

251. Wie schön leuchtet der Morgenstern.

Wir waren wohl oft in großer Angst und Noth, erzählte
ein alter Dorfschulmeister in Schlesien, wenn wir im siebenjähri=

gen Kriege auf jenen Anhöhen die Oestreicher, hier in den
Schluchten unsere Preußen schlagfertig stehen sahen. Weder
Pferd noch Kuh, weder Milch noch Brot gab es in unserm Dörf=
chen mehr, fast in jeder Nacht hörten wir die Kanonen donnern,
und mit jedem neuen Morgen stellte sich auch neues Elend und
neuer Jammer für uns ein. Einst hatten wir wieder die ganze
Nacht hindurch schießen gehört; an Zubettgehen war gar nicht
mehr zu denken, weil man in jeder Nacht horchen mußte, ob
die Flamme nicht schon im Dachgiebel knisterte. Eben hatte ich
mein Morgenläuten besorgt, guckte zum Schallloche hinaus, um
zu schauen, was uns an dem schrecklichen Tage wohl wieder be=
vorstehen könne, und zog, zum Himmel blickend und Gott dan=
kend, mein Mützchen vom Kopfe, da mir Alles ganz ruhig schien.
Ehe ich es jedoch wieder aufgesetzt hatte, jagte ein alter, schwar=
zer Husar zum Kirchhofe herein, warf sich vom Pferde und band
seinen Braunen an meinen Fensterladen. Wie wir zu Muthe
ward, kann man sich leicht vorstellen. Ich flog mehr, als ich
ging, die Thurmtreppe hinunter. Er aber ließ mir nicht einmal
Zeit, meinen guten Morgen! anzubringen, sondern rief mir im
barschen Tone zu: Geb' er mir den Kirchenschlüssel, Schulmei=
ster! Ich erschrak; denn obgleich das Bischen Kirchenvermögen
und der vergoldete Kelch mit der Hostienschachtel in Sicherheit
gebracht waren, so befand sich doch noch eine ziemlich reiche Al=
tarbekleidung mit Tressen in der Kirche. Ich legte mich auf
Bitten und Vorstellungen; allein der alte Kriegsmann wollte da=
von Nichts wissen. Er sah mit einer so ganz eignen Manier
bald auf mich, bald auf seinen Säbelgriff, daß ich, um Unglück
zu verhüten, voranging, um die Kirchenthür zu öffnen. Meine
Frau, die hinter der Hausthür gehorcht hatte, und die vor der
Gefahr immer verzagter, in der Gefahr aber immer entschlosse=
ner war, als ich, kam aus Besorgniß um mich von freien Stü=
cken hinter uns her.

Der Husar drängte sich in der Halle hastig voran, ging,
ohne sich umzusehen, an der Sakristei und dem Altar vorüber,
und schritt, so schnell es sein Alter erlaubte, klirr! klirr! die
Chortreppe hinauf. Hier setzte er sich, Athem schöpfend, auf eine
Bank und rief mir gebieterisch zu: Schulmeister, mach die Or=
gel auf und geb' er mir ein Gesangbuch! Ich that augenblick=
lich, was er verlangte; meine Frau mußte die Balgen ziehen,
der Husar hatte ein Lied aufgeschlagen und sagte nun in einem

weit mildern Tone: **Wie schön leuchtet der Morgenstern!** Spiel' er das, lieber Schulmeister; aber so recht sein
und ordentlich, er versteht mich wohl!

Ich spielte mit Herzenslust und nach geendetem Vorspiele
fiel der Husar mit seiner tiefen Baßstimme ein; meine Frau
hinter der Orgel und ich thaten ein Gleiches. Mein Herz wurde
so muthig, daß ich mich oft nach meinem Zuhörer umschaute
und ihm ganz dreist in das Gesicht sah. Er sang mit großer
Andacht, hatte die Hände gefaltet, und die hellen Thränen fielen
über den eisgrauen Knebelbart auf das Buch hinab. Jetzt war
das Lied beendet; ich ging auf ihn zu; er schüttelte mir treuherzig die Hand und sprach: Großen Dank, Herr Kantor! Wo
ist der Gotteskasten? Mein früherer Argwohn, daß es auf Plün-
derung abgesehen sei, war nun gänzlich verschwunden. Ich holte
unsere Armenbüchse, und der Husar warf ein Achtgroschenstück
hinein. Wir Beide aber, wir theilen den Rest, Herr Schulmeister, sagte er dann, indem er noch zwei Achtgroschenstücke aus
der Tasche zog, da, nehm' er das eine für seine Mühe! Ich
schlug es aus; aber er war so ungestüm, daß ich es schlechter-
dings nehmen mußte. Nehm' er, nehm' er, sprach er, es klebt
kein Blut daran! Jetzt verließ er das Gotteshaus, und wir begleiteten ihn. Sowohl meine Frau, als ich, waren unglaublich
bewegt; ich konnte mich aber nicht enthalten, unsern wunderbaren Gast auf dem Kirchhofe zu fragen, wie ihm denn der Gedanke gekommen sei, hier seine Morgenandacht zu halten. Das
will ich euch wohl sagen, ihr lieben Leute, antwortete er, indem
er uns Beide bei der Hand nahm. Gestern Abend sollte ein
verlorner Posten ausgestellt werden, um mitten unter den herum-
schweifenden Patrouillen den Feind auf einem gewissen Punkte
zu beobachten. Jeder von uns wußte, was die Sache auf sich
hatte; wir sind seit einigen Wochen brav daran gewesen. Unser
Rittmeister fragte nach Freiwilligen; Niemand bezeigte Lust. Endlich ritt ich fort, und meine drei Jungens konnten ja wohl den
alten Vater nicht allein lassen. Er braucht es nicht zu wissen,
Herr Schulmeister, wie wir es anfingen; genug, wir schlichen
uns durch, und hielten die ganze Nacht auf einer buschigen Anhöhe. Links und rechts blitzte es um uns her, wir sahen bald
hier, bald dort feindliche Mannschaften. Nicht meinetwegen —
denn wie lange werde ich noch reiten! sondern nur wegen meiner Söhne seufzte ich in der finstern Nacht: Herr, erhalte uns,

Kaum hatte ich es heraus, als es anfing zu dämmern und der Morgenstern mir ins Auge blitzte. Wie schön leuchtet der Morgenstern! fiel mir in diesem Augenblick aus meiner Jugend= zeit ein; gar Manches, was ich seitdem gethan, und was wohl nicht allemal recht war, hing sich wie eine Bleilast daran; ich rechnete nach, seit wie viel Jahren ich in keine Kirche gekommen, und ich that Gott das Gelübde, wenn ich diesmal davon käme, wieder einmal eine Andacht zu halten. Dies hab' ich denn nun gethan, und er kann wohl denken, ob mir's zu Herzen ging, als wir sangen: Du, Herr, bist's, der mich diese Nacht durch deine Engel hast bewacht!

Mit diesen Worten setzte er sich auf und ritt davon.

So weit reicht die Erzählung des alten schlesischen Dorf= schulmeisters; der freundliche Leser möchte hier aber die Frage aufwerfen: wie ist es weiter mit dem alten Kriegsmanne gegan= gen, hat er den Eindruck bewahrt, und nun auch dem Herrn so treu gedient, wie seinem Könige?

Lieber Freund, ich habe mich strenge an die Thatsache ge= halten, so weit dieselbe bekannt geworden; aber Eine Antwort habe ich doch, wie sie sich in Gottes Wort findet:

„Gott ist treu, durch welchen ihr berufen seid zur Ge= meinschaft seines Sohnes Jesu Christi, unsers Herrn, und ich bin desselbigen in guter Zuversicht, daß, der in euch angefangen hat das gute Werk, der wird es auch vollführen bis auf den Tag Jesu Christi.' Kor. 1, 9.

Lassen wir also in Hoffnung auf diese Zusage den alten Kriegsmann ziehn, er zog gewiß seine Straße fröhlich, gleich jenem Kämmerer, den Philippus auf der Straße von Gaza, die da wüste ist, antraf (Apostelgesch. 8); die Hauptfrage aber für mich und dich bleibt doch. Bin ich schon aus dem Tode ins Leben gekommen, und ist auch mir schon der Morgenstern auf= gegangen in meinem Herzen? — —

---

252. Wie wird mir dann, o dann mir sein.

Es hat ein jeder Mensch seine Stunden, wo ihm das Leben von seiner düstersten Seite erscheint, wo die ganze Hülf= losigkeit seiner Natur ihm anschaulich wird, und wo er gezwun= gen wird, nach der Hand Gottes zu greifen, die sich ganz sicht=

lich ihm nähert und ihn emporrichten möchte, daß er das Eine, das Noth thut, ergreife und festhalte. Eine solche Stunde, erzählt ein Geistlicher, habe ich gehabt und sie ist eine entscheidende, segensreiche für mich geworden.

Ich hatte einen Freund, einen kräftigen lebensfrohen Jüngling, den Sohn eines armen Schullehrers in der Nähe der Universitätsstadt. Manches Wort in Scherz und Ernst hatten wir während unseres Zusammenlebens geführt, aber der Muthwille war in unseren Gesprächen vorherrschend. An diesen nahm indessen sein jüngerer Bruder, der Theologe war, keinen Antheil. Schweigend saß er gewöhnlich, während wir scherzten, in einer Ecke, und las in einem Buche, oder starrte vor sich hin, und gab auf alle Fragen entweder keine, oder verwirrte Antwort, so daß er nicht selten für blödsinnig gehalten wurde, und allerlei Spottnamen sich mußte gefallen lassen. Und er war es wirklich, und er ist es noch, und doch ist er Prediger des Evangeliums.

Mein lebenslustiger Freund, der nicht selten in die Scherze über seinen schwachen Bruder einstimmte, und ihm eine traurige Zukunft verhieß, war indessen der Erste von den beiden Brüdern, dem eine traurige Zukunft bestimmt war. Er erkrankte plötzlich, und eine Auszehrung mit allen ihren traurigen Folgen richtete ihre Verwüstung auf dem blühenden Angesicht des Jünglings an. Seine Eltern holten ihn in der Herbstzeit nach Hause, um ihn besser pflegen zu können. Ich besuchte ihn von Zeit zu Zeit, fand ihn aber immer schwächer werdend, während seine Hoffnung wuchs und der Gedanke an das nahe Ende ihm immer ferner wurde. Ich mochte den Freund in seinen Hoffnungen nicht stören, so schmerzlich es mir auch war, wenn er von seinen Plänen für die Zukunft sprach.

So war der November gekommen, jener trübste Monat im Jahre; seit mehreren Wochen hatte die Sonne nicht geschienen und schwarze Nebelwolken lagen drückend auf der feuchten Erde. „Wie mag es deinem Freunde heute sein in seiner düstern Krankenstube?" dachte ich bei mir selbst, „gewiß leidet jetzt doppelt; du willst ihn heute besuchen, und ihm den Trost bringen, dessen er gewiß bedarf." Ich arbeitete mich durch den dichten Nebel zu dem 2 Stunden von der Stadt entfernten Dörschen durch! und die trübe Witterung, und die Besorgniß um meinen Freund versetzten mich in eine sehr ernste Stimmung. Ich trat über den Kirchhof in die kleine Schulwohnung. Eben sang der

Schulgehülfe mit den Kindern des Dorfes das Lied, das mir
unvergeßlich bleiben wird:

> „Wie wird mir dann, o dann mir fein,
> Wenn ich mich ganz des Herrn zu freu'n
> In ihm entschlafen werde."

O wie ergriffen mich in diesem Augenblicke diese Worte!
Ich mußte auf der Hausflur stehen bleiben, um mich zu sam=
meln und dem kranken Freunde ein heiter Angesicht mitzubringen.
Etwas gefaßter trat ich in die Stube. Der alte kindische Vater
meines Freundes lächelte von der Ofenede aus mir freundlich
entgegen, die Mutter saß auf eine Arbeit gebückt still weinend
am Tische, der Bruder stand mit verlegenem Gesichte vor dem
Bette, und in ihm lag mein Freund, ein Bild des Todes, und
die Hände gefaltet wie zum Gebet.

„Gott sei Dank!" rief er mir mit schwacher Stimme ent=
gegen, „daß du mich heute besuchst! Ich habe heute einen bö=
sen Tag, die kranke Brust schmerzt so sehr, und ich bin so ver=
zagt und verlassen. Wenn doch nur ein einziger Sonnenstrahl
heute auf mein Bette fiele, ich wollte Gott dafür danken. Denke
nur, seit Wochen ist der Arzt aus der Stadt nicht dagewesen,
und als ich ihn durch die Nachbarin gestern bitten ließ, mich
doch einmal zu besuchen, da fragte er die, gleich als könne er
mein Ende nicht erwarten; „Lebt er denn noch? Ich glaubte,
er sei längst todt." So bin ich denn aufgegeben und muß ster=
ben, bald, recht bald. Aber Freund, glaub' mir, es stirbt sich
so leicht nicht, zumal wenn man jung ist und der Kopf noch so
voll Gedanken und das Herz noch so voll Wünsche. Aber heute
ist Alles bei mir aus, Gedanke an diese Welt und Wünsche für
dieses Leben. Ich will sterben, aber ich kann's nicht recht, ich
muß beten, und mit dem lieben Gott mich versöhnen, aber ich
kann's auch nicht recht; ich kann nur seufzen und weinen. Da
hab' ich August gebeten, er solle mir laut vorbeten, daß ich
Trost bekomme, aber er kann's nicht und ist doch ein Theologe,
und mein Mütterchen dort kann's auch nicht, und ist doch so
fromm und gut, und mein Vater kann's auch nicht, der ist alt
und schwach. Kannst du es vielleicht, Freund, kannst du es?
Ich bin einmal im Jahre meiner Confirmation in einer Kirche
gewesen auf Charfreitag, und der alte Pfarrer, der die Predigt
hielt, sprach so schön und erbaulich vom Sterben des Heilands,
und wie wir ihm nachstreben müßten, und wie sein Tod unsere

Erlösung, und wie seine Himmelfahrt unser Eingang zum Himmel sei, und wie er in unserm Sterbestündlein auch zu uns komme, und uns zu sich nehmen wolle, auf daß wir seien, wo er ist. Ich habe dies Wort mir tief eingeprägt und oft daran gedacht, und heute möcht' ich's ganz glauben und in diesem Glauben selig sterben; hilf du mir, Freund, um diesen Glauben beten."

So bange wie in diesem Augenblick ist es mir niemals gewesen, weder vorher, noch nachher. „Kannst du beten, mit vollem Glauben an den Erlöser beten, wie es der Kranke möchte?" fragte ich mich, und mein Gewissen gab die beschämte Antwort: „Nein, du kannst es nicht!" Und ich kam mir so klein vor, so arm und so verlassen, und ich fiel vor dem Bette meines Freundes auf meine Kniee und weinte laut! aber beten konnte ich nicht. Als ich ruhiger wurde, sprach ich mit meinem Freunde über sein bisheriges Leben, über seinen nahen Tod, über die Ewigkeit, wo wir uns wiederfinden wollten, und seine Seele ward stille, und am Abend entschlief er.

Als ein neuer Mensch ging ich heim, und von dem Tage an habe ich glauben gelernt an den Heiland, der da sprach: „Ich bin gesandt, der Menschen Seelen zu retten." Und auch beten habe ich gelernt zu ihm, der unser Fürsprecher ist beim Vater.

253.

Wie's Gott gefällt, gefällt mir's auch,
Und laß mich gar nichts irren,
Ob mich zu Zeiten beißt der Rauch,
Und wenn sich schon verwirren
All Sachen gar, weiß ich fürwahr,
Gott wird's zuletzt wohl richten.
Wie er's will han, so muß es gehn;
Soll's sein, so sei's ohn' Dichten.

Dies Lied hat der Churfürst Johann Friedrich der Großmüthige (geb. 1503, gest. 1554) während seiner Gefangenschaft gedichtet.*) Derselbe gerieth nämlich mit dem Kaiser

---

*) Andere behaupten: Ambrosius Blaurer, ein Geistlicher, welcher meist in Winterthur lebte und 1567 starb, sei der Dichter dieses Liedes.

Karl V. in Krieg und es kam den 24. April 1547 bei Mühlberg an der Elbe zur Schlacht. Es war der Sonntag Misericord. Domini und Johann Friedrich wartete den Gottesdienst ab. Es wurde über das Evangelium vom guten Hirten gepredigt. Nach der Predigt setzte sich Johann Friedrich noch gelassen zur Tafel, gar den Feind nicht erwartend, denn ein dicker Nebel verdeckte alles. Als Karls Reiter und Hakenschützen zur Elbe heranrückten, zündeten Johann Friedrichs Leute die bei Mühlberg geschlagene Schiffbrücke an, doch stürzten sich sogleich mehrere Kaiserliche in den Strom und erreichten die brennende Schiffbrücke noch. Ein Bürger aus Mühlberg, Namens Strauchmann, der durch die Elbe geritten war, um sein Pferd vor den Leuten Johann Friedrichs in Sicherheit zu bringen, ward von einem Heerführer Karls zufälliger Weise angetroffen, und zeigte eine seichte Stelle, wo die ganze Reiterei durchritt. Ehe noch das ganze Fußvolk und das grobe Geschütz herüber war, für das man in der Eile eine Schiffbrücke geschlagen, griff Karl schon an. Jetzt erst erhob sich der Churfürst von der Tafel. Karl machte mit den Seinen einen allgemeinen Angriff, die Churfürstlichen Reiter wurden zuerst geworfen und diese brachten das Fußvolk in Unordnung. Ueber acht Stunden bis tief in die Nacht dauerte der Kampf, obgleich viele, worunter auch wohl Verräther waren, die Flucht ergriffen. Der Churfürst hielt bis zum letzten Mann aus. Als er aber endlich, umgeben von 40 Hakenschützen, auch die Flucht ergreifen mußte, stürmten die Reiter auf ihn ein. Er kämpfte wie ein Löwe, erhielt einen Hieb in die Backe und einen Stich in den Hals. Endlich ergab er sich dem Ritter Thilo von Trotte. Stromweis rann das Blut über sein Panzerhemd, und so ward er über das Schlachtfeld in des Kaisers Hauptquartier geführt. „Erbarm dich mein, o Herr! Nun sind wir hier" — so seufzte der unglückliche Fürst, Augen und Hände gen Himmel gerichtet. Als er den Kaiser sah, stieg er vom Pferde, zog den Blechhandschuh aus, und wollte dem Kaiser die Hand reichen. Der stolze Sieger aber wies sie zurück. Johann Friedrich entblößte darauf das Haupt und sprach in demüthiger Stellung: „Großmächtigster, allergnädigster Kaiser! Ich bin Ew. Majestät Gefangener." — Er wollte weiter fortfahren, aber der Kaiser unterbrach ihn mit den Worten: „Bin ich nun Kaiser!" „Ich bitte um ein fürstliches Gefängniß;" fuhr Johann Friedrich unerschrocken fort, und Karl entgegnete: — „Ihr sollt eins haben, wie ihr es verdient. Durch eure Schuld habt ihr's so weit gebracht." — Achselzuckend setzte Johann Friedrich den Helm auf und antwortete: „Ich bin in Ew. Majestät Gewalt, thut mit mir, wie es Euch beliebt!" Fünf Jahre und vier Monat hat der Churfürst in der Gefangenschaft zugebracht und in derselben das oben erwähnte Lied verfertigt.

---

254. Wirst du einst unsre Seelen ganz entbinden.

Als sich im Jahre 1807 zu Leyden*) die bekannte, grausenerregende Geschichte mit der Pulver-Explosion, die einen großen Theil der Stadt verheerte, zutrug, war in einem Hause, das auch mit einfiel, eine fromme Tischgesellschaft beisammen, die sich nach der Mahlzeit noch mit christlichen Gesprächen unterhielt. Eben hatte die Frau (Wittwe des rühmlich bekannten Predigers) von Alphen das Wort genommen, und erzählte, wie sie am vorigen Sonntage bei dem Genusse des heiligen Abendmahls so vielen Segen gehabt hätte; besonders wäre ihrem Herzen bei dem Absingen des folgenden Liedes eine reiche Erquickung zugeflossen.

> Wirst du einst unsre Seelen ganz entbinden
> Vom trägen Fleisch, dem Treibhaus aller Sünden,
> Und sei'rn wir hier nicht mehr das Abendmahl:
> Dann werden wir dich, Gott, dem wir vertrauen,
> Von Angesicht zu Angesichte schauen,
> Beim Lied des Lammes am bessern Abendmahl.

Kaum war das letzte Wort über ihre Lippen, als die Explosion geschah, das Haus zusammenstürzte, und Alle, die darin waren, unter seinen Trümmern begrub.

---

*) Leyden, eine große, schöne Stadt in Holland. Sie hatte am 12. Januar 1807 das große Unglück, daß ein mit 40,000 Pfd. Pulver beladenes Schiff, welches in der Stadt lag, in die Luft flog, wodurch die zu beiden Seiten des Kanals stehenden Häuser zusammenstürzten, und eine große Menge Menschen ihr Leben verloren. Drei Schulhäuser gingen mit allen Kindern, die darin waren, zu Grunde. Menschen und Thiere, welche in der Nähe des Unglücks auf der Straße sich befanden, wurden von der Gewalt des Pulvers in die Luft geschleudert und kamen in einem kläglichen Zustande wieder auf die Erde.

Heinrich, Erz. I.   20

Ein würdiger Mann, Mitglied dieser christlichen Gesell=
schaft, der nachher lebend hervorgezogen wurde, hat uns diese
Geschichte erzählt. — Wie überraschend muß es diesen frommen
Seelen gewesen sein, sich plötzlich in die seligen Gefilde versetzt
zu sehen, von denen sie so eben noch so lieblich gesprochen hat=
ten! Und welch ein Trost ist es für die Hinterbliebenen, ihre
weggerissenen Freunde bei ihrem Erlöser aufgehoben zu wissen,
wo sie dieselben einst selig wieder zu finden, die gewisse Hoff=
nung haben.

---

255. Wittwen sind in Gottes Armen.

Als eine Wittwe ihrer betrübten Umstände halber sehr
traurig war und in Thränen fast vergehen wollte, kommt ihr
neunjähriges Söhnchen, tröstet sie und spricht: sie solle sich doch
zufrieden geben, denn es hieße ja:

> Wittwen sind in Gottes Armen,
> Waisen sind in Gottes Schooß,
> Er wird ihrer sich erbarmen,
> Wenn die Noth auch noch so groß.

Die Wittwe aber wußte nicht, woher das Kind diese
Verse gelernt habe.

256.

> Wo keine Bibel ist im Haus,
> Da sieht's gar öd' und traurig aus,
> Da kehrt der böse Feind gern ein,
> Da mag der liebe Gott nicht sein!
> Drum Menschenkind, ach! Menschenkind,
> Daß nicht der Böse Raum gewinnt.
> Gieb deinen blanksten Thaler aus
> Und kauf' ein Bibelbuch ins Haus!

> Schlag's mit dem früh'sten Morgen auf,
> Hab' all' dein Sehnen und Sinnen drauf,
> Fang' drin die A B C-Schul' an,
> Und buchstabir' und lies sodann,
> Und lies dich immer mehr hinein,
> Schlag auf darin dein Kämmerlein;
> Und lies doch immer mehr heraus,
> Mach dir ein wahres Bollwerk draus!

Und pflanze still hoch oben drauf
Die allerschönsten Sprüchlein auf!
Hell laß sie flattern, muthig wehn,
Als deinen Banner laß sie sehn;
Als deinen Schild drück's an dein Herz
Und halt' dich dran in Freud und Schmerz.

O du mein liebes Menschenkind,
Hast du noch keins, so kauf's geschwind,
Und ging dein letzter Groschen drauf,
Geh, eile, flieg' und schlag' es auf.
Lies mit Gebet, und schlag' es du
Nur mit des Sarges Deckel zu.
Des Lesens und des Lebens Lauf
Beginn' und höre mit ihm auf!

Ein Mann, der dem Trunke ergeben war und überhaupt
ein rohes Leben führte, hörte von seinem zwölfjährigen Knaben
die oben angeführten Verse hersagen, welche derselbe in der
Schule gelernt hatte. Hm, brummte der Alte, das ist doch wahrlich zu viel verlangt, wenn man sogar den letzten Groschen
an das alte Bibelbuch wenden soll. Euer Lehrer, sagte er zu
dem Knaben, ist nicht recht gescheit, daß er euch solche Verse
lehrt. — Der Knabe, der seinen Lehrer lieb hatte, vertheidigte
denselben und der Alte wurde stiller und ließ sich noch Manches
von seinem Kinde aus dem Bibelbuche erzählen. Tags darauf
nahm der Alte die Bibel nach vielen Jahren selbst einmal wieder in die Hand und fing an darin zu lesen. Er las und las
immer wieder, und der Geist Gottes, der immer geschäftig ist,
des Menschen Herz zu erleuchten, ließ sich nicht unbezeugt an
diesem Trunkenbolde. Es wurde von da an anders mit ihm;
die Bibel wurde sein liebstes Buch und mit dem Saufen war's
nun vorbei. Späterhin hat er sich noch bei dem Lehrer für die
Verse bedankt, denn, sagte er, dieselben haben mir die erste Veranlassung zu meiner Bekehrung gegeben.

---

257. Wo soll ich fliehen hin?

Als die Preußen im Jahre 1813 sich von allen deutschen
Völkern zuerst gegen Frankreich erklärten, handelten alle ihre

20*

öffentlichen Blätter und Verordnungen besonders von den Maß=
regeln des Landsturms. Wenn der Feind sich nähere, solle
man die besten Sachen weiter ins Land schaffen, das Uebrige
verderben, und dann Haus und Hof verlassen. Nicht weit von
der Grenze des ehemaligen Königreichs Westphalen, einige Mei=
len von der Elbe, wohnte ein Arzt, dessen Gattin von Natur
sehr schüchtern und ängstlich war. Jetzt hörte sie bei Möckern
im April 1813, etwa 3 Meilen von ihr entfernt, die Kanonen.
Die Franzosen waren aus Magdeburg ins Preußische eingerückt.
Man kann sich denken, wie den benachbarten Ortschaften mag zu
Muthe gewesen sein. Immer heftiger ward der Kanonendonner.
Zusammengepackt hatte auch die Frau des Arztes ihr Bestes, und
beide waren nun voll banger Erwartung, wie das Treffen sich
endigen werde. Um irgend etwas Beruhigendes zu erfahren,
und dann seine geliebte Gattin aus der Angst zu reißen, eilte
der Mann nach der Post, wo von Zeit zu Zeit Stasfetten mel=
deten, wie es beim Heere stände. Hier sand er, o wie zu rech=
ter Zeit! folgende treffliche Denkmünze: Auf der einen Seite ist
eine Taube abgebildet, die zwischen Gewitterwolken und zuckenden
Blitzstrahlen ängstlich und wie verschüchtert hin und her flattert,
unter ihr empörte Meereswogen, über ihr ein schwarzes Wolken=
heer. Die Umschrift aber auf dieser Seite ist:

> Wo soll ich fliehen hin?

Auf der andern Seite sieht man wieder das Meer, aber ein hoher
Fels mitten darin, und auf diesem Felsen der Gekreuzigte, wie
er auf Golgatha starb, mit der Umschrift als Antwort auf die
vorige Frage:

> Allein zu dir, Herr Jesu Christ!

Wunderbar gerührt, tauschte sich der Arzt diese schöne
Goldmünze ein und brachte sie sofort seiner Gattin. Auch sie
ward durch dieselbe so gestärkt, daß sie ruhiger und ergebungs=
voller ihren nächsten Schicksalen entgegen sah. Das Treffen fiel
zu Gunsten der Preußen aus, und so war denn diesmal die
Angst vergebens gewesen. Gott hat überhaupt die ganze Familie
behütet. Das erkennt sie selbst mit dankbar gerührtem Herzen.
Jene für sie so wichtige Münze soll zum ewigen Andenken an
göttliche Tröstungen und Rettungen aufbewahrt und als Familien=

ſtück auf ihre Nachkommen fortgeerbt werden. Du aber, mein Leſer, beſonders wenn du in großen Geſahren ſchwebſt und von mannigfachen Leiden und Schmerzen beſtürmt ebenfalls ängſtlich fragſt:

Wo ſoll ich fliehen hin,
Weil ich beſchweret bin
Mit vielen großen Sünden?
Wo kann ich Rettung finden?
Wenn alle Welt herkäme,
Mein' Angſt ſie nicht wegnähme.

ſo ſprich auch du mit entſchiedenem Sinne:

Allein zu dir, Herr Jeſu Chriſt!

Bei ihm, ja bei ihm allein hat noch immer das bange leidende Herz Rath, Troſt und Hülfe gefunden.

Niemand jemals verlaſſen iſt,
Der getrauet hat auf Jeſum Chriſt.

Der Verfaſſer des Liedes iſt Johann Herrmann, war Prediger in Köben, wurde aber durch den 30jährigen Krieg von dort vertrieben und ſtarb in Liſſa den 27. Februar 1647.

---

258. Wunderanfang! herrlich's Ende!

Bei einem chriſtlichen Wirthe war ein früher ſehr wohlhabender Mann eingezogen, der ſeine Frau verloren hatte, an ſeinem einzigen Sohne Schande erlebte, ſtatt Beförderung, Zurückſetzung erfuhr, dabei noch durch einen nahen Verwandten um den größten Theil ſeines Vermögens gebracht worden war. Der Mann war der Verzweiflung nahe. Ein chriſtlicher Nachtwächter hatte einige Kunde von dieſen Umſtänden, auch daß er die Ermahnungen und Tröſtungen ſeines Wirths liebreich angenommen. Als er daher ſeinen erſten Umgang gemacht hatte, ſang er vor dem Fenſter des Hauswirths das ganze Lied:

Wunderanfang! herrlich's Ende!
Wo die wunderweiſen Hände

Gottes führen ein und aus;
Wunderweislich ist sein Rathen,
Wunderherrlich seine Thaten,
Und du sprichst: wo will's hinaus?

Der Tiefgebeugte hörte es zum ersten Male in seinem Leben. Es war ihm, als ob mit jeder Strophe das vierfache
Kreuz von seiner niederdrückenden Schwerkraft verlöre, ja, daß
es ihm zum Besten dienen müsse. Der getröstete Mann blieb
seitdem bis zu seinem Ende ein inniger Freund des Nachtwächters.

Der Dichter des Liedes ist Lic. Heinrich Arnold Stock-
fleth; Oberhofprediger, Brandenburgischer Kirchenrath, General-
superintendent und Director des Gymnasiums in Bayreuth.
Starb den 8. August 1708.

———